MADAME DE POMPADOUR

Du même auteur

Vasque de Lucène et la Cyropédie à la Cour de Bourgogne, Genève, Droz, 1974.

Danielle GALLET

Madame de Pompadour

ou le pouvoir féminin

Fayard

1

Mademoiselle Poisson

La Régence de Louis XV est l'une de ces époques troubles qui ont favorisé en France le déplacement des fortunes et la mobilité sociale. Bien des familles ont été ruinées par la faillite de Law ; d'autres ont commencé leur ascension : les parents de celle qui fut Mme de Pompadour en sont un exemple. L'union, scellée le 11 octobre 1718, à Saint-Louis des Invalides, entre François Poisson et Louise Madeleine de La Motte est à quelques égards scandaleuse.

La généalogie de l'époux est courte et ne remonte pas au-delà de ses parents. C'étaient d'humbles tisserands de Provenchères, près de Montigny-le-Roi, dans le Bassigny. De Claude Poisson et de Marie Marangé, fille du même village, étaient nés neuf enfants, dont François Poisson était le dernier. Comme le Petit Poucet, il a quitté un jour la maison au toit de chaume et s'est engagé pour être « haut le pied » ou conducteur de chevaux. Il aurait aussi été laquais chez l'intendant de Picardie, mais sa chance fut d'obtenir la protection des quatre frères Pâris, qui étaient eux-mêmes au début de leur étonnante carrière.

Ces hommes vivaient de la guerre. Ils se chargeaient de ravitailler les troupes en campagne et firent fortune en qualité de commissaires des vivres. Quand leur activité se fut étendue et diversifiée, ils investirent les principaux domaines de la haute finance. Sous leur direction, Poisson fut garde-magasin à Bapaume et procura des subsistances à l'armée du maréchal de Villars, qui triompha des Impériaux en 1712. Dès cette époque, Poisson avait fait sa percée. Il possédait à Nogent-l'Artaud, près de Château-Thierry, une maison couverte de tuiles, qui comprenait un grand corps de logis, des

ailes, et un jardin prêt à être dessiné à la française. Il acquit aussi
une ferme à Lucy-en-Bocage, dite le fief de Vandières. En 1715, il
obtint la main d'une belle blonde issue de la haute bourgeoisie
parisienne, Gabrielle Le Carlier de Roquaincourt, fille d'un commissaire en la Cour des Monnaies. De ce mariage, Poisson n'eut pas
d'enfants. Veuf dès 1718, il convola dans l'année avec Louise
Madeleine de La Motte, qui fut la mère de Mme de Pompadour.

La famille de sa nouvelle épouse appartenait au cercle des
Pâris. Son père, Jean de La Motte, était comme eux pourvoyeur
des armées et approvisionnait en viandes l'hôtel des Invalides. Qua-
lifié d'entrepreneur, il habitait la Boucherie de l'hôtel, où son fils,
Jean-Louis de La Motte, le secondait dans l'exercice de sa charge.
Sa femme était Marie Thiercelin. Leur fille, Louise Madeleine, attira
très tôt l'attention du haut personnel de la Guerre par sa beauté
éclatante et son intelligence. Il apparaît que son mariage avec Poisson fut conclu sous l'influence des Pâris en faveur de leur ami
Le Blanc, qui fut secrétaire d'Etat à la Guerre et contrôlait les
Invalides.

Dans la société corrompue de la Régence, le mariage de cette
éblouissante personne recouvre un compromis adopté pour la
commodité de Le Blanc, qui aspirait aux faveurs de l'épousée, si
même elles ne lui étaient pas acquises ; et selon certains, Pâris de
Montmartel était aussi sur les rangs. Pour calmer les scrupules des
La Motte, Le Blanc fit donner par le Régent au complaisant Poisson le titre ronflant d'écuyer. A l'occasion du contrat, La Motte prit
celui de commissaire de l'Artillerie. Les témoins de Poisson étaient
Antoine Pâris, Claude Pâris de La Montagne et Joseph Pâris-
Duverney. Pour la future signèrent le Régent, le prince Charles et
la princesse Charlotte de Lorraine, le marquis de Biron, le ministre
Le Blanc et sa fille, la marquise de Trainel. De telles signatures
sont flatteuses, mais n'impliquent pas la présence effective de ces
grands personnages autour de la famille et du notaire, car un clerc
leur avait fait parapher chez eux la minute et les expéditions.

Mariée sous le régime de la communauté, Louise Madeleine de
La Motte n'apportait que 15 000 livres, mais le capital plus précieux de sa beauté. Quelqu'un la dépeint comme une Vénus ; un
autre dit qu'elle était belle, blanche, aux cheveux noirs, avec de
l'esprit comme quatre diables. Sa carrière galante allait être bien
remplie. La chronique lui prête généreusement une dizaine d'amants.

Outre Le Blanc et son frère, l'évêque d'Avranches, elle eut Pâris de Montmartel et Du Laurens, Premier commis de la Guerre. Fournier, directeur du magasin de Charleville, était un violent qui se ruina pour elle et la rossait pour la punir de ses infidélités. Nommons aussi M. de Wedderkop, envoyé du roi de Danemark, plus doux mais également généreux, et le prince de Grimberghen, de la maison d'Albert de Luynes, dont on ne comptait pas les bonnes fortunes. Il faudrait encore citer Graevenbrock, chargé d'affaires de l'électeur palatin, et Le Bel, valet de chambre de Louis XV ; mais la liaison la plus durable fut celle qui l'unit au fermier général Le Normant de Tournehem.

Il est vrai que les affaires de Poisson et ses curieuses pérégrinations l'éloignaient du domicile conjugal. En 1720, on le trouve à Copenhague. Quand il revint en France, les frères Pâris et leurs treize cents commis liquidaient l'affaire de Law avec une sagacité brutale et imposaient leur arbitrage au pays débordé par cette aventure éphémère et cette expérience prématurée. En 1721, Poisson se porta au secours de la Provence, que désolait une effroyable épidémie de peste, et se signala par son dévouement. Quatre ans plus tard, alors que la disette affamait Paris, où l'on promenait en vain la châsse de sainte Geneviève, le lieutenant de police d'Ombreval l'agréa pour acheminer des blés vers la capitale. A cette occasion, Poisson se déploya en province, sans négliger ses bénéfices personnels.

Après trois ans de mariage était née, rue de Cléry, le 29 décembre 1721, la petite Jeanne-Antoinette, qui devait être Mme de Pompadour. Il va de soi que la paternité de cette enfant est mystérieuse et le sera toujours. Ses prénoms rappellent qu'elle fut portée sur les fonts baptismaux, à Saint-Eustache, par Jean Pâris de Montmartel et sa nièce, Antoinette Justine Pâris, alors âgée de onze ans ; le compère et la commère devaient s'unir par mariage trois ans plus tard. Les Poisson quittèrent la rue de Cléry pour la voisine rue Thévenot (Réaumur), où ils furent un moment locataires de M. d'Ombreval. Dans cette maison naquit leur seconde fille, qui fut baptisée à Saint-Sauveur et mourut en bas âge.

Bientôt après, le ménage abandonna le quartier de la Villeneuve pour celui du Marais et s'établit grandement rue de Moussy dans un ancien hôtel des évêques de Beauvais. Il avait là équipage, vaisselle plate et nombreuse domesticité. En 1725 naquit un garçon,

Abel François, qui devait être connu sous le nom de marquis de Marigny et jouer auprès de sa sœur un rôle éminent. Sa marraine était Elisabeth Levasseur-Ferrand, qui épousa en secondes noces le fermier général Jean-François La Borde.

Après la disette, l'acquisition d'un bel immeuble à l'angle des rues de Richelieu et Saint-Marc permit à la famille de prendre pied dans le quartier élégant qui devenait le fief parisien des gens de finance. Poisson appartenait à cette classe de parvenus dont l'élévation excitait l'animosité populaire et la verve des écrivains satiriques :

> On voyait des commis
> Mis
> Comme des princes.
> Après être venus
> Nus
> De leur province.

L'opinion publique attendait le moment où ces insolents profiteurs seraient mis en accusation et condamnés à rendre gorge. Lors des règlements de compte qui suivirent la disgrâce du duc de Bourbon, une obscure transaction intervint entre les frères Pâris et Poisson, leur agent fidèle, qu'ils n'abandonnèrent jamais, lui ni les siens. Poisson accepta d'être désigné comme bouc émissaire et fut pour ainsi dire largué par-dessus bord. Une commission du Conseil examina ses comptes avec la dernière rigueur et un arrêt du 23 avril 1727 le déclara débiteur de la somme de 232 430 livres, 8 sols, 3 deniers. Jugé et condamné par une sentence dont le texte a été perdu ou volontairement détruit, il faillit être pendu ; c'est du moins ce que l'on dit plus tard. D'intelligence avec les Pâris, il prit le large et s'exila en Allemagne, où il continua de leur rendre d'importants services.

Après la fuite de son mari, Mme Poisson, âgée de vingt-huit ans, resta seule à Paris avec ses deux enfants. La maison de la rue Saint-Marc, payée d'ailleurs par son amant Wedderkop, fut provisoirement saisie. La jeune femme alla loger rue neuve des Bons-Enfants dans un appartement modeste. Il lui fallut congédier le cocher Liégeois, le laquais Gérard, la femme de chambre Charlotte Godard et la cuisinière Marie Leclerc ; mais la nourrice de Jeanne-

Antoinette, nommée Dablon, ne fut jamais oubliée. En août 1727, une sentence du Châtelet déclara Mme Poisson séparée de biens. En octobre, elle reçut la modique somme de 1 000 livres sur la vente des meubles de son mari ; mais deux ans plus tard, elle obtint la maison de Nogent-l'Artaud et se remit à flot.

Avant son départ, Poisson avait pris personnellement les dispositions les plus sages pour la sécurité physique et morale de Jeanne-Antoinette. Il se trouvait qu'une sœur de sa femme et une cousine étaient en religion chez les Ursulines de Poissy. C'étaient les sœurs de Sainte-Perpétue et de Sainte-Elisabeth. Leur ordre se consacrait depuis plus d'un siècle à l'éducation des jeunes filles, particulièrement celles de la bourgeoisie. Poisson savait que le régime et la douce atmosphère de cette communauté convenaient à la santé délicate et à la vive sensibilité de sa fille. En introduisant cet ordre à Paris sous Louis XIII, Mme de Sainte-Beuve avait fait siennes les intentions de la fondatrice italienne, Angèle Merici. Les petites filles recevaient une instruction élémentaire, apprenaient à tenir une maison, et les plus pauvres étaient mises en état d'exercer un humble métier. Comme elles étaient destinées à vivre dans le siècle, les religieuses s'interdisaient d'éveiller volontairement en elles la vocation monastique. Elles souhaitaient former des épouses et des mères qui feraient rayonner des vertus aimables là où la Providence se plairait à les placer. Cet idéal d'éducation était celui de deux anciennes pensionnaires des Ursulines, Mmes de Maintenon et de Brinon, quand elles fondèrent pour les jeunes filles de la noblesse la maison de Saint-Cyr.

Poisson confia Jeanne-Antoinette, sa chère « Reinette », à la supérieure, Sœur de Saint-Joseph, et la pria de lui envoyer régulièrement des nouvelles de l'enfant. Quand il partit pour l'Allemagne, la petite avait cinq ans. En principe, il fallait en avoir six, mais les circonstances invitaient la supérieure à fermer les yeux.

Le règlement des Ursulines nous permet de connaître le rythme de la vie quotidienne au couvent. Les enfants se lèvent à six heures. Des sœurs aident les plus petites à se peigner et à s'habiller, en prenant soin de ne pas les exposer au froid. Le corset doit être lacé droit pour assurer le maintien de la taille. La première prière est dite au dortoir, devant les saintes images d'un oratoire. Jeanne-Antoinette prie Dieu de conserver son père en bonne santé, selon la recommandation qu'on lui en fait tous les jours. Ayant ajusté

leur coiffe de taffetas, les fillettes se lavent le visage et les mains
autour de la fontaine d'étain. Puis elles prennent leur mouchoir
et leurs gants et se présentent à la maîtresse de classe, qui les
conduit à la chapelle pour la messe de sept heures. Petit déjeuner
dès sept heures et demie. Une enfant de semaine a disposé cuillers,
tasses et serviettes ; elle les recueille après les Grâces, pendant que
ses compagnes sont déjà en récréation et jouent au volant dans la
cour.

Jeanne-Antoinette est encore trop jeune pour apprendre à écrire,
mais la classe du matin est consacrée à la couture, à la lecture et
au calcul. Les enfants raccommodent leurs habits ; les plus adroites sont initiées à la broderie, d'abord avec des fils de soie, plus
tard avec des fils d'or et d'argent délivrés par la sœur boursière.
L'apprentissage du calcul s'appelle le *jet*, car il se fait à l'aide de
jetons, comme on le voit dans la première scène du *Malade ima-
ginaire*. La sœur enseigne à lire en épelant quelques lignes que les
enfants suivent chacune dans leur abécédaire. La lecture en français se fait dans l'Ecriture sainte et alterne avec celle en latin. Les
filles apprennent ainsi de quoi comprendre les phrases du missel.
Les plus grandes étudient la géographie et les rudiments de l'histoire de France, d'après l'*Abrégé* de Mézeray. Déjà, l'imagination
de Jeanne-Antoinette est frappée par l'œuvre prestigieuse de la
monarchie. Elle se pénètre du caractère sacré de la personne
royale.

On s'interrompt à dix heures pour le chapelet et les litanies
de Marie et l'on passe de la chapelle au réfectoire. Pendant le
dîner, c'est-à-dire le déjeuner, une grande fait la lecture. Le repas
fini, on se lave les mains et se rince la bouche avant d'aller jouer.
Pendant la récréation, les maîtresses prennent garde que les enfants ne s'échauffent pas en courant. La classe reprend à midi et
quart, consacrée cette fois à l'écriture. Dès qu'elle saura former
les lettres, Jeanne-Antoinette pourra écrire à son père, qui attend
ce moment avec impatience. Bientôt, elle apprend à manier la plume en se tenant droite, et à en essuyer l'encre avec un chiffon ;
elle s'applique à recopier les sentences ou les versets choisis pour
elle par la maîtresse.

Comme il convient que l'activité intellectuelle alterne avec le
travail des mains, pour la seconde fois de la journée la classe se
transforme en atelier de couture. Les petites filles seront des mé-

nagères avisées, propres et soigneuses. A deux heures, elles vont à vêpres, puis goûtent avant le catéchisme, où la leçon ne dure qu'un quart d'heure, de manière à éviter la lassitude. Selon la règle, jusqu'à huit ans Jeanne-Antoinette s'est confessée tous les deux mois, puis tous les mois.

Après souper, la communauté se retrouve à la chapelle pour l'examen de conscience et les laudes du petit office de la Vierge. Une dévotion particulière est réservée à saint Charles Borromée, archevêque de Milan, en souvenir d'Angèle Merici, née sur les bords du lac de Garde. La prière du soir donne à Jeanne-Antoinette une nouvelle occasion de penser à son père. Elle parle de lui à sa tante, Sœur de Sainte-Perpétue, lui dit qu'elle sait bien que son père l'aime beaucoup, qu'elle n'a pas le cœur assez grand pour l'aimer autant qu'il le mérite ; et à mesure qu'elle grandit, elle sent son affection grandir avec elle. Elle prie sa tante de lui écrire qu'elle l'embrasse un million de fois et de l'assurer qu'elle le fait tous les jours avant de se lever et de se coucher.

Dans cette maison, où la discipline est à la fois douce et rigoureuse, Jeanne-Antoinette est entourée d'une affection maternelle et tendrement choyée. Sa santé est le premier souci des sœurs. Rien n'a été négligé quand elle a eu la rougeole en février 1729. Le carême est aménagé pour les jeunes enfants et même ignoré si elles sont malades. Quand néanmoins elles font maigre, le *dîner* comprend du poisson : carpe, raie, merlan, moruc ou goujon ; le soir, du riz bouilli et des œufs. Les sœurs savent Jeanne-Antoinette très fragile. En novembre 1729, elle souffre d'un rhume considérable qui se révèle être une longue et violente coqueluche, au cours de l'épidémie qui sévit à Paris et en Ile-de-France cette année-là. Elle reste au lit et au chaud pendant six semaines ; on lui apporte de la soupe, du bouillon et des œufs frais, quelquefois un quart de poulet, un peu de confiture ou de compote.

L'enfant mérite par sa bonne grâce ces soins attentifs. Déférente à l'égard des religieuses, aimable avec ses compagnes, elle est inséparable d'Angélique de Blois, sa cousine du côté des La Motte, qui a comme elle une jolie voix. Le 21 août 1729, jour octave de l'Assomption, elles chantent parmi leur classe les vêpres de la Vierge et sont les principales solistes. Les pensionnaires n'ont point de vacances, mais les fêtes renouvellent les occasions de se réjouir. Le 25 août, jour de la Saint-Louis, une foire se tient à

Poissy, où l'on sait que le saint roi est né. Les religieuses permettent aux deux amies de sortir en ville sous la garde d'une sœur tourière, qui leur montre toutes les curiosités. Jeanne-Antoinette peut dépenser quelques deniers prélevés sur son argent de poche ; car son père lui a fait parvenir un louis, envoi facilité par ses bons rapports avec notre envoyé à Copenhague et son secrétaire, l'abbé Cruse. En observant la pièce d'or venue de si loin, l'enfant peut admirer l'effigie de Louis XV. L'art monétaire s'est transformé depuis le Grand Règne. Le souverain a dépouillé sa perruque. Le catogan dégage, sous les cheveux bouclés, le profil jeune et souriant.

L'après-midi s'achève à l'abbaye royale, où les dominicaines promènent les deux amies sous les arbres séculaires de leur parc, les cajolent et en sont si charmées qu'elles demanderont de leurs nouvelles le lendemain. En septembre, la naissance du dauphin, qui assure la continuité de la dynastie, déchaîne la liesse dans tout le royaume. Les petites filles sont élevées dans le respect de Dieu, de leurs parents et de la famille royale.

De temps en temps, quelques « correspondants » viennent les demander pour les faire sortir. Pour Jeanne-Antoinette et sa cousine, c'est parfois le grand-père de La Motte. Il les fait dîner dans une auberge, bavarde avec elles et s'amuse de leur babil. Quand il ne peut pas se déplacer, il envoie prendre de leurs nouvelles. Cependant, il ne se présente jamais en personne au parloir, mais se fait annoncer par son valet, gêné qu'il est à l'égard de ses parentes religieuses, car il n'est fier ni de sa fille parisienne ni de son gendre exilé. De leur côté, M. et Mme de Blois n'oublient pas Jeanne-Antoinette quand ils viennent chercher leur fille. En septembre 1729, ils convient les petites au Mesnil pendant les vendanges, où elles entraînent joyeusement leurs compagnes préférées.

Ces marques d'affection témoignées à la petite Poisson cachent mal un certain état d'abandon et la détresse d'une double absence. Le père est retenu au fond des Allemagnes et la mère mène à Paris une vie mouvementée. Les Ursulines ont une réelle estime pour Poisson et ne semblent pas mettre en doute sa qualité de père de l'enfant, mais réprouvent tacitement l'inconduite de sa femme. Mme Poisson ne donne à Jeanne-Antoinette que le strict nécessaire, s'imaginant que son mari pourvoit au reste, si bien qu'un jour, la supérieure doit faire une petite avance et en dresse un mémoire. Les sœurs soupçonnent Mme Poisson d'intercepter et de décacheter les lettres que son mari leur adresse, au point qu'à la fin, la sœur de Saint-Joseph conseille à Poisson de ne plus passer par la poste des Invalides.

Cependant, Mme Poisson prépare à sa manière l'avenir de sa fille et manifeste à son égard des préoccupations mondaines. A Pâques 1729, alors qu'un règlement notarié vient de renflouer ses finances, elle a décidé de reprendre un moment la petite chez elle, sous prétexte de renouveler sa garde-robe. Jeanne-Antoinette pleure d'abord à l'idée de quitter le couvent ; mais sa mère la fait venir à Paris et la garde quatre semaines, pendant qu'on lui fait un corset neuf et plusieurs fourreaux d'indienne : ce sont les robes qui lui conviennent en ville aussi bien qu'à Poissy, où la règle des Ursulines n'impose pas d'uniforme, hormis la robe blanche et le voile de première communion dont elles ont instauré l'usage en France. Mme Poisson, momentanément plus à l'aise, se reproche alors d'avoir négligé son enfant. En janvier 1730, elle la reprend définitivement et, cette fois, Jeanne-Antoinette envisage plus volontiers son entrée dans le monde sous l'égide de cette mère si séduisante.

Au cours de son enfance perturbée, ces mois passés dans la sérénité monacale lui ont permis de s'épanouir, de manifester ses dons et déjà d'éprouver son charme. Auprès de ces âmes droites et ferventes, elle a pris le goût de l'ordre, l'habitude de la réflexion et l'idée des valeurs les plus hautes. Elle y a trouvé un refuge et le pressentiment d'une sécurité à laquelle elle devait aspirer toujours.

Jeanne-Antoinette était redevenue parisienne. Dans l'appartement de la rue neuve des Bons-Enfants, elle faisait encore la toilette de ses poupées avec « une cuvette et un petit pot à eau de porcelaine de Saint-Cloud monté en argent ». Mais vint un jour où les rêves de l'adolescence laissèrent derrière eux les jeux enfantins. La mère savait son honneur entaché et sa considération compromise. Sa sollicitude se concentrait sur cette fille bien douée. Inconsciemment, elle lui confiait le soin de venger plus tard ses humiliations présentes. L'inquiétude la conduisit chez Mme Lebon, sorcière de son état, qui prédit que Jeanne-Antoinette serait la maîtresse du roi. Louise Madeleine frémit-elle à l'idée que sa fille affronterait un jour une vie plus dangereuse encore que la sienne ?

Curieuse des êtres et des choses, affamée d'affection et de beauté, Jeanne-Antoinette saisissait toutes les occasions de s'instruire et de former son goût. Paris, en ces années prospères, offrait de quoi combler son avidité. Il y avait mille choses à découvrir au long des itinéraires qui la conduisaient vers des êtres chers dans des lieux familiers. Perchés sur les échelles, des maîtres sculpteurs de l'académie de Saint-Luc taillaient les consoles, les mascarons et les cartouches des maisons rococo. Des serruriers scellaient sur les balcons des appuis aux savants entrelacs. Par la rue Saint-Nicaise, le guichet du Louvre et le Pont-Royal, la jeune fille parvenait dans le quartier encore champêtre de la Grenouillère, où ses grands-parents La Motte l'attendaient à la Boucherie. Parmi tant de vétérans des guerres de Louis XIV, dont les souvenirs et la croix de Saint-Louis l'impressionnaient, elle voyait Jean Rollot de Beauregard, devenu prévôt des Invalides. Il avait recueilli sa nièce champenoise, Nicole Collesson, et les deux jeunes filles se lièrent d'amitié. Elles ignoraient que Nicole serait la confidente élue des années versaillaises.

A quelques pas des Invalides, rue de Varenne, Jeanne-Antoinette rendait visite à Mme de Saissac, née Luynes, qui connaissait depuis longtemps sa mère et leur témoignait une vive sympathie. Depuis son veuvage, la marquise avait fait bâtir une habitation, connue sous le nom d'hôtel de Clermont, qu'elle embellissait constamment. Quand elle avait traversé les deux cours et gravi les marches du perron, entre les statues de Pan et de Pomone, Jeanne-Antoinette pouvait admirer dans les appartements de compagnie les bibelots nouveaux, le cabinet des peintures, les panneaux où elle déchiffrait l'histoire de *Renaud et Armide*. Mme de Saissac faisait bâtir un autre hôtel plus petit, qu'elle décorait de chinoiseries à la mode, sur un terrain hérité du chevalier de Luynes, mort en janvier 1734. Tandis que sa mère et la marquise s'entretenaient à mi-voix des moyens d'obtenir le retour de Poisson, Jeanne-Antoinette les suivait à travers le jardin, qui s'étendait vers la rue de Babylone, parmi les parterres de buis, sous les tilleuls et les érables.

L'accueil était plus familial au Marais, chez les Pâris de Montmartel, ses parrain et marraine, à qui une dispense du pape Innocent XIII avaient permis de s'épouser. Leur hôtel, qui avait été celui de La Force, occupait avec ses jardins le centre d'un îlot situé entre la rue Sainte-Catherine et la rue Pavée. L'allée qui menait à la terrasse était bordée d'arbustes rares, grenadiers, myrtes et orangers. Jeanne-Antoinette rêvait devant les scènes de chasse peintes par Desportes et s'attardait à feuilleter des livres dans l'immense bibliothèque. Voltaire atteste qu'à cette époque elle a beaucoup lu ; elle se plaisait dans la compagnie d'Amédée de Montmartel, de cinq ans son cadet, sur qui reposaient déjà les plus brillants espoirs. Le 28 mars 1735, les amis de la famille furent conviés à l'hôtel de La Force pour entendre l'enfant répondre, tel un Pic de La Mirandole, à près de trois cents questions portant sur l'Ecriture sainte, l'exégèse et l'apologétique chrétienne. Mme de Montmartel, celle qui était deux fois Pâris, était jolie, instruite et imbue de la réussite familiale. Un peu hautaine aussi, elle savait retrouver son sourire en présence des enfants.

Malgré les bruits répandus par la malveillance publique, les quatre frères Pâris étaient loin d'être misérables quand ils quittèrent l'auberge paternelle de Moirans en Dauphiné, où il leur arrivait de panser les chevaux des passants. De ces grands et vigoureux montagnards, Antoine était le plus audacieux dans l'entreprise, Claude connaissait les moyens de la réalisation, Montmartel était habile financier, Duverney savait l'art de convaincre. De la concorde fraternelle résultèrent la fortune et la puissance. Dès le règne de Louis XIV, les Pâris s'étaient montrés capables de réunir en quelques jours des capitaux pour les mettre au service de l'Etat. Les disgrâces passagères leur valurent tout au plus un exil temporaire dans les terres de leur choix ou un séjour fort adouci à la Bastille. Leurs maisons, bien que considérables, étaient administrées avec rigueur, justice et sans ostentation.

Tout les éloignait du parvenu campé par Le Sage. Avant de mourir en 1733, entouré de sept médecins, trois chirurgiens et sept apothicaires, Antoine avait transmis à Jean de Montmartel, son frère cadet et son gendre, la charge de garde du Trésor royal. Montmartel était parallèlement le banquier de la Cour et sa signature faisait foi sur toutes les places de l'Europe. Joseph Pâris-Duverney, conseiller d'Etat, secrétaire des commandements de la reine, avait la haute main sur l'approvisionnement militaire, service indispensable au succès des campagnes. Nommé directeur général des vivres, il perfectionnait une sorte de logistique dont l'exemple était imité partout à l'étranger. Il va sans dire que les

Pâris exerçaient un contrôle occulte sur plusieurs départements ministériels. Ils eurent la sagesse de rester à l'écart, préférant la réalité souterraine du pouvoir à des honneurs éphémères. Ils devaient faire et défaire les contrôleurs généraux des Finances, mais refusèrent toujours, quant à eux, de détenir le portefeuille.

Un autre personnage d'envergure enveloppait de sa protection Mme Poisson et ses enfants : Charles François Paul Le Normant de Tournehem. Comme avant lui son père, il appartenait à la compagnie des fermiers généraux, qui se chargeaient de recouvrer pour le roi les impôts indirects. La puissance de Le Normant reposait moins sur sa fortune, très inférieure à celle des Pâris, que sur sa compétence financière et sa réputation d'intégrité. En 1730, il habitait rue du Parc-Royal, non loin de chez les Montmartel, avant de se transporter rue Colbert, près de la Compagnie des Indes, dont il était aussi l'un des directeurs. Il connaissait Poisson depuis le temps de son premier mariage. Avec Pâris de Montmartel, il vient au premier rang de ceux qui pourraient avoir été le père de Jeanne-Antoinette. Le visage carré et asymétrique du fermier général exprime, dans son portrait peint par Tocqué, la volonté et l'énergie. C'était une de ces personnalités écrasantes, auprès desquelles on a peine à respirer. Comme l'épouse qu'il avait perdue, Antoinette de Canaye, ne lui avait pas laissé d'enfants, il prit en charge le destin de ses neveux. L'un d'eux était Jean-Charles d'Estrades, orphelin, dont Le Normant soutint les débuts dans la carrière militaire. En décembre 1732, Mme Poisson signa comme amie au contrat du jeune officier des gardes. La fiancée était une jeune fille du Bourbonnais, Elisabeth Huguet de Sémonville. Jeanne-Antoinette la rencontra lors du mariage ; ce fut le début de leur longue amitié.

Le Normant était conscient d'avoir été cause d'une injustice. En raison de ses capacités, et bien qu'il fût le cadet, son père l'avait destiné au rôle de chef de famille, en lui laissant la seigneurie de Tournehem qu'il possédait en Artois. L'aîné, Hervé Guillaume, était un esprit borné, un caractère médiocre et de surcroît nul en affaires. Il avait cependant épousé Elisabeth de Francines, sœur d'un directeur de l'opéra, parent de Lully. C'était elle qui tenait la maison où vivaient les deux frères, rue du Parc-Royal. De ce mariage étaient nés Charlotte Victoire, qui épousa le diplomate

François de Baschi, et Charles Guillaume, qui fut seigneur d'Etiolles et l'époux de Jeanne-Antoinette.

Les années passant, et fort de ses appuis parisiens, Poisson cherchait à mettre un terme à sa proscription. En 1733, à Hambourg, il rencontra le commandeur de Thianges, chargé d'une mission diplomatique au nom de la France. Cette année-là, le trône électif de Pologne était devenu l'enjeu d'un conflit entre Stanislas Lesczinski, le beau-père détrôné de Louis XV, et l'électeur Auguste III de Saxe. La succession de Pologne ouvrit une ère d'hostilités endémiques où la France allait être souvent impliquée. La vive intelligence de Poisson et la connaissance qu'il avait acquise de l'allemand frappèrent le diplomate et tous deux voyagèrent de conserve jusqu'à Bruxelles. Prudemment, Poisson ne risqua pas de s'avancer plus loin. Il savait Thianges en termes amicaux avec le contrôleur général des Finances, Philibert Orry. Ce ministre. convint que l'affaire de Poisson n'était pas mauvaise et lui fit accorder un laissez-passer.

En 1736, Poisson revit Paris, où sa liberté fut subordonnée au versement d'une provision de 400 000 livres. Dans ces circonstances, le crédit de ses amis Montmartel et Le Normant jouait en sa faveur. Il s'acharna dès lors à obtenir la révision de son procès. Les sollicitations de ses amis montèrent jusqu'au cardinal de Fleury, violemment prévenu contre lui et qu'il fallut impatienter pour enfin triompher de sa résistance. L'amitié de Mme de Saissac fut ici précieuse. Elle fit intervenir M. de Graevenbrock, envoyé de l'électeur palatin, à qui ses fonctions procuraient un accès fréquent auprès du cardinal-ministre. De guerre lasse, Fleury mit un mot de sa main sur le placet de M. Poisson. Ce premier succès enhardit le requérant dans ses démarches. En 1739, un arrêt du Conseil le déchargea en partie de la dette pour laquelle il avait été condamné ; mais Poisson prétendait à une réhabilitation publique et totale. En 1741, sur un rapport de l'abbé de Salaberry, la sentence de 1727 fut cassée.

Tranquillisé sur son affaire, Poisson reprit du service en Allemagne. Le baron de Breteuil était alors ministre de la Guerre. Sous l'inspiration du bouillant marquis de Belle-Isle, petit-fils de Fouquet, se préparait la campagne qui allait être marquée par la prise de Prague, les exploits de Chevert et la pénible retraite où Vauvenargues perdit la santé. Breteuil, fidèle à des pratiques éprouvées au moins depuis Louvois, faisait acheter sous-main des subsistances dans les régions voisines de celles où allaient se livrer les combats. Une fois encore, Poisson servit d'agent secret. Il rafla les céréales à travers la Rhénanie, foin, froment, avoine, fit moudre à Cologne et à Düsseldorf. La correspondance chiffrée qu'il échangeait avec Duverney nous est parvenue, pleine d'informations pittoresques, empreinte de cordialité. Vers la fin, sa mission fut un moment compromise par une incartade. Au cours d'un souper bien arrosé chez M. de Sade, notre envoyé à Cologne, Poisson frisa l'insolence envers le baron de Neuhauss, ministre de Bavière. Heureusement, l'incident n'eut pas de suite et Poisson revint à Paris, où il ne reçut que des éloges.

Les Poisson commençaient à relever la tête. Sans quitter le quartier Richelieu, la famille déménagea à deux reprises, chaque fois pour s'établir plus brillamment. Ce fut d'abord pour une maison de la rue neuve des Petits-Champs, que Mme Poisson garnit d'un précieux mobilier de salon acheté dix mille livres chez Jacques Flament ; la soierie était jaune avec des fleurs d'argent. Les années qui suivirent cet emménagement furent assombries par des deuils familiaux. Jeanne-Antoinette perdit sa tante, Mme de Blois, puis son grand-père et sa grand-mère La Motte à un an d'intervalle. Elle eut aussi le chagrin de voir mourir sa marraine, Justine de Montmartel, qui n'avait pas trente ans. Un procureur au Châtelet, Charles Collin, était le tuteur des enfants de Blois et veillait aussi sur les intérêts de Mme Poisson. Jeanne-Antoinette sut dès lors qu'elle pourrait compter sur cet habile et discret homme de loi pour les opérations les plus délicates.

La succession laissée par les parents La Motte était importante : cent dix-sept mille livres de capital placé en rentes, une maison à Saint-Germain-en-Laye, la moitié des actions de la Boucherie. Le 8 janvier 1738, par-devant maître Melin, Mme Poisson put acquérir à crédit l'ancienne maison Chaperon, au numéro 50 actuel de la rue de Richelieu. Comme ses voisins, cet immeuble prit vue sur le jardin du Palais-Royal, jusqu'à la construction, sous Louis XVI, de la rue de Montpensier. Il fut alors possible à Mme Poisson de parfaire l'éducation de ses deux enfants. Abel François fit ses études classiques au collège Louis-le-Grand, où ses qualités le firent apprécier du Père principal, ce Simon de La Tour à qui Voltaire a rendu hommage et que Jeanne-Antoi-

nette aimait beaucoup. La jeune fille s'initiait alors aux arts d'agrément. Son maître de déclamation fut Lanoue et le vieux Crébillon
lui accorda aussi quelques leçons.

Mme Poisson avait accès au milieu littéraire qui entourait son
amie, Mme de Tencin. L'aventurière était sur le déclin de sa folle
carrière. Dans le salon qu'elle tenait, cul-de-sac de l'Oratoire, se
réunissait l'assemblée qu'elle appelait sa ménagerie. Jeanne-Antoinette put y apercevoir le vieux Fontenelle en grande perruque,
Montesquieu, l'abbé Prévost, Helvetius, Marivaux. Venaient aussi des gens du monde. C'étaient le frère de Mme de Tencin, devenu cardinal en 1739 et archevêque de Lyon l'année suivante,
leur sœur, Mme de Ferriol, les neveux Pont-de-Veyle, d'Argental
et Guignard de Saint-Priest. Il faudrait encore nommer Mme Geoffrin et sa fille, Mme de La Ferté-Imbault, le savant président Hénault, le très galant duc de Richelieu. Lord Chesterfield, Lord
Bolingbroke et d'autres étrangers de passage se posaient aussi
quelquefois dans ce « salon de l'Europe ». Beaucoup d'amis de
Mme de Tencin, qui était dauphinoise comme les Pâris, devinrent
ceux de Mme Poisson et de sa fille. Ce fut dans ce cercle éclairé
que Jeanne-Antoinette apprit l'art de la conversation, essentiel à
la sociabilité de son temps. Ecoutant plus qu'elle n'ouvrait la
bouche, la jeune fille recueillait les souvenirs du Grand Règne et
de la Régence. Dans l'entourage très ouvert de Mme de Tencin,
cette femme que nous pourrions dire libérée, elle apprit que les
valeurs de l'esprit égalaient en dignité les prestiges de la naissance
et ne l'oublia pas.

Rue de Richelieu, les meilleurs maîtres se succédaient dans le
salon *petit jaune* de Mme Poisson. Ce fut Guibaudet pour la
danse et le maintien. Il apprit à Jeanne-Antoinette à mettre en
valeur la flexibilité de sa taille, la grâce de son buste menu, et
à perfectionner sa révérence de ville, en attendant la révérence de
Cour. Entre deux répétitions à l'Opéra voisin, l'illustre Jélyotte
pouvait gagner en cinq minutes le domicile de Mme Poisson. Sa
voix de haute-contre, si remarquable par le volume, la plénitude
des sons et l'éclat du timbre argentin, emplissait la maison et
croisait la voix plus légère et cristalline de Jeanne-Antoinette. Elle
avait alors dix-sept ans.

2

Madame d'Etiolles

Il était temps de songer au mariage. Un parti se présenta naturellement en la personne de Charles Guillaume Le Normant, le neveu que Tournehem destinait à lui succéder. Déjà, il employait le jeune homme dans les affaires. En 1736, il lui délaissa la charge et le titre de chevalier d'honneur au présidial de Blois. Deux ans plus tard, il le fit agréer comme sous-fermier et lui donna sa caution. Par testament olographe du 15 décembre 1740, il le déclara son légataire, venant à bout des objections faites au mariage par son médiocre frère. Le contrat fut enfin signé, par-devant Perret et Marchand, le 4 mars 1741. Poisson, officiellement disculpé, donnait à sa fille la grande maison qui lui avait été restituée rue Saint-Marc après des années de séquestre, mais se réservait de la vendre en cas de besoin. Pour sa part, Mme Poisson remettait un trousseau, des bijoux et des habits pour la somme assez élevée de 30 000 livres. L'oncle Tournehem abandonnait les fonds qu'il avait avancés pour les sous-fermes. Par une clause assez habituelle dans son milieu, il s'engageait à loger chez lui et à entretenir le ménage sa propre vie durant. Il lui assurait cinq domestiques et un équipage. Le mariage religieux fut célébré, le 9 mars, à Saint-Eustache.

Charles Guillaume avait vingt-quatre ans. On a dit qu'il était contrefait, mais c'était en réalité un homme de cinq à six pieds, cultivé, capable de plaire, comme la suite devait le montrer. Jeanne-Antoinette était dans sa vingtième année. Pour elle, l'amour n'eut peut-être pas de part dans cette union. Elle accédait par cette alliance à une authentique noblesse, puisque deux générations plus tôt, l'achat d'une charge avait extrait les Le Normant de la roture.

Par la grâce de l'oncle, elle put aussi se parer du nom d'Etiolles. Elle était comme toutes ses semblables : pour rouler dans un carrosse armorié, pour mettre du rouge et des mules, lui eût-on proposé l'homme le moins aimable, elle aurait épousé.

Jeanne-Antoinette attendit un enfant dès les premières semaines. Ce fut un garçon, Charles Guillaume Louis, qui naquit le 26 décembre, fut baptisé à l'ancienne paroisse Saint-Paul et mourut dans sa première année. Le 10 août 1744 vint au monde une petite fille qui reçut le prénom d'Alexandrine, celui de Mme de Tencin. Elle fut baptisée à Saint-Roch, car Tournehem et ses neveux avaient déménagé pour la rue Saint-Honoré. Selon l'habitude, l'enfant fut confiée à une nourrice, la dame Plantier.

Dans Paris, Mme d'Etiolles fut recherchée pour son charme et fêtée pour ses talents. Dès son enfance, elle avait noué des amitiés à l'hôtel de Saissac dans le cercle des Luynes, parmi les relations dauphinoises des Pâris et de Mme de Tencin, aux Invalides dans le haut personnel de la Guerre. Encore jeune fille, elle avait obtenu l'un de ses plus grands succès chez la femme du ministre, Mme d'Angervilliers ; elle y chanta le monologue d'*Armide* avec une véhémence si expressive que l'assemblée fut émue et qu'une dame demanda à l'embrasser : c'était la comtesse de Mailly, alors la maîtresse de Louis XV. Après son mariage, de nouvelles portes s'ouvrirent à elle, car des femmes de haute condition qui ne recevaient pas sa mère l'accueillaient avec plaisir. Elle-même faisait de grands efforts pour s'introduire.

A peine installées dans le nouvel hôtel de Tournehem, rue Saint-Honoré, Mme Poisson et Jeanne-Antoinette se présentèrent chez leurs voisines, Mme Geoffrin et sa fille, l'aimable mais prude marquise de La Ferté-Imbault. Bien qu'elle les eût rencontrées quelques jours plus tôt chez Mme de Tencin, Mme de La Ferté avoue qu'elle les vit arriver avec chagrin. Sa confidence est révélatrice. Mme Poisson, « femme entretenue sur le pavé de Paris », était si décriée pour ses multiples aventures qu'il était impossible de la fréquenter. La fille, en revanche, était charmante, d'une tenue parfaite et méritait des politesses. Comment séparer les deux femmes et n'en voir qu'une sans froisser l'autre ? Hélas, ce fut la mauvaise santé de Mme Poisson qui mit fin à cet embarras. Elle était minée par une fièvre lente qui n'inquiéta pas d'abord le Dr Dumoulin, mais se révéla être un cancer.

Dès lors, Mme d'Etiolles fut admise dans le « royaume de la rue Saint-Honoré ». Elle plut beaucoup aux vieux philosophes des réunions du mercredi, car elle savait les écouter. Comme elle l'a dit plus tard à son frère, on n'a pas le temps d'approfondir soi-même mille choses qui s'apprennent dans la conversation. « Que vous êtes heureuse, répétait-elle souvent à Mme de La Ferté, vous vivez constamment avec ce charmant duc de Nivernais, cet aimable abbé de Bernis et ce Gentil-Bernard ; vous les avez tant que vous voulez ! Et moi, j'ai toutes les peines du monde à avoir l'un d'eux à souper chez mon oncle de Tournehem, parce que sa société les ennuie. » Aussi priait-elle la marquise de l'autoriser à lui rendre très souvent visite dans l'espoir de prendre de l'esprit et de bonnes manières. Aux yeux de Jeanne-Antoinette, la compagnie de son oncle était composée d'honnêtes gens, mais qui avaient un mauvais ton.

Elle rencontrait l'abbé de Bernis chez les Estrades, place Royale, à une époque où le jeune chanoine de Brioude était déjà si répandu qu'il fallait s'y prendre de loin pour l'avoir à souper. Selon ses dires, Mme Poisson avait de l'esprit, de l'ambition et du courage, mais n'avait pas le ton du monde. Elle et sa fille l'avaient souvent pressé de venir chez elles, mais il avait constamment résisté parce que la société qu'elles voyaient ne lui convenait pas. Dans l'opinion des gens du monde, le bon ton consistait à s'exprimer avec simplicité, réserve, décence, naturel et clarté, par conséquent à éviter les expressions basses, triviales, libres, proverbiales et pédantesques.

Jeanne-Antoinette avait la juste intuition de ce qui lui manquait pour atteindre à des manières parfaites, mais savait faire valoir ses talents. Parmi ceux qui connurent Mme d'Etiolles à l'époque de son mariage, le marquis de Valfons se souvenait d'un souper où elle fut sa voisine et le séduisit par sa jeunesse, sa grâce et son esprit. Il s'amusa à la contredire, mais avec la politesse enjouée qu'on doit à une jolie femme. Le président Hénault, historien et homme du monde, fut impatient de faire sa connaissance, le 17 juillet 1742, chez son cousin Hénault de Montigny, auquel il prêtait ce soir-là son cuisinier. Parmi les autres convives figuraient Mme d'Aubeterre, Mme de Sassenage, Jélyotte, qui venait de chanter dans *Issé*, et l'intendant des Postes, M. Grimod du Fort. Hénault fut ébloui par la jeune inconnue. Il écrivait alors tous les jours à

Mme du Deffand et lui donna un compte rendu de ce souper : « Je trouvai là une des plus jolies femmes que j'aie jamais vues. C'est Mme d'Etiolles. Elle sait la musique parfaitement. Elle chante avec toute la gaieté et tout le goût possibles, sait cent chansons, joue la comédie à Etiolles sur un théâtre aussi beau que celui de l'Opéra. » Et d'ajouter : « Paris est incroyable pour la diversité de société et pour les amusements sans nombre. »

La terre d'Etiolles était située dans la vallée de la Seine, au nord de Corbeil. C'était l'une des seigneuries qui ceinturaient la forêt de Sénart. Les autres étaient Draveil, Montgeron, Crosne, Brunoy, Cramayel, Soisy-sous-Etiolles, ainsi que Petit-Bourg, qui dominait l'autre rive du fleuve. Acquis par le père de Le Normant en 1684, Etiolles était un ensemble décousu de manoirs et de parcs imbriqués. Ce complexe féodal relevait de plusieurs suzerains, dont le roi comme comte de Corbeil et le duc de Villeroy comme vicomte. L'habitation principale, appelée la Grande Maison, contenait trois salons, une quinzaine de chambres, des caves, un pressoir. Autour d'elle s'étendaient deux cents arpents de prés et de bois, comprenant une île de la Seine. De nombreux serviteurs et des vignerons lui étaient attachés. L'inventaire dessé en 1712, à la mort du grand-père, fait état de 188 moutons. A la Grande Maison s'étaient ajoutés le château et le fief du Bourg, acquis par Tournehem en 1717. Quelques jours avant le mariage de son neveu et de Jeanne-Antoinette, il avait réuni au domaine celui des Gravois et acquis la seigneurie directe de l'ensemble. Dès son adolescence, Jeanne-Antoinette avait assisté aux agrandissements et suivi les transformations. Le clos du Bourg fut aménagé en jardin de plaisance — on disait alors jardin de propreté. Le Normant put détourner la route de Paris qui traversait la seigneurie, ce qui permit de réunir les deux principales maisons par un tracé à la française et des plantations.

A Etiolles, Jeanne-Antoinette était maîtresse absolue. Elle y passa la belle saison et s'y attarda quand elle fut enceinte. Quand son état le lui permettait, elle montait à cheval en compagnie d'un écuyer superbe, M. de Briges, sous les yeux jaloux de Charles Guillaume qui la surveillait étroitement. A d'autres moments, elle riait sans réserve avec ses amies. C'étaient par exemple la duchesse de Chevreuse, qui avait à peu près son âge, Mme de Sassenage, Mme de Chabannais, Mmes d'Esparbès et d'Amblimont qu'elle appelait ses *petits chats*. Mme d'Estrades, sa cousine aux grosses joues, perdit son mari, tombé à Dettingen pour l'honneur des gardes françaises le 27 juin 1743. Jeanne-Antoinette rendait visite aux ermites de la forêt voisine, qui depuis le temps de saint Louis ne vivaient que des aumônes du roi et de quelques dames de la Cour, fabriquant une étoffe grossière, la « sénardine ». Elle s'entretenait avec l'arpenteur Matis et s'intéressait aux travaux.

Depuis son enfance, elle assistait aux réalisations des Pâris dans leurs habitations de la proche ou lointaine banlieue. Les frères possédaient en commun à Bercy la grande maison carrée de proportions massives que l'on a nommée le Pâté-Pâris et dont les belles écuries nous sont parvenues. Claude Pâris de La Montagne habitait Croix-Fontaine, entre la Seine et la forêt de Rougeau, avant de vendre le domaine au fermier général Etienne Bouret en 1743. Duverney, à Neuilly-sur-Marne, entretenait une profusion de fleurs dans des serres plus riches que celles de Versailles et cultivait des fruits exotiques, melons et ananas. A Brunoy, la propriété des Montmartel était admirée pour ses terrasses étagées et ses effets d'eau. Dans ces demeures confiées aux meilleurs artistes, Jeanne-Antoinette apprit à connaître l'architecture et l'art des jardins.

De longs moments de repos étaient consacrés à la lecture. Pendant les étés 1741 et 1742, son invité, M. du Rocheret, et son voisin, M. Bertin de Blagny, se relayèrent pour lui lire *Paméla*. Traduit par l'abbé Prévost, le roman de Richardson passionna le public français. Ce livre, qui enrichit la sensibilité du moment, impressionna fortement Jeanne-Antoinette et influa sur sa conception de l'amour. La leçon qui s'en dégage est qu'une femme ne se réalise qu'en se donnant à un maître. Elle attendait encore de rencontrer le sien.

D'autres distractions élégantes animaient la vie à la campagne. Dans son admiration pour Jeanne-Antoinette, Le Normant fit bâtir un théâtre, comme on les vit se multiplier dans les châteaux pendant tout le règne. La salle, équipée de sa machinerie et de ses décors, était située dans les dépendances de la Grande Maison. Jeanne-Antoinette en était l'animatrice et rivalisait avec sa voisine, Mme de Villemur, qui donnait la comédie dans sa terre de Chantemerle. De grands seigneurs, le duc de Nivernais, le duc de Duras, ne dédaignaient pas de se produire comme acteurs chez Mme de Villemur, où Mme d'Etiolles jouait aussi. Le duc de Richelieu et

M. Guignard de Saint-Priest eurent l'occasion de l'applaudir et l'écho de son talent parvint jusqu'à la Cour.

La vie à Etiolles baignait dans une atmosphère sylvestre. Au-delà du parc s'étendaient les futaies et les taillis de la forêt de Sénart. Parmi les chênes, les bouleaux et les pins, des routes droites avaient été tracées pour les chasses royales. Elles formaient un réseau d'étoiles désignées par des croix, celles d'Aresne, de Villeroy, de l'Ermitage, de Maleserme. A cette époque où il avait trente-cinq ans, Louis XV forçait en moyenne deux cents cerfs par an. Pour chasser plus facilement en forêt de Sénart, où ils abondaient, le roi venait d'acheter Choisy, château des La Vallière, qui avait été bâti sous Louis XIV par la Grande Mademoiselle.

Chaque année le ramenait dans la région vers le 20 août après un séjour à Compiègne. De Fontainebleau à Sénart par Rougeau, un domaine forestier presque continu s'étendait le long de la Seine, si bien que l'animal traqué pouvait entraîner ses poursuivants sur tout le parcours pendant une même chasse. Le tumulte des équipages envahissait la campagne. Le hennissement des chevaux, l'aboiement des chiens et le son des trompes faisaient résonner toute la forêt. Les riverains souvent dérangés supportaient la servitude du « logement à la craie » qui leur imposait d'accueillir chez eux les officiers, piqueux et valets. La grande meute du cerf était établie à Montgeron. Près du bac de Soisy-sous-Etiolles était amarrée la gondole où le roi et sa suite, après la curée, soupaient aux chandelles et se laissaient glisser au fil de l'eau jusqu'au pied de Choisy.

Louis XV, comme ses prédécesseurs, respectait les récoltes et savait dédommager par des attentions aimables les seigneurs voisins de la forêt. Tous détenaient la clé des barrières qui fermaient les avenues réservées. Tous étaient admis, avec leur famille ou leurs hôtes, à se trouver sur le passage des veneurs. Des gigues de chevreuil, des quartiers de marcassin parvenaient dans leurs offices et les dames agréaient les honneurs du pied. De mauvaises langues avancèrent même plus tard que Charles Guillaume avait reçu de Louis XV le présent d'un « massacre », symbolique présage de l'infortune qui l'attendait. Quoi qu'il en soit, trois saisons ont offert à la dame d'Etiolles l'occasion la plus naturelle d'être aperçue et remarquée du souverain. Sa maîtresse déclarée était alors Mme de La Tournelle, fille du marquis de Nesle, devenue duchesse de

Châteauroux. Elle succédait à ses sœurs, Mmes de Mailly et de Vintimille. Mais qui pouvait savoir quelle serait la suivante ?

Louis XV aimait la chasse d'une passion frénétique et sans borne, héritée des Valois et des Bourbons. L'homme primitif alors en lui s'éveillait, déployait ses muscles souples et vigoureux. Il respirait, enfin rendu à lui-même, libéré des fatigues du pouvoir et des contraintes de la Cour. Il pratiquait dès l'adolescence tous les rites de la vénerie, un art qui devait atteindre sous son règne son point de perfection. Il allumait parfois son feu lui-même, à l'aube, et allait tenir en laisse le limier qui flaire les traces fraîches du gibier. Nul ne savait mieux que lui rembucher un dix-cors que la fanfare avait signalé sur l'air de la Royale. Il savait décider de l'attaque, reconnaître le change, rallier les chiens, déjouer les ruses de la bête qui se forlonge. Une joie bondissante le transportait hors de lui lors des curées sanglantes.

Dans les salles où il mangeait, il se plaisait à retrouver les épisodes de ses chasses, peints en dessus-de-portes. Il commandait à Oudry d'en décorer ses carrosses et faisait exécuter par Desportes les portraits de ses chiens.

Les invitées suivaient la chasse de loin dans des calèches. De la sienne, Jeanne-Antoinette apercevait son roi dans l'exercice de son sport préféré, heureux et détendu, son cheval lancé au galop, suivi d'une troupe de veneurs qui jetaient à travers les futaies et les branches les éclairs bleus de leur livrée. Et Jeanne-Antoinette reconnaissait entre mille la voix enrouée du maître qui criait « tayaut » ! Lors des rendez-vous à l'une ou l'autre étoile, un repas était servi sur la mousse au milieu des senteurs sauvages. Le roi avait distingué la châtelaine d'Etiolles ; son regard de velours s'attachait longuement sur la silhouette fine qui passait et repassait dans sa calèche parmi les bruyères roses, aussi légère qu'une nymphe des bois. Un jour enfin, dans la forêt scintillante, les yeux de Jeanne-Antoinette rencontrèrent les yeux du roi.

Les succès de Jeanne-Antoinette pouvaient flatter son entourage : ils secondaient aussi des ambitions secrètes. Les intrigants qui la prenaient en charge escomptaient les bénéfices de son élévation. Avec la complicité de sa mère, les Pâris et Mme de Tencin la mirent pour ainsi dire « sur orbite ». Déjà, Duverney et Mme de Tencin, Frosine de la Régence, n'avaient pas été étrangers au mariage de Louis XV avec une princesse pauvre, fille d'un roi détrôné.

Huit ans plus tard, alors que des enfants de France naissaient au rythme d'un par an, mais que déjà les sœurs de Nesle se succédaient dans le lit du roi, Mme de Tencin s'était de nouveau agitée. Complice du duc de Richelieu, elle avait encouragé l'arrogance de Mme de La Tournelle et l'avait hissée au rang de duchesse de Châteauroux.

Autour de Jeanne-Antoinette complotaient à présent les mêmes acteurs. En 1743, les gens bien informés chuchotaient le nom de Mme d'Etiolles avec une telle insistance que Mme de Châteauroux pouvait s'en inquiéter. Pendant une chasse en forêt de Sénart, Mme de Chevreuse dit innocemment devant elle et Louis XV que Mme d'Etiolles — son amie — était ce jour-là plus jolie encore qu'à l'ordinaire. Pour la faire taire, Mme de Châteauroux lui marcha violemment sur le pied. Louis XV ayant tourné le dos, les deux femmes s'expliquèrent : « Ne savez-vous pas, dit Mme de Châteauroux, que l'on veut donner au roi la petite d'Etiolles ? » L'année suivante, quand une armée de hussards hongrois et de pandours serbo-croates menaça de pénétrer en Alsace, Louis XV fut appelé à Metz, où, surcroît d'angoisse pour la France, il tomba malade. Jeanne-Antoinette venait de mettre au monde sa fille Alexandrine, quand elle sut le roi en danger. La nouvelle la secoua au point qu'elle-même faillit en mourir. A l'automne, les péripéties dramatiques se succédèrent et l'on sut le renvoi de Mme de Châteauroux, son rappel et sa mort.

1745 fut l'année décisive. Jeanne-Antoinette avait quitté la rue Saint-Honoré pour la rue Croix-des-Petits-Champs, où elle habitait l'hôtel de Gouvernet, ancien hôtel de Gesvres, avec son mari, son oncle et ses parents. Les finances de Tournehem n'étaient pas toujours prospères, mais depuis quelques années, le règlement de la succession La Motte permettait à Mme Poisson de l'aider à son tour. Le 1er janvier au matin, les époux d'Etiolles allèrent chez Mme de La Ferté-Imbault lui souhaiter la bonne année à sa toilette. La marquise gronda en riant Jeanne-Antoinette de ses manières trop respectueuses, la plaisanta sur son excessive modestie. Au point où l'avait conduite son étoile, la visiteuse attendait, prête à entrer dans les jeux que le hasard offrirait à l'amour.

Les occasions ne firent pas défaut, ni les entremetteurs. Mme d'Etiolles avait des antennes dans les antichambres de Versailles. Binet, baron de Marchais, son cousin du côté La Motte, occupait la charge considérée de premier valet de chambre du dauphin. Le Bel, ancien amant de Mme Poisson, exerçait la même fonction auprès du Roi, qu'il s'ingéniait à consoler ; car, quelques jours après la duchesse de Châteauroux, était morte la très âgée Mme de Ventadour, qui avait élevé Louis XV jusqu'à sept ans. Réfugié à Trianon, il était pâle, triste et maigre. Les valets de chambre évoquèrent à sa mémoire la belle jeune femme qui l'avait si souvent charmé dans la forêt. Ils savaient que les dames de haute naissance avaient lassé leur maître par leurs prétentions, leurs exigences et leur avidité. Ils lui dépeignirent donc Mme d'Etiolles comme une bourgeoise de Paris, naïve et sans intrigue. Le roi, qui la trouvait fort jolie, laissa entendre qu'il se ferait volontiers son éducateur et s'en amuserait un moment. Il finit par dire à Le Bel qu'il ferait connaissance avec elle au carnaval suivant.

Pendant les quelques semaines où la fonction de maîtresse déclarée fut vacante, il y eut un moment d'expectative où les suppositions allèrent leur train et les postulantes s'empressèrent à la Cour. Les dernières filles du marquis de Nesle, Mmes de Lauraguais et de Flavacourt, allaient-elles prolonger le règne de leurs sœurs ? Le duc de Richelieu poussait la seconde, mais elle se déroba. L'on cite Mmes de Rochechouart et de La Pouplinière, la présidente Portail. Bernis parle aussi d'une jeune fille extrêmement belle que ses parents refusèrent d'exposer. C'est dire qu'aux dames de la haute noblesse se mêlaient des robines, des financières et de simples bourgeoises.

Le carnaval s'annonçait plus animé qu'à l'ordinaire, car il allait coïncider avec les noces du dauphin et de l'infante Marie-Thérèse Raphaëlle qui scellaient l'heureuse alliance de la France et de l'Espagne. Louis XV, que ces fêtes autorisaient à danser incognito, montra soudain un goût surprenant pour les bals où il pouvait se mêler à la foule de ses sujets. Beaucoup de courtisans ignoraient qu'il avait déjà distingué Mme d'Etiolles et nul n'a percé le mystère dont les deux amants ont entouré cet épisode. Les contemporains ont parlé de rencontres furtives dans l'un ou l'autre des bals qui furent donnés au château et dans la ville de Versailles, où l'on se pressait dans la salle de danse publique du Petit Ecu.

Au début de février, les courtisans soupçonnèrent qu'il y avait anguille sous roche. Le dimanche 7, un bal masqué fut donné chez les filles du roi, Mesdames de France, dans l'aile des Princes.

Pourtant, ni Mme Henriette, âgée de dix-sept ans, ni le dauphin n'aimaient ce genre de divertissement et la reine disait avoir dépassé l'âge des mascarades. Louis XV secoua ses enfants et leva les scrupules de leur mère. Dans la nuit du 11 au 12, il fit son grand coucher comme à l'ordinaire sans paraître pressé : la cérémonie se déroulait toujours dans la chambre de Louis XIV, bien que depuis 1738, le roi dormît dans l'appartement intérieur aménagé par Gabriel vers la cour des Cerfs. Cette nuit-là, il s'échappa et ne revint au château qu'au petit matin.

Cependant, Mme de Brancas s'était portée au-devant de l'infante, qui parcourait à petites étapes le chemin de Saint-Jean-de-Luz à Versailles, accueillie par des fêtes dans les principales villes où elle passait. A Paris, l'approche des réceptions nuptiales mettait la société en effervescence. Le 18, Mme d'Etiolles trouva parmi son courrier un billet gravé :

« Madame,

M. le duc de Richelieu a reçu ordre du Roi de vous avertir de sa part qu'il y aura bal à Versailles le mercredi 24 février à 5 heures du soir.

S.M. compte que vous voudrez bien vous y trouver. Les dames qui dansent seront coiffées en grandes boucles. »

Les marchandes de mode et de colifichets étaient dévalisées, les coiffeurs venaient dans les hôtels, les tailleurs procuraient aux gentilshommes des habits de location. Le président Hénault, qui reçut Mme d'Etiolles à souper, lui demanda si elle comptait se rendre à Versailles et où elle y logerait. Elle répondit que son cousin Binet s'en était occupé.

Le mariage religieux était fixé au mardi 23 dans la chapelle royale. Les fêtes devaient durer huit jours jusqu'au mardi gras. Elles étaient ordonnées par le duc de Richelieu, premier gentilhomme de la Chambre en exercice, et conduites par M. de Bonneval, intendant de l'Argenterie et des Menus Plaisirs de Sa Majesté. Aux frères Slodtz avait été confiée la composition du décor. Pendant trois nuits, toutes les façades du château furent illuminées. Au fond de la cour de marbre, le balcon de fer forgé, alors doré à plein, reluisait sous les terrines de suif et de cire, comme aussi les fleurs de lis, les soleils, les pots à feu et les acanthes qui ornaient le comble et les lucarnes. La Grande et la Petite Ecurie étaient également éclairées. De l'une à l'autre étaient suspendus des lampions au-dessus de l'avenue de Paris. Pour cette illumination, le chandelier Berthelin de Neufville reçut la somme de 29 954 livres. Les réjouissances commencèrent par une comédie-ballet, *la Princesse de Navarre,* dans le manège couvert de la Grande Ecurie. L'affluence fut telle qu'il fallut près d'une heure pour placer la compagnie. Enfin, Sa Majesté parut et prit place en bas, près de la reine, au milieu de la Cour.

De leurs gradins et de leurs loges, les invités jouissaient d'un coup d'œil merveilleux sur le parterre et la scène. Ils pouvaient apercevoir la blonde infante vêtue de brocart d'argent, pendant que les époux Grandval, les demoiselles Gaussin et d'Angeville déployaient leurs talents ; mais les paroles de Voltaire et les interludes de Rameau se perdaient un peu dans l'espace trop vaste, sous les nuées du plafond, où des amours badinaient avec des festons de fleurs.

Le lendemain, mercredi 17, la salle promptement transformée et débarrassée de ses loges accueillit les danseurs du bal paré. Les dames de Paris, en robe longue sans troussure, avec ou sans mantille, étaient placées derrière la balustrade blanche et or qui régnait au pourtour de la salle. De chaque côté, trois travées de glaces bordées de rideaux cramoisis renoués à l'italienne multipliaient les feux jetés par quinze grands lustres de cristal. Près de cent cinquante musiciens de la Cour et de la Ville étaient groupés sur la scène. Les instruments à cordes jouèrent d'abord des menuets pour lesquels le roi nommait danseurs et danseuses. Puis les instruments à vent attaquèrent les contredanses au rythme plus rapide. Dès lors, peut-être, dans la salle étincelante, Jeanne-Antoinette avait effacé aux yeux du roi toutes les autres beautés.

Les jours suivants, les fêtes se déroulèrent au château. Le bal masqué s'ouvrit le jeudi 25, à minuit. Une foule à peine filtrée par les huissiers débordés avait envahi le grand appartement. Dans la Galerie des glaces illuminée, la cohue fut un moment indescriptible. Cinq ou six cents masques étaient assis par terre dans l'Œil-de-bœuf. On dansait dans le salon d'Hercule, où jouait le principal orchestre. L'appartement, récemment tendu de damas rouge, était éclairé par des girandoles d'argent, dont l'une fut volée. Dans le salon de Mars, les musiciens se tenaient sur leur tribune permanente. On dansait aussi dans les salons d'Apollon et de Mercure. Des buffets étaient dressés aux deux extrémités de la Galerie des glaces et près de l'escalier des Ambassadeurs ; tous étaient servis en maigre, pour ce vendredi matin, abondaient en vin et en poisson, saumons frais, filets de sole, pâtés de truites. Le roi et sept de ses courtisans étaient déguisés en ifs, taillés comme ceux du parc, avec des trous pour les yeux. Ducreux avait fourni le vélin et 574 aunes de taffetas pour les dominos et les loups vénitiens.

L'assaut des prétendantes autour du roi donna lieu à des quiproquos dignes de Casanova ; l'un d'eux, dont la présidente Portail fut la victime ridicule, inspira Diderot dans les *Bijoux indiscrets*. Quant aux ifs, ils ont été célébrés poétiquement par Voltaire. Cette fête somptueuse frappa pour longtemps les imaginations. Dans l'estampe que les Cochin en ont gravée, un if se penche vers une bergère : sous l'innocence de ce costume champêtre se cache, dit-on, Jeanne-Antoinette.

La seule nuit du dimanche 28 offrit plusieurs occasions de rencontres. A Paris, loin de la Cour aux mille regards, Louis XV se rendit masqué au bal de l'Opéra, théâtre qui était alors une annexe du Palais-Royal. Le roi était donc en secret chez ses cousins d'Orléans et dansa deux contredanses, comme il l'a confié plus tard au duc de Luynes. Mais dès la fin de l'Ancien Régime, la légende a désigné comme le lieu d'un rendez-vous romanesque la plus mémorable des fêtes parisiennes qui eurent lieu cette nuit-là. Ce fut le bal offert à l'hôtel de ville par le corps municipal en l'honneur du dauphin et de sa nouvelle épouse. Le souvenir s'en est fixé d'autant mieux dans la mémoire collective qu'un album gravé aux dépens de la Ville répandit la relation et les images de cette féerie. La place de Grève et les abords de la maison commune étaient éclairés de falots et de lustres garnis de lampes de Suresnes. A l'intérieur, les murs étaient couverts d'une étoffe en façon de la Chine, les colonnes habillées de moire d'argent et cannelées avec des galons d'or, comme on le voit encore aujourd'hui dans les églises de Venise. Les lambris d'une pièce étaient peints en jonquille, ceux d'une autre en cramoisi, tous les panneaux ornés de papier des Indes en personnages, paysages et fleurs.

Devant plusieurs milliers de personnes de condition, le bal fut ouvert par le duc de Gesvres, gouverneur de Paris, et Mme Rossignol, fille de M. de Bernage, prévôt des marchands. Cependant, la

nombreuse compagnie s'était dispersée et le dauphin lui-même
s'était retiré quand Louis XV fit une arrivée volontairement tar-
dive pour ne pas rencontrer son fils. Il avait laissé croire qu'il
entrerait par une petite porte sous la voûte de la rue du Martroi,
mais il entra masqué par la grand'porte de la place de Grève. Il
ne fut pas reconnu. Selon la tradition, Mme d'Etiolles était là et
jeta son mouchoir, aussitôt ramassé par le roi ; ainsi, l'intrigue
légendaire emprunte un peu de sa grâce au mythe de Cendrillon.

Ces fêtes inspiraient à Louis XV une conduite qui n'aurait pas
été concevable sous Louis XIV. Le roi, comme un visiteur anonyme, se mêlait à la foule. Tout le peuple de Paris participait à la
fête. M. de Bernage avait pensé un moment à des gondoles et une
régate sur la Seine. Pendant que ses invités dansaient à l'hôtel de
ville, des salles de bal populaires avaient été montées en divers
endroits, constructions provisoires dont le décor symbolisait le
rythme des saisons. Place Vendôme, deux tonnelles étaient consacrées au Printemps ; au Carrousel, le palais de Cérès célébrait l'Eté ;
l'Automne était honoré rue de Sèvres par le palais de Vertumne et
l'Hiver, place de l'Estrapade, retenait un moment la fureur des
vents dans le palais d'Eole. Dans ces refuges, entre deux menuets
accompagnés par l'orchestre, des victuailles étaient offertes au
public : petits pains, tranches de cervelas, aiguillettes de dinde,
tranches de mouton rôti jetées par les préposés aux gens les plus
adroits pour les saisir au vol. Les traiteurs avaient prudemment fixé
sur les buffets les plats de fer blanc. Froissée, la bourgeoisie bouda
la fête. Le mémorialiste Barbier, un avocat parisien, constate l'erreur commise par le prévôt Bernage et ses échevins. Ils avaient
méconnu l'évolution sociale de leur temps, l'avènement d'une classe
nouvelle, fille du commerce et des « lumières », au sein du Tiers-
Etat.

Nous ignorons ce que Louis XV en pensa. Lors de ses voyages
mystérieux entre Versailles et Paris, le roi avait pour seul compagnon le duc d'Ayen. Les deux hommes ont parfois circulé en
voiture de place, alors que les fêtes et l'assemblée du Clergé augmentaient les embarras de la ville. Le roi se rendit, peut-être, chez
Tournehem, à l'hôtel de Gesvres, pour y retrouver Jeanne-Antoinette. La psychologie de l'amoureux pressé est la même en tous
temps, qu'il se déplace en taxi ou en fiacre. Exaspéré par la len-
teur du trajet ou le mauvais vouloir du cocher, Louis XV tirait un

louis de sa bourse ; mais Ayen retenait son bras : ce don trop généreux n'allait-il pas les faire reconnaître et donner l'éveil aux espions
d'une police toujours vigilante ?

Un dernier bal masqué clôtura les fêtes de Versailles le 2 mars,
jour du mardi gras. Il fut plus agréable que le précédent, car il y
eut moins de monde. Un huissier prenait les noms des arrivants.
L'on dansa plus à l'aise dans la Galerie des glaces, où avait été
remplacée la girandole à cinq branches volée précédemment ; les
invités se montrèrent plus discrets aux abords des buffets et, cette
fois, des oranges ne furent pas dérobées pour être revendues au
marché du lendemain.

En mars et avril, au second étage du château, les Petits appartements dissimulèrent bien des secrets. C'est dans ce domaine
réservé que Louis XV protégeait sa vie personnelle. Il y soupait
habituellement les soirs de chasse, bien loin du *grand couvert*, avec
les invités de son choix. Ceux qui l'avaient accompagné ce jour-là
dans la forêt, ou d'autres qui tentaient leur chance, s'étaient fait
inscrire à l'avance ; à l'heure du souper, ils se présentaient à la
porte et l'huissier nommait ceux que le roi avait retenus. Le
27 mars, les convives se présentèrent comme à l'ordinaire, mais
personne ne fut appelé : le roi, dit-on, ne soupait point. Le 10 avril,
le mauvais temps l'empêcha d'aller courre le daim avec Mesdames
ses filles et l'*équipage vert* ; mais il soupa l'on ne sait où ; cette fois
encore, personne ne fut nommé.

Cependant, le nom de Mme d'Etiolles était sur toutes les langues.
Il s'agissait, croyait-on, d'un caprice passager et non pas d'une
liaison durable, qui dans l'esprit des courtisans était inconvenable.
Binet défendait sa cousine des calomnies qui se répandaient contre
elle. Mme d'Etiolles, disait-il, n'était venue à Versailles que pour
solliciter une place de fermier général pour son mari ; elle l'avait
obtenue et ne reparaîtrait pas à la Cour.

On la revit pourtant à la mi-carême, dans la minuscule salle de
spectacle aménagée sous Louis XIV au fond de la cour des Princes. Les comédiens italiens y jouaient ce jour-là les farces de
Pantalon. Elle était dans une loge d'avant-scène, bien parée et fort
belle. Le roi, de sa loge grillée, la reine de la sienne, pouvaient la
considérer, l'un avec admiration, l'autre avec curiosité.

En avril, ce fut le tour des ambassadeurs des rois Bourbons de
célébrer les noces du dauphin et de l'infante. M. d'Ardore, ministre

de Naples, donna un concert en son hôtel de la place Vendôme,
qui avait été celui de Law. Le lundi de Pâques commencèrent à
l'hôtel de Conti, rue neuve Saint-Augustin, trois jours de réjouissances données par l'ambassadeur du roi d'Espagne, le prince de
Campo-Florido : un repas qui réunit les ministres étrangers, le
lendemain un feu d'artifice et un dîner offert aux courtisans, enfin
un bal masqué ; à la surprise générale, le roi n'y parut pas, mais se
fit représenter par MM. de Lugeac et de Tressan. Il soupait ce
soir-là dans les petits appartements avec Mme d'Etiolles. M. de
Luxembourg et Mme de Bellefonds, qui avait recueilli les dernières
confidences de la duchesse de Châteauroux, en étaient aussi. Le roi
ne se coucha qu'à cinq heures du matin. Le lendemain, il dîna tête
à tête avec Jeanne-Antoinette. Dès lors, la jeune femme logea
dans l'appartement qu'avait occupé Mme de Mailly avant d'être
expulsée par sa sœur, Mme de La Tournelle. Il était situé au
second étage de l'aile droite de la Cour royale, au-dessus de la
galerie décorée par Mignard où avait habité Mme de Montespan.
Il comprenait une chambre jolie mais fort petite avec une seule
fenêtre et un lit dans une niche, un cabinet d'angle où le roi jadis
travaillait à ses plans, enfin un salon d'assemblée au coin de la
Cour de marbre. C'était pour Jeanne-Antoinette un pied-à-terre
entre deux séjours à Paris. Ce printemps fut pour le roi un moment d'hésitation. Il n'avait pas rompu tout lien avec la famille de
Nesle, représentée encore auprès de lui par Mme de Lauraguais.
Jeanne-Antoinette n'existait encore à Versailles qu'en pointillé.

Cependant, l'idylle faisait jaser chaque jour davantage sans qu'on
pût en parler ouvertement. Seul Mgr Boyer, évêque de Mirepoix et
porte-parole du parti dévot, s'en prit à Binet qu'il menaça de faire
chasser par le dauphin. Il ne faisait plus de secret que Jeanne-
Antoinette était éperdument amoureuse du roi et que cette passion
était réciproque.

De son côté, Tournehem, pour assurer à sa nièce quelques
semaines de vacances conjugales, avait éloigné adroitement Charles
Guillaume. Il aurait séjourné chez les Savalette dans leur propriété
du Vexin et fait une tournée en province. Quand il revint à Paris, il
fut fort étonné de ne pas y trouver sa femme ; mais Tournehem le
mit devant le fait accompli et lui dit qu'il ne devait plus compter
sur elle. Sa passion pour le roi était si violente qu'elle n'avait pu y
résister. Il n'avait plus d'autre parti à prendre que de s'en séparer.

L'infortuné M. d'Etiolles fut envahi par des sentiments où n'entrait pas seulement celui du déshonneur, en un temps où cette situation très habituelle attirait moins de ridicule que dans la société de Molière, ou plus tard dans celle de Flaubert. Il s'évanouit, revint à lui, demanda des armes. Il parlait d'aller reprendre sa femme entre les bras du roi. Selon la légende, après cette ressaisi, il écrivit à Jeanne-Antoinette une lettre touchante qu'elle fit lire à Louis XV. « Vous avez là, Madame, un mari bien honnête » aurait réparti le souverain. L'époux délaissé dut se rendre à l'évidence. Il consentit à vivre et s'accommoda de son sort.

Le 7 mai, le fidèle procureur Charles Jacques Collin déposa au greffe du Châtelet de Paris, au nom de Jeanne-Antoinette, un acte de renonciation à la communauté qui existait entre elle et Charles Guillaume. Elle demandait les 30 000 livres de sa dot et le droit de toucher les arrérages et loyers de ses biens ; elle voulait aussi être dégagée des dettes contractées en son nom par son époux, dont le procureur était Louis Pascal de Montcrif. Le roi songea dès lors à lui trouver une terre dont elle pût porter le nom féodal. Sans quoi elle ne pourrait pas être présentée à la Cour.

Elle en connaissait une dont le nom depuis longtemps la charmait. Sa voisine de Soisy-sous-Etiolles, Françoise de Pompadour, était morte en 1740. Veuve du marquis de Courcillon, elle ne laissait qu'une fille, Marie-Sophie, qui épousa le comte d'Albert d'Ailly, plus tard duc de Picquigny et de Chaulnes. C'est à lui que Louis XV demanda la permission de reprendre le nom et les armes, *d'azur à trois tours d'argent maçonnées de sable*. La terre même de Pompadour, sise en Limousin à neuf lieues de Brive, avait été léguée au prince de Conti le 26 août 1726 par Marie-Françoise de Pompadour, marquise d'Hautefort. Le 24 juin 1745 fut signé par-devant maître Melin, notaire à Paris, le contrat d'acquisition. Louis XV n'avait pas voulu mêler à cette transaction le contrôleur général des Finances, Philibert Orry, et ce fut Montmartel qui avança les fonds dus au prince de Conti. Dès la fin d'avril, le bruit s'était répandu dans le peuple que Mme d'Etiolles avait reçu un titre.

Le jour approchait où Louis XV allait partir pour la campagne de Flandre. L'opinion était fort en peine de savoir ce que deviendrait Mme d'Etiolles en l'absencce du roi. D'aucuns disaient qu'elle séjournerait en Flandre aux eaux de Saint-Amant, d'autres qu'elle se retirerait dans un couvent si le roi ne la reprenait pas. Certains assu-

raient qu'elle regrettait déjà les folles démarches qu'elle avait faites
à la Cour. Dans les églises, beaucoup priaient pour elle.

La France était en guerre depuis quatre ans. Un conflit qui
n'avait opposé d'abord que deux prétendants à la couronne d'Autriche s'était étendu à toute l'Europe. En ce temps-là comme toujours, l'équilibre international était fragile, les combinaisons diplomatiques confuses, les alliances précaires, les trônes instables. Notre
état-major se trouvait aux prises avec les forces d'une coalition
austro-anglaise. En Italie, le maréchal de Maillebois guerroyait
à la tête d'une armée franco-espagnole. En Alsace, une invasion
imminente avait motivé la venue de Louis XV à Metz. Au nord,
une armée française aux ordres d'un étranger, le maréchal de Saxe,
disputait la Flandre au prince royal d'Angleterre, duc de Cumberland. En 1745, la compétition pour la couronne d'Autriche était
diplomatiquement résolue et la France n'avait plus à lutter pour
l'intégrité de son territoire, mais il restait à conquérir la paix par
des succès décisifs. Comme Cumberland et le prince de Waldeck
cherchaient à débloquer la place de Tournai, Louis XV et le dauphin quittèrent Versailles pour l'armée de Flandre le 6 mai au
matin. Une bataille dont dépendait l'issue de la campagne allait
être livrée et le roi avait résolu d'y paraître en personne.

Jeanne-Antoinette avait tiré la leçon du drame de Metz, l'année
précédente : elle ne reproduirait pas l'erreur de Mme de Châteauroux, son arrivée fracassante dans la place forte, son renvoi imposé
par le clergé à Louis XV malade, son retour humiliant au moment
où la reine accourait en sens inverse au chevet du roi. Jeanne-
Antoinette n'irait pas en Flandre. Elle laisserait la distance et le
temps jouer en sa faveur. Les amants convinrent qu'elle passerait
l'été à Etiolles avec sa mère et choisirent ensemble les amis peu
nombreux qu'elle y recevrait.

L'un d'eux fut l'abbé de Bernis. Ses rivaux l'ont dépeint comme
un poète frivole, jovial et joufflu, arrivé à Etiolles par le coche
d'eau, tout fringant de l'aubaine, son balluchon sous le bras. Voltaire l'appelait Babet la Bouquetière, et Casanova écrivit qu'il avait
« l'art de dorloter l'amour ». En fait, ce cadet de Gascogne, abbé
du petit collet, répandu à Paris et déjà académicien, était un seigneur authentique par ses quartiers de noblesse et son caractère
sérieux, scrupuleux et désintéressé. C'était aussi un fin psycho-
logue, capable de donner des conseils avisés. Cet été-là marqua le

début d'une amitié confiante et durable. « Madame d'Etiolles avait toutes les grâces, toute la fraîcheur et toute la gaieté de la jeunesse », lui semblait-il, mais n'avait pas seulement cela. Tandis qu'il célébrait les fossettes que le sourire creusait dans ses joues, il saisissait aussi qu'elle avait « l'âme haute, sensible et généreuse » et laissait entendre dans ses vers qu'elle était réservée, pudique et sage.

Voltaire, fraîchement nommé historiographe de France, vint également lui tenir compagnie et le portrait qu'il nous a laissé d'elle à cette époque rejoint celui de l'abbé : « Elle était bien élevée, sage, aimable, remplie de grâces et de talents, née avec du bon sens et du cœur. Je la connaissais assez : je fus même le confident de son amour. Elle m'avouait qu'elle avait toujours eu un secret pressentiment qu'elle serait aimée du roi et qu'elle s'était sentie une violente inclination pour lui sans trop la démêler. Cette idée qui aurait pu paraître chimérique dans sa situation était fondée sur ce qu'on l'avait souvent menée aux chasses que faisait le roi dans la forêt de Sénart. Tournehem, l'amant de sa mère, avait une maison de campagne dans le voisinage. On promenait Mme d'Etiolles dans une jolie calèche. Le roi la remarquait et lui envoyait souvent des chevreuils. Sa mère ne cessait de lui dire qu'elle était plus jolie que Mme de Châteauroux et le bonhomme Tournehem s'écriait souvent : « Il faut avouer que la fille de Mme Poisson est un morceau de roi. » Enfin, quand elle eut tenu le roi entre ses bras, elle me dit qu'elle croyait fermement à la destinée et elle avait raison. » Pour l'heure, elle régalait l'écrivain de vin de Tokai dont il comparait les qualités, force et douceur, à celles du roi.

Le maréchal de Saxe et Louis XV, à Versailles, avaient fixé d'avance le lieu de la bataille. Le terrain, en forme de trapèze étroit, côtoyait l'Escaut franchi par un pont de bateaux et s'appuyait sur quatre points forts : Calonne, Anthoing, le bois de Barry et Fontenoy, dont la journée mémorable allait garder le nom. Jamais Louis XV ne parut plus gai que la veille du combat. Il rappela que c'était la première fois depuis saint Louis à Taillebourg qu'un roi de France allait vaincre les Anglais ; et la première fois depuis Jean le Bon, à Poitiers, qu'un dauphin combattait à côté de son père. Quand il avait douze ans, au retour de son sacre, Louis XV avait demandé aux moines de Saint-Denis de lui désigner la tombe de Du Guesclin. Aux yeux de Maurice de Saxe, la présence du roi enhardissait nos troupes et valait à elle seule 50 000 hommes.

A cinq heures du matin, dès les premiers engagements, un boulet faucha le duc de Gramont, colonel des gardes françaises, qui perdirent pied comme elles l'avaient déjà fait à Dettingen ; or c'était justement cette honte qu'il s'agissait d'effacer. Les colonnes adverses s'avancèrent en profondeur et approchèrent de Louis XV, dangereusement exposé aux tirs de l'artillerie sur l'éminence d'Anthoing. Saxe, terrassé par la goutte, avait substitué à son armure de fer un gilet pare-balles molletonné et circulait dans une carriole d'osier. Il proposa à Louis XV de se replier avec l'armée derrière l'Escaut. Pendant ce que le maréchal a appelé plus tard « un assez long espace de temps critique », la bataille fut considérée comme perdue et beaucoup d'officiers ne songèrent qu'à sauver par une conduite héroïque l'honneur du royaume.

Mais Louis XV, ayant consulté Richelieu et Biron, refusa de céder et improvisa de son chef une action de rechange. Il comprit que les colonnes anglo-hessoises de Cumberland et les Hollandais de Waldeck, à présent coupés de leurs bases, offraient une prise inattendue au mordant de ses unités les plus fraîches. Avec le seul appui de quatre canons, il lança sa Maison contre l'infanterie des Habits Rouges, qu'encadraient les escadrons bleus des *Life Guards*. L'assaut de la Maison du roi, conseillé hardiment par Richelieu, fut conduit par MM. de Montesson, de Soubise, de Chaulnes, de Grille et de Genouillac. Il fit revivre la *furie française* qui avait dégagé Charles VIII à Fornoue. Ce sursaut avait déjà changé la défaite en victoire quand Louis XV vit s'élancer, comme malgré lui, un corps qu'il avait prudemment tenu en réserve. C'était la brigade irlandaise et catholique du comte de Dillon, qui tirait des Anglicans une sanglante vengeance des persécutions subies depuis cinquante ans. A la tête de cette charge effroyable, Dillon fut tué. Alors, une poursuite énergique aurait infligé une déroute complète à l'armée de la coalition, mais Saxe, en condottiere plutôt qu'en lieutenant du roi de France, évita de conclure.

Après avoir montré lucidité et courage, Louis XV fit preuve d'humanité. Il chargea le marquis de Valfons et le chirurgien La Peyronnie de faire retirer les blessés de toutes nationalités, qui furent dirigés sur plusieurs hôpitaux du nord de la France. « Mon fils, dit-il au dauphin, voyez ce qu'il en coûte à un bon cœur de remporter des victoires. Le sang de nos ennemis est toujours le sang des hommes, la vraie gloire est de l'épargner. »

Tour à tour, Voltaire et Bernis tenaient la main de Jeanne-Antoinette quand elle répondait aux lettres de Louis XV. Le 9 juillet, elle en avait reçu plus de quatre-vingts, adressées à Madame d'Etiolles à Etiolles, et qui passaient en fait par Brunoy, où Montmartel se chargeait de les transmettre. Leur cachet portait la devise *Discret et fidèle*. L'une d'elle, datée du 7 juillet, fut pour la première fois adressée *à Madame la marquise de Pompadour*. Ce titre de distinction, accordé par la grâce personnelle du roi, devenait ainsi officiel. Comme nous aimerions tenir quelques bribes de cette correspondance ! Les billets du roi étaient sans doute courts et forts, comme celui qu'il griffonna à l'intention de la reine sur le champ de bataille de Fontenoy pour rassurer Versailles et Paris. Jeanne-Antoinette y répondait à loisir et laissait deviner son cœur entre deux pirouettes. Le 9 juillet, elle raconta, peut-être, qu'elle avait eu bien peur : l'explosion d'une poudrière à Essonne avait soufflé les portes de son salon : c'était le bruit même du fléau qui la séparait de Louis XV et avait failli le lui prendre. Voltaire admirait la façon dont nos dames écrivent, avec cent fois plus de grâce que les hommes, parce qu'elles n'ont pas appris le latin. Les lettres qu'elle rédigea plus tard montrent qu'elle tira profit des leçons de ses maîtres.

Aucun visiteur ne pouvait l'approcher sans la permission du roi, mais elle n'avait qu'à traverser la forêt pour se rendre à Brunoy chez son parrain. Elle y fut accueillie lors des réceptions qu'il donna aux environs du 10 août. Parmi les hôtes auxquels Montmartel fit goûter les ananas et les cantaloups de ses serres, elle rencontra M. Orry, le contrôleur général des Finances. A Etiolles, deux des rares visiteurs admis à la Grande Maison furent MM. de Gontaut et Laurent René Ferrand, élève de Couperin, qui venait souvent accompagner au clavecin sa cousine Jeanne-Antoinette. A Etiolles ou à Brunoy, elle continuait de recevoir les conseils un peu encombrants de Mme de Tencin, qui fréquentait familièrement les deux maisons et passait pour être sa marraine. Sur la fin de sa vie orageuse, cette virtuose de l'intrigue reportait toutes ses ambitions sur son frère. Le cardinal jouait déjà un rôle fort important au Conseil, où il avait le pas sur les autres ministres. Elle le voulait premier ministre, plus près encore de l'oreille du roi et souhaitait le voir détenir la *feuille des bénéfices*. En juin, le cardinal de Tencin, accompagné de son vicaire général, l'abbé Dolmières, séjournait à Brunoy.

Après Fontenoy se rendirent une à une les villes de Flandre, Tournai le 1er juillet, puis durant le mois d'août Gand, Alost, Bruges, Audenarde, Ostende, et le 5 septembre Nieuport : autant de succès annoncés dans tout le royaume par le son des cloches, salués à Paris par des feux d'artifice et chantés par des *Te Deum* d'action de grâces.

Cet été-là, la forêt de Sénart était silencieuse ; mais elle gardait pour Jeanne-Antoinette l'écho des chasses royales et le secret de son amour. Le frémissement de ses grands arbres était celui de l'attente, du rêve et de l'espoir. Bernis accompagnait la jeune femme dans ses promenades au long des allées sablonneuses :

> On avait dit que l'enfant de Cythère
> Près du Lignon avait perdu le jour,
> Mais je l'ai vu dans le bois solitaire
> Où va rêver la jeune Pompadour.

Quand Louis XV revint de Flandre, des manifestations témoignèrent de l'affection que son peuple lui portait. Dès son avènement en 1715, l'enfant-roi avait charmé par sa grâce et son sourire. Lors de son sacre à Reims, il ressemblait à l'Amour. Chacun songeait avec émotion qu'il avait échappé par miracle à la mort qui avait enlevé tous les siens. Sa maladie récente à Metz avait consterné le royaume et l'annonce de sa guérison provoqué partout des transports d'allégresse : dans les églises, les gens s'abordaient sans se connaître. Les Parisiens embrassaient les mains du messager, ses bottes, le harnais de son cheval, l'animal lui-même... Depuis Fontenoy, la bravoure de Louis XV le Bien-Aimé égalait celle d'Henri IV. Dans le cœur du peuple, la fierté dilatait l'affection.

Le roi fit son entrée à Paris le 7 septembre. La porte Saint-Martin, l'un des arcs de triomphe prévus par Colbert pour le retour des conquérants, avait été surchargée d'allégories militaires par les décorateurs de la Ville. Le long des rues conduisant aux Tuileries, les façades étaient tendues de tapisseries, les commerçants avaient fermé boutiques. Des fontaines de vin coulaient ici et là, des orchestres jouaient le long du parcours. Le lendemain, après le *Te Deum* à Notre-Dame, le roi fut complimenté par les magistrats des compagnies supérieures, le corps de Ville, l'Université, l'Académie française et les harengères. Le soir, avec la reine et la famille royale, Sa Majesté vint à l'hôtel de ville, où un feu d'artifice, un concert et un souper les attendaient.

Un cabinet particulier avait été prévu à l'étage supérieur pour celle qui s'appelait désormais Mme de Pompadour. Le même excellent souper y fut servi. En l'absence de sa mère malade, les autres convives étaient ses parentes Mmes d'Estrades et de Sassenage, son oncle Tournehem et son frère Abel Poisson. Le duc de Gesvres, gouverneur de Paris, les ducs de Richelieu et de Bouillon vinrent lui présenter leurs hommages. Le maître de maison, M. de Bernage, monta deux fois. Mme de Pompadour resta jusqu'à onze heures et demie. Le roi ne monta pas. Auparavant, le gouverneur et le prévôt des marchands, accompagnés du lieutenant de police, M. de Marville, s'étaient rendus chez elle pour régler le déroulement de la soirée.

3

Le grand amour

Pour imposer silence aux murmures, Mme de Pompadour entoura de précautions son entrée officielle à la Cour. Les mutations sociales avaient inspiré à la noblesse d'épée une vigilance nouvelle dans la défense de ses privilèges et de ses dignités. Depuis 1732, généalogistes et juges d'armes examinaient les titres des familles avec une sévérité accrue. Cependant, deux proches alliées de Mme d'Etiolles étaient incontestablement dames de qualité. L'une d'elles, Mme d'Estrades, était même en position d'être présentée à Versailles ; plus encore, son époux avait été tué pour le service de Sa Majesté. Elle fut donc présentée deux jours avant Jeanne-Antoinette, de manière à camoufler ce que l'élévation de la nouvelle marquise avait d'exorbitant.

La présentation était une cérémonie strictement réglée par l'étiquette. Une marraine était nécessaire et, dans le cas d'une favorite, seule une princesse du sang pouvait assumer les risques de la situation. C'est ainsi que Mme de Mailly avait été présentée par Mlle de Charolais et Mme de Châteauroux par la princesse de Modène. Jeanne-Antoinette fit pressentir la princesse de Conti, dont elle avait repris la terre de Pompadour. Bon gré mal gré, l'intrigante douairière céda aux sollicitations royales. La cérémonie était fixée au mardi 14 septembre. Quelques jours plus tôt, l'abbé commendataire d'Uzerches demanda en présence de la princesse : « Quelle est la p... qui pourra présenter une telle femme à la reine ? — L'abbé, répondit-elle en riant, n'en dites pas davantage, ce sera moi. » La princesse disait à qui voulait l'entendre qu'elle ne connaissait pas Mme de Pompadour et ne l'avait jamais vue. A Paris, le

grand public se promettait une scène intéressante et d'avance en
caractérisait les acteurs : il serait uniquement question de toilettes et
de coiffures, la reine parlerait froidement, le dauphin gravement,
Mme Henriette bonnement, Mme Adélaïde follement.

Au jour fixé, sur les six heures du soir, l'affluence était égale
chez le roi et chez la reine. Avec la princesse de Conti, Mmes de la
Chau-Montauban et d'Estrades accompagnaient la marquise. Dans
le cabinet du Conseil, la visite à Louis XV fut aussi brève qu'em-
barrassée ; les amants avaient soupé tête à tête la veille au soir. De
là, par la Galerie des glaces, on passa chez Marie Lesczinska.
D'aussi loin qu'elle l'aperçut, Jeanne-Antoinette fit une révérence,
quelques pas, puis une seconde révérence. En s'approchant de la
reine, de nouveau elle se ploya lentement, les yeux baissés, la taille
droite ; elle se releva en regardant modestement la souveraine et
rejeta avec grâce tout le corps en arrière. Ses gestes étaient arron-
dis, moelleux et naturels. Elle ôta le gant de sa main droite et
saisit le bas de jupe de la reine — c'est-à-dire la traîne amovible —
pour la baiser. Maîtresse de son émotion, elle laissa pourtant tomber son gant, mais la princesse de Conti se baissa aussitôt pour le
lui rendre. Jeanne-Antoinette était grande sans l'être trop et le
volumineux panier accentuait la gracilité du buste et la minceur de
la taille. La robe de Cour, noire comme il convenait, rehaussait
l'ovale parfait et l'éclat du visage. Le jour tombant, qui faisait
miroiter au loin la Pièce d'eau des Suisses, se jouait dans les reflets
cendrés de la chevelure. A l'étonnement de l'assistance, la reine ne
lui parla ni de sa toilette, ni de son visage, mais de Mme de Saissac, que la duchesse de Luynes venait de lui présenter à Paris.
Marie Lesczinska savait que cette marquise connaissait Jeanne-
Antoinette depuis son berceau. « J'ai, Madame, la plus grande
passion de vous plaire et vous assure de mon profond respect »,
murmura Jeanne-Antoinette. Le reste de l'entretien, poursuivi à
voix basse, n'a pas été enregistré par les spectateurs attentifs, qui
pourtant l'ont évalué à douze phrases. Une révérence de la reine
signifia que l'impétrante pouvait se retirer, ce qu'elle fit à reculons.
A chacune des trois révérences d'adieu, elle poussait adroitement du
pied la traîne qui balayait le sol.

Il existait à Versailles une hiérarchie des espaces et une topo-
graphie sentimentale du château. Louis XV réservait à la représentation officielle les pièces centrales sur la cour de marbre. Il

abritait sa vie quotidienne dans l'appartement intérieur du premier étage, et, plus haut, dans les cabinets qui entourent la cour des Cerfs. Il y eut de ce côté un domaine réservé où, de 1733 à 1774, logèrent la plupart des favorites. Du pied-à-terre où elle s'était posée au printemps, Jeanne-Antoinette passa dans l'appartement laissé vide par la mort de Mme de Châtcauroux. Il était situé au second étage du corps central, au-dessus des salons de Mars, de Mercure et d'Apollon. De ses neuf fenêtres, la vue plongeait sur le parterre du nord, vers le bassin de Neptune, et se perdait sur la lointaine forêt de Marly.

Pour le moment, Jeanne-Antoinette ne demanda pas de travaux neufs ; car elle se contentait des éléments de confort qui avaient répondu aux vœux de l'exigeante duchesse : une cuisine, des bains et surtout la chaise volante qui montait directement du rez-de-chaussée et permettait d'éviter les nombreuses marches de l'escalier d'Epernon. Cet ascenseur avait été construit, croyait-on pour Mme de Mailly, mais en réalité pour Mme de Châteauroux. Il est signalé par un libelle pseudo-persan qui circulait justement sous le manteau en 1745 : « Ce fut pour *Rétima*, maîtresse de *Cha-Séphi*, qu'on inventa des machines commodes et propres à la transporter d'un lieu à un autre, dans des temps et des circonstances que son amant jugeait mériter les plus grandes attentions. » Jeanne-Antoinette laissa même le *meuble*, c'est-à-dire les sièges, rideaux, portières, ciel de lit et tout ce qui était renouvelé deux fois l'an par les tapissiers. Elle trouvait naturel d'entrer dans l'appartement de fonction, d'animer une alcôve inchangée sans exiger de son royal amant un nouveau décor pour des amours nouvelles.

A cette étape, Jeanne-Antoinette envisagea sa condition de favorite. Elle s'y était destinée tranquillement et s'y abandonnait sans trouble ni remords. Aurait-elle eu les scrupules d'une Princesse de Clèves, son époque inquiète l'invitait à préférer l'aventure de ce monde à un repos éclairé par la seule attente chrétienne de la mort. En Louis XV, elle reconnaissait l'idéal viril dont son père, son mari et les amants de sa mère ne lui avaient offert que des images imparfaites. Parvenue auprès du roi et si douée pour le bonheur, elle se sentait prête à partager avec lui le fardeau du pouvoir. Avec les richesses, les joies et les honneurs, elle acceptait sans les mesurer encore les devoirs, les fatigues et les chagrins. Chez elle, l'oubli de soi-même égalait la capacité de s'assumer.

Avec clairvoyance, elle réfléchit et s'informa sur le statut de celles qui l'avaient précédée. Mme de Châteauroux, certes, avait eu de nobles desseins, mais elle avait été le jouet des ambitieux et la victime de sa propre avidité. Lasse d'être une maîtresse clandestine et d'aller quérir son souper chez le traiteur du roi, elle avait formulé ses exigences : le renvoi de ses sœurs, un bel appartement pour y tenir publiquement sa cour, de l'argent à prendre à volonté au Trésor royal, des lettres de duchesse dûment enregistrées en Parlement, la légitimation des enfants qu'elle pourrait avoir. Louis XV, d'abord effrayé, avait tout promis, mais le sort en décida autrement. Jeanne-Antoinette se proposait d'être différente. Déjà, comme Agnès Sorel, elle avait aiguillonné l'ardeur guerrière du monarque. Comme Diane de Poitiers et Gabrielle d'Estrées, elle saurait l'entourer de magnificence et veiller sur son repos. Comme Mmes de Montespan et de Maintenon, elle entretiendrait un air de grandeur et, le moment venu, saurait être une conseillère.

Louis XV, si brillamment doué, souffrait pourtant d'une carence affective qu'aucune femme ne devait parvenir à combler. Il avait perdu à deux ans son père, le duc de Bourgogne, et sa mère, Adélaïde de Savoie, l'une des plus charmantes princesses qui aient éclairé la Cour de France. Son enfance s'était écoulée, triste et solitaire, sans frères ni sœurs. A l'éducation reçue de son gouverneur, le duc de Villeroy, Louis XV devait son maintien noble et imposant, mais aussi son horreur de la représentation, sa timidité maladive et son incroyable dissimulation. En février 1743, il avait perdu le cardinal de Fleury, qu'il regardait comme son père et n'avait trouvé d'autre refuge que sa garde-robe pour le pleurer à son aise. Voulant honorer son souvenir, il avait chargé Bouchardon de projeter le somptueux mausolée — aujourd'hui disparu — de Saint-Louis-du-Louvre. En 1744, avant son départ pour l'Alsace, il avait écrit à sa première gouvernante, Mme de Ventadour, une lettre d'adieu touchante et noblement tournée, dans laquelle il priait le Dieu des armées de bénir ses bonnes intentions. Hélas, Maman Ventadour mourut à quatre-vingt-treize ans le 15 décembre de la même année.

A trente-cinq ans, Louis XV se croyait avec raison le plus bel homme de son royaume, et, partant, le séducteur le plus irrésistible. Cependant, il avait déjà compris que Jeanne-Antoinette n'était pas une conquête facile. Jamais encore il n'avait rencontré une créature si harmonieuse et si fraîche, dénuée de tout préjugé, libre de tout conformisme, alliant à un rare degré l'intelligence et la beauté : elle était d'une autre essence que les dames de la Cour et ses précédentes maîtresses. Il en fut ébloui et ensorcelé. Cette jeune femme si lancée dans Paris représentait à ses yeux la puissance mystérieuse et redoutable de l'opinion publique, sur quoi il n'avait pas de prise. Elle en était auprès de lui la transfuge rassurante. Dans le combat de l'amour, tel était pris qui croyait prendre.

Jeanne-Antoinette arrivait à la Cour comme en pays étranger. Quiconque y pénétrait pour la première fois était plongé dans l'étonnement. Sur l'espace de quelques arpents, les mœurs étaient sans rapport avec celles qui régnaient partout ailleurs. Tout était différent. Le langage était feutré, la politesse affectée, le son de la voix composé, le rire presque inconnu. Dans ces lieux où le naturel était rare, le terrain était glissant et parsemé d'embûches. Pour paraître sous les yeux du souverain, les courtisans acceptaient des conditions de vie qui n'auraient pas convenu au suisse de leur hôtel parisien. Ils s'entassaient dans les étroits logis de l'aile du nord que Mansart avait distribués sur le papier un dimanche après-midi. Chacun ne pensait qu'à ses affaires au détriment d'autrui, toujours préoccupé d'une intrigue ou d'une promotion. La servilité avilissait les caractères et souvent la hauteur du ton couvrait la médiocrité de l'âme. La vie de la Cour, avec l'ensemble complexe de ses services, était réglée aussi minutieusement que la pendule astronomique de Passemant, qui allait donner son nom au Cabinet ovale.

L'étiquette faisait de la Cour une magnifique prison. Déjà contraignante au temps où Léonard de Vinci priait François Iᵉʳ de l'en affranchir, raidie sous l'espagnole Anne d'Autriche, figée par le Roi-Soleil, elle soumettait tous les gestes à un rituel immuable et quasi religieux auquel le roi lui-même devait se conformer. L'action la plus humble en sa présence obéissait à des prescriptions minutieuses et donnait lieu à d'interminables conflits. Tenir le bougeoir au coucher du roi était pour un gentilhomme un honneur envié ; car Louis XIV avait eu, selon Saint-Simon, « l'art de donner l'être à des riens ».

Il est vrai que Louis XV, en dérobant sa vie personnelle, risquait de désacraliser la majesté royale. Les vieux courtisans hochaient la tête et se référaient au passé. Ils regrettaient de voir le cérémonial retranché en faveur de la commodité. Cependant, les esprits hardis dénonçaient le formalisme désuet. La Cour, cette concentration artificielle, était nuisible au pays et constituait un danger de déséquilibre politique, économique et social.

Jeanne-Antoinette devait s'initier à tous les secrets de l'étiquette et de l'héritage féodal. Elle se fit apporter des extraits des mémoires de Dangeau et de Saint-Simon, demanda à Clairambault de lui faire enluminer un album aux armes des grandes familles du royaume. Voltaire lui avait offert un exemplaire de l'*Abrégé de l'histoire de France* qu'il tenait de son auteur lui-même, le président Hénault. « Elle a plus lu à son âge qu'aucune vieille dame du pays où elle va régner et où il est bien à désirer qu'elle règne », écrivit-il en 1745. Louis XV, avec sa mémoire étonnante, était pour elle un excellent guide. En cet automne de 1745, il ne la quittait pas. Avant et après la messe, avant et après le Conseil, il venait la retrouver. Il écourtait ses chasses et déjeunait près d'elle d'une côtelette.

Ses premiers pas furent à la fois gracieux et mal assurés. Elle fut happée dans le cycle des voyages qui, selon le calendrier des chasses, conduisaient périodiquement l'entourage royal d'une résidence à l'autre au cœur des forêts giboyeuses. A l'automne, après quelques brefs séjours à Choisy, la Cour s'installait brillamment à Fontainebleau. A ces occasions, Jeanne-Antoinette fit plus ample connaissance avec la reine et fut exposée aux yeux des courtisans. Par sa grâce, sa douceur et sa gaîté, elle désarma les préventions. La « politesse » qu'on lui reconnaissait unanimement signifiait sa capacité d'accueil et l'attention qu'elle réservait à tous.

Surtout, elle sut gagner la bienveillance de Marie Lesczinska. Chacun savait le peu d'affection qui liait le couple royal et le manque d'égards que Louis XV témoignait à la reine. Vingt ans avaient passé depuis son arrivée en France. La marquise de Prie, maîtresse du duc de Bourbon, avait choisi pour mieux la dominer l'une des princesses les plus pauvres de l'Europe. Fille d'un roi en exil, elle avait plus de vertus que d'attraits et ce mariage avait consterné la France. Très tôt, elle déçut Louis XV par sa conduite inopportune quand Fleury supplanta Bourbon à la direction des affaires. De 1726 à 1737, elle donna le jour à dix enfants : mais à l'égard de la loi salique, cette fécondité fut décevante, car un seul garçon vécut, le dauphin dont la naissance avait été fêtée quand Jeanne-Antoinette était à Poissy.

La première des favorites était entrée sans bruit dans la vie de Louis XV en 1732. Cinq ans plus tard, le malentendu sexuel devint définitif entre les époux après une fausse couche que la reine, pour des raisons futiles, crut devoir cacher. Elle avait six ans de plus que Louis XV. Alourdie par les maternités successives et l'approche d'une ménopause précoce, elle était lasse. Dès lors, elle se réfugia dans l'amitié, la bonne chère et la dévotion. En ce mois de septembre 1745, Louis XV étant pour la première fois à Choisy avec la marquise, y fit venir la reine, à laquelle il promit « un bon dîner, des vêpres et un salut ». C'était là une attention inspirée par Jeanne-Antoinette et que d'autres devaient suivre. Dès lors, la reine fut de tous les voyages.

A la fin de 1745, il apparut que la faveur de Mme de Pompadour était irréversible. Après quelques éclats, Mme de Lauraguais fut décidément écartée, mais Louis XV réconcilia les deux femmes. L'attitude de Jeanne-Antoinette, progressivement, se transformait. Toujours respectueuse à l'égard de la reine, elle cessait de lui marquer une excessive humilité. Les avis conjugués de sa mère, de Mme de Tencin et de Bernis l'aidaient à mieux connaître les hommes. Elle acceptait sans illusion des égards qui montaient moins vers sa personne que vers sa position. Elle apprenait à dominer les réactions de son amour-propre et à dédaigner la flatterie, à surveiller son langage, à nuancer ses saluts, à doser ses sourires, à mesurer ses grâces.

Son arrivée ne fut pas sans entraîner de graves conséquences politiques. Elle provoqua en premier lieu la démission du contrôleur général des Finances, Philibert Orry. Sous le sage gouvernement de Fleury, ce maître des requêtes habile et intègre avait été quinze ans ministre d'une France prospère. Il avait augmenté les recettes de l'Etat et, miracle, équilibré le budget. A ses yeux, l'installation de Mme d'Etiolles signifiait l'avènement du clan Pâris, derrière qui s'avançait l'armée inquiétante des traitants et des financiers. Orry, dans son intransigeance, ne fit rien pour éviter le choc. Alors que la marquise lui demandait une faveur pour quelqu'un des siens, il la reconduisit quelques pas et en la quittant lui dit avec humeur : « Madame, si vous êtes ce qu'on dit, j'obéirai, mais si vous ne l'êtes pas, vous n'obtiendrez rien. »

Les Pâris, dont il avait accepté en août l'hospitalité fastueuse à Brunoy, lui présentèrent en novembre un marché de subsistances militaires qu'il jugea inacceptable. Louis XV hésita un moment. Avec d'extrêmes ménagements, il lui « permit » de se retirer sur sa terre de Bucy ; Orry devait mourir deux ans après. Le contrôle des Finances échut à Machault d'Arnouville, intendant du Hainaut. Orry avait occupé en outre la direction générale des Bâtiments, un poste moins important dont il abandonnait une part de la gestion effective au Premier architecte, Ange-Jacques Gabriel. Le 17 décembre fut connue la nomination de l'oncle Le Normant de Tournehem à la direction des Bâtiments, pendant que Gabriel, familier de Louis XV, recevait en compensation le titre honorifique d'inspecteur général. Au jeune Abel Poisson, frère de Jeanne-Antoinette, était promise en survivance la charge de Tournehem. Ces nominations furent mal accueillies, mais bientôt justifiées par la conscience et l'activité du fermier général, promu au rang d'ordonnateur des œuvres monarchiques.

Cependant, l'état de Mme Poisson s'aggravait. Au début de l'été, Jeanne-Antoinette avait écrit d'Etiolles à Voltaire : « Maman va bien doucement. » A l'automne, soignée par la dévouée Mlle Clerget, elle ne quitta pas l'hôtel de Gouvernet. Cette femme autrefois si belle et décriée s'était étourdie et rongée avant de voir se réaliser la prédiction de la sorcière. Elle mourut à quarante-six ans, la veille de Noël. Son cercueil, porté à Saint-Eustache avant la grand messe du dimanche 26, fut béni dans la plus stricte intimité. Mme de Pompadour refusa que fût déplacé le voyage de Marly, par égard pour les dames qui s'étaient mises en frais à cette occasion. Elle s'enferma dans l'appartement du haut et ne reçut personne ; mais le roi vint lui tenir compagnie. Le jour de la Saint-Sylvestre, la reine attendit vainement Louis XV pour une présentation d'automates : il était près de Jeanne-Antoinette.

Mme de Pompadour se constitua officieusement une sorte de *maison*. Elle s'entoura de personnes dévouées et amicales, les plus aptes à la servir dans sa vie quotidienne, la soulager dans ses moments de fatigue, veiller sur sa santé délicate. Elle se souvint de Collin, le procureur parisien de sa mère, et le fit agréer par le roi. De belle apparence, il avait une figure aimable et parlait bien. Il accepta de renoncer à sa clientèle, déjà importante, et de vendre sa charge pour devenir le secrétaire des commandements de la marquise ; elle lui promit de l'indemniser sur ses propres biens dans l'éventualité de sa chute. Elle le fit même anoblir en lui confiant une fonction administrative dans l'ordre de Saint-Louis. Collin était un lettré et un homme de goût ; son souvenir vit encore à Versailles, où la maison qu'il fit bâtir et décorer par Boucher et Pillement, existe rue Saint-Louis. L'abbé Bridard de La Garde, auteur et critique théâtral, conserva la bibliothèque de Mme de Pompadour. Le chevalier d'Hénin, son écuyer, suivait à pied sa chaise et portait son mantelet. Gourbillon et Jean Maret furent ses valets de chambre. Pillot assurait les liaisons avec l'hôtel de la Surintendance, où vivait l'oncle Tournehem.

En novembre 1746, Mme de Pompadour eut à souffrir des indiscrétions d'une femme de chambre. Elle la congédia et se souvint de Nicole Collesson, qu'elle avait connue dans son adolescence aux Invalides. Mariée par son oncle à un gentilhomme normand sans fortune, Jacques René du Hausset, seigneur de Demaines, Nicole avait mis au monde quatre enfants dans son manoir de Briouze. Devenue veuve en 1743, elle partageait son temps entre Mortagne et les Invalides. Elle vint s'établir auprès de Jeanne-Antoinette au début de 1747 ; sa chambre, qu'elle appelait sa niche, était l'un des écoinçons réservés par la coupole du salon de la Guerre. De ce réduit, étendue sur sa grande ottomane, elle entendait parfois chanter Mlle Fel et Jélyotte. Un beau-frère de Nicole du Hausset, qui était prêtre, fut attaché à la paroisse Notre-Dame de Versailles. Elle était aussi la cousine du Père Jacquier, Minime ; ce fameux mathématicien et astronome vivait à Rome au couvent de la Trinité-des-Monts, où l'on peut voir encore son étrange cellule décorée par Clérisseau, dite la Chambre du Perroquet. Mme du Châtelet, correspondante du savant, se servit de Mme du Hausset pour entretenir ses relations avec la marquise. Nicole vouait à sa maîtresse une affection lucide et respectueuse, recevait ses confidences le matin à sa toilette privée, le soir en la déshabillant, la nuit pendant ses insomnies. Plus tard, elle fut secondée par Jeanne Perceval, épouse de Jean Maret, et resta auprès de Mme de Pompadour jusqu'à la fin. Les autres femmes de chambre furent les dames Labaty, Bertrand, Duguesnay, Couraget et Neveu.

La présence constante d'un médecin était nécessaire à la marquise. Elle avait été soignée par Dumoulin, médecin de sa mère, et par Génin. Au printemps de 1749, sur sa demande, le Dr Quesnay quitta le service du duc de Villeroy pour entrer au sien. Il avait fait bien du chemin depuis son enfance paysanne et ses débuts de

chirurgien de campagne. Il joignait à l'exercice de la chirurgie celui
de la médecine, ce qui était alors incompatible. Les qualités de son
caractère égalaient l'étendue de son savoir. Un jour où Mme d'Estrades était tombée du haut mal, Jeanne-Antoinette avait eu l'occasion d'apprécier son extrême discrétion ; il devait lui en donner
d'autres preuves. Modeste, il lui importait peu d'occuper les premières places ; il s'effaça devant La Martinière, qui succéda comme
Premier chirurgien à La Peyronnie, et devant Sénac, qui devint
Premier médecin à la mort de Chicoyneau. Il était entretenu de
tout avec un fixe de 3 000 livres. La marquise voulut l'attacher
aussi à la personne du roi ; elle lui obtint, le 30 mars 1749, le poste
de médecin consultant non appointé, où il remplaça Sidobre. En
1752, il acheta de Marcot la survivance de la charge de Premier
médecin ordinaire du roi. Quesnay dédia son *Traité des fièvres* à
Mme de Pompadour (1753). Il était non seulement médecin, mais
économiste. Absorbé par le service de la marquise et par ses travaux personnels, il se rendait rarement aux séances des nombreuses
académies dont il était membre. Veuf, il accepta d'occuper un petit
entresol, où lui furent faits quelques aménagements modestes, en
particulier pour ses livres. Les écrivains et les savants, ses confrères, lui rendaient visite et bien des idées subversives s'exprimèrent
tout près du roi dans ces cabinets obscurs. Quesnay était gai, toni-
que, plein de bon sens. Il resta longtemps étranger à toute intrigue.
Il fut toute sa vie passionné par les questions agricoles. Mme du
Hausset, qui par son mariage était sa payse, raconte qu'il aimait
s'entretenir avec elle des choses de la campagne. Il était impressionné par l'idée fausse et naïve que Louis XV aurait eu le pouvoir
de lui couper la tête.

Jeanne-Antoinette essaya d'attirer auprès d'elle, comme dame
de compagnie, la marquise de La Ferté-Imbault, fille d'un administrateur de Saint-Gobain, amie des Luynes, qu'elle savait pieuse
et sans ambition. Fière et prude, Mme de La Ferté préféra garder
son indépendance et rester à Paris loin de la Cour. Elle avait assisté
à la présentation publique de Mme de Mailly dans la Galerie des
glaces et en avait gardé une impression pénible, faite de pitié et de
mépris pour la condition de favorite royale.

Pendant l'été de 1748, Mme de Pompadour réorganisa l'espace
de sa vie quotidienne, y créa un décor personnel et en renouvela le
confort. Elle fit cloisonner le grand cabinet au-dessus du salon de

Mercure pour y installer sa chambre, et de l'autre côté son cabinet.
Le 23 juin, Pollevert reçut l'ordre de peindre et vernir en « chipo-
lin » les deux pièces : ce procédé consistait à appliquer huit couches de colle chaude de peau de lapin et de couleurs tendres, parfois parfumées selon la technique inventée par Dandrillon ; le
travail de reparure permettait de retrouver, au moyen de fers spé-
ciaux, le relief de la sculpture empâtée. Au début d'août, elle fit
poser un lambris neuf dans son alcôve. Le 26, on répara la cheminée de la chambre à coucher, qui fumait.

Près de l'escalier semi-circulaire, au fond de la cour des Cerfs,
la marquise avait sa salle de bains, carrelée de marbre blanc et
vert Campan. La baignoire de cuivre était alimentée en eau chaude
et froide. Plus haut, dans un entresol, le réservoir en bois, inté-
rieurement tapissé de plomb, était régulièrement rempli : l'eau était
chauffée dans un chaudron en tôle de cuivre placé sur un calori-
fère ; des canalisations en plomb la conduisaient à la baignoire. La
provision de bois était serrée dans un coffre sur le palier. L'ébéniste Pierre Migeon exécuta pour la marquise un bidet en noyer,
avec couvercle et dossier de maroquin rouge aux clous dorés, ayant
dans le dossier deux flacons de cristal. Mme de Pompadour fit
exhausser et coiffer d'une tourelle la cage de la chaise volante, qui
était exclusivement réservée à son usage et à celui du roi. Le méca-
nisme était du machiniste Arnoult, les carreaux de glace blanche
furent fournis par Bonnet, la menuiserie de la porte palière par
Clicot. Les occupants la manœuvraient eux-mêmes sans effort au
moyen d'une corde qui traversait verticalement la cabine. Ce n'était
pas à Versailles le premier appareil de ce type — Saint-Simon relate
une panne d'ascenseur survenue dans le château sous Louis XIV.
La chaise volante de Jeanne-Antoinette arrivait près de sa première antichambre.

A cet étage, bien des plaisirs attiraient le roi dans les Petits
appartements qui avoisinaient celui de la marquise. Il avait là ses
bibliothèques, sa galerie de géographie, où les cartes établies par
Guillaume Delisle et Philippe Buache se déroulaient comme des
stores au fond d'armoires sans portes. En 1748, Louis XV fit
transférer son Cabinet du tour au-dessus du Cabinet du Conseil.
Il façonnait de ses mains des objets ronds de bois, d'ivoire et d'argent. Après souper, il y réunissait parfois quelques intimes autour
d'un feu qu'il faisait lui-même. Plus haut, les terrasses qui bor-

daient la cour des Cerfs formaient un jardin suspendu avec des treillages en trompe-l'œil, des fleurs et des fontaines. Langelin fut chargé d'y aménager des volières : il dressa deux petits pavillons, décorés de croisillons, reliés par une galerie ; ils étaient adossés aux cuisines de la marquise, dont les baies furent murées ; on y accédait par un perron de quatre marches ; ils contenaient des cages superposées. Les oiseaux charmaient Louis XV depuis son enfance. Mme de Pompadour les aimait aussi : elle fit peindre les siens par Oudry (Salon de 1750). Leur gazouillis, leur roucoulement et le bruit de leurs ailes emplissaient l'espace de ce promenoir aérien, offert aux délassements du roi et aux rêves de la marquise.

Après son coucher officiel, Louis XV montait rejoindre Jeanne-Antoinette dans le palais endormi. Délacée par Nicole du Hausset et discrètement parfumée, elle l'attendait. Entre les rideaux fermés du lit à l'impériale, comme elle aurait voulu que l'enlacement abolît l'écoulement du temps, que la transparence des âmes fût complète, que l'oubli fût total ! Dans la simulation même, elle était exquise et les inspirations du cœur suppléaient à l'inertie des sens. Elle le berçait de sa tendresse, l'enveloppait de douceur. Elle lui réservait les ruses d'une stratégie amoureuse qui aura été celle des contemporaines de Watteau et de Marivaux. Elle avait l'art de caresser son amour-propre aussi bien que son cœur. Elle savait aussi l'inquiéter parfois en le laissant s'interroger sur son passé de femme : M. de Briges, ce beau cavalier qui l'avait accompagnée dans ses promenades matinales en forêt de Sénart, qu'avait-il été pour elle ? Surtout, elle préservait inconsciemment les glauques profondeurs de son mystère en ne se livrant jamais tout à fait. Chez elle, les inhibitions charnelles allaient de pair avec la réticence dans l'expression des sentiments. Ces commencements de leur amour étaient pour eux une forêt de délices et d'angoisses. Aussi le roi poursuivait-il avec une joie féroce cette nymphe aux contours inconsistants qui toujours lui échappait. Elle ressemblait à sa mère, la vive et charmante duchesse de Bourgogne, qu'il ne connaissait que par des portraits.

Jeanne-Antoinette aimait Louis, elle aimait aussi le roi et se consacrait à sa gloire. Elle avait de cet être anxieux la connaissance profonde que seul donne l'amour : elle lui renvoyait de lui-même une image rassurante et capable de le valoriser à ses propres yeux. Bien qu'il parût la traiter alors plus en maîtresse qu'en amie, elle portait en elle toutes les ressources de l'amitié qui manquent à la passion, désintéressement, clairvoyance, réconfort, qu'elle saurait déployer sans faillir jusqu'à sa mort. Elle trouva, pour compenser les frustrations physiques, des divertissements d'un style personnel qui mettaient en valeur la multiplicité de ses talents.

De 1747 à 1750, l'ennui des hivers de la Cour fut secoué par trois saisons théâtrales, qui commençaient au retour de Fontainebleau et prenaient fin à l'approche de Pâques. Elle en fut l'animatrice compétente et l'artiste la plus admirée. Le château n'avait pas alors de théâtre digne de ce nom, hormis la toute petite salle de la cour des Princes et le manège de la Grande écurie, qui pouvait être aménagé pour un bal ou un opéra. Dans l'aile du nord, la construction d'une *Salle des ballets*, confiée par Louis XIV à Vigarani, était restée en suspens.

Jeanne-Antoinette se produisit d'abord modestement en très petit comité, devant quatorze personnes : elle renouait avec ses brillantes activités d'Etiolles et rivalisait avec Mme de La Marck, de la maison de Noailles, qui réunissait des amateurs sur un théâtre de musique dans son hôtel versaillais. Elle commença par monter *Tartuffe*, un choix qui peut paraître audacieux, en un temps où la cabale des dévots continuait son œuvre dissolvante et justement la prenait pour cible. Elle y jouait avec simplicité le rôle de Dorine et s'entendait dire par le duc de La Vallière : « Couvrez ce sein que je ne saurais voir... » Des comédies mineures persiflaient aimablement les mœurs de la Ville et de la Cour. Ce furent *les Trois Cousines*, *le Préjugé à la mode*, *le Mariage fait et rompu*, *l'Enfant prodigue*, *le Philosophe marié*, *les Dehors trompeurs*. Vint ensuite le *Méchant* de Gresset, qui exigea deux mois d'étude et marqua la clôture du cycle, le 18 avril 1750. Dans le personnage principal, certains reconnurent M. de Maurepas, d'autres le comte d'Argenson, d'autres encore le duc d'Ayen.

Rapidement, la comédie laissa une place importante à des œuvres lyriques, souvent d'un seul acte, mais qui exigeaient un déploiement artistique plus complet. Ce parti réunissait, dans un accord harmonieux et difficile, l'orchestre, le chant, la déclamation et la danse. Ces opéras-ballets entraînaient les imaginations dans des mondes irréels et symboliques. Celui de la mythologie fut abordé avec *Erigone,* de Mondonville, qui fit connaître les moyens vocaux de Jeanne-Antoinette : « Elle n'a pas un grand corps de voix, mais un son fort agréable, de l'étendue même, sait bien la musique et chante avec beaucoup de goût » (Luynes). Dans le même registre furent donnés *Philémon et Baucis, Héro et Léandre, Acis et Galathée, Jupiter et Europe, les Fêtes de Thétys.* Comme dans les vastes compositions de la peinture baroque, l'Olympe aux passions très humaines offrait un modèle où aimait à se reconnaître une société hiérarchisée sous l'autorité d'un monarque. *Issé* montrait l'amour d'une bergère pour un berger dont elle ignorait qu'il était Apollon, féerie au symbolisme trop clair qui fit sourire quelques observateurs malveillants. Ici s'exprimaient la nostalgie du paradis perdu et le retour à l'innocence pastorale.

Une autre source d'inspiration, nommée la Fable, dérivait de l'Arioste et du Tasse, qui avaient exalté le mythe de l'Age d'or et l'idéal de la chevalerie : « Les dames, les chevaliers, les armes, les amours... » La noblesse d'épée se contemplait dans ce miroir, où le déchaînement des passions est perpétuellement contrarié par des principes de moralité et d'honneur, mais où la femme est reconnue souveraine. C'était le temps où François Boucher, peintre attitré de Mme de Pompadour, illustrait aussi des thèmes de la Fable, *Renaud et Armide, Sylvie délivrée par Amyntas, Sylvie fuyant le loup, Sylvie guérissant Philis de la piqûre d'une abeille...* Jeanne-Antoinette parut dans des intermèdes à trois personnages, *Tancrède, Sylvie, le Retour d'Astrée, Ismène,* où ses partenaires étaient Daphnis et Chloé. Le même esprit inspirait des créations plus récentes comme la *Zénéïde* de Cahuzac et *Misis* de Laujon. Les spectacles comprenaient un ballet, toujours agréable à Louis XV, où Jeanne-Antoinette apparaissait, la seule femme entre les excellents danseurs acrobates qu'étaient MM. de Clermont-d'Amboise, de Courtanvaux, de Villeroy, de Langeron. Les danses étaient réglées par De Hesse, de la Comédie italienne. L'exotisme, essentiellement asiatique, autorisait une chorégraphie brillante et des costumes chamarrés. Ainsi furent donnés *la Foire chinoise, Almazis, l'Opérateur chinois.*

Les représentations de la première année furent improvisées à l'extrémité de la Petite galerie, dans un espace trop étroit, où l'orchestre éloignait les spectateurs de la scène et obligeait les acteurs à hausser la voix. Les loges d'artistes étaient rudimentaires ;

l'une, en planches, permettait à deux dames de s'habiller ; l'autre accueillait deux hommes autour d'un poêle sur le palier des Ambassadeurs. A l'automne de 1748, le succès obtenu conduisit à l'établissement d'un théâtre démontable qui emplit toute la cage de cet escalier, mais sans endommager les marbres et les peintures de Le Brun. Les structures amovibles étaient montées en vingt-quatre heures et défaites en dix-sept, car elles devaient l'être impérativement pour faire place à l'ordre du Saint-Esprit, dont le cortège se déroulait dans l'escalier chaque jour de l'an.

Délibérément, Mme de Pompadour avait négligé le service des Menus Plaisirs, habituellement préposé aux spectacles de la Cour. Finance et organisation matérielle reposaient sur les Bâtiments et les crédits dégagés pour Jeanne-Antoinette par son oncle Tournehem. Mais l'extension de l'entreprise théâtrale la conduisit malgré elle à empiéter sur les prérogatives de M. de Richelieu, premier gentilhomme de la Chambre, qui s'en plaignit à son retour de Gênes. De lui dépendaient en effet l'éclairage, la location des fausses pierreries et la circulation des voitures nécessaires entre Versailles et Paris. Une querelle opposa Richelieu au duc de La Vallière, nommé directeur de la nouvelle troupe, et faillit s'envenimer au point qu'il fallut pour calmer les esprits l'intervention du roi. Le règlement des sociétaires, établi par Laujon et approuvé par Louis XV, était rigoureux pour les hommes, mais indulgent aux indisponibilités passagères du personnel féminin.

Pour être admis dans la troupe, il fallait avoir fait ses preuves sur d'autres scènes, comme les ducs de Nivernais et de Duras à Chantemerle, ou M. de La Salle chez Mme de La Marck. Le marquis de Croissy fut dans *Tartuffe* un excellent Orgon. Nivernais, incarnant Valère dans le *Méchant*, surpassa Rosselly qui avait créé le rôle au Français. Le comte de Coigny parut un Damis honorable dans *le Préjugé à la mode* de La Chaussée. « Dans *Alzire*, écrit Mme de Pompadour, M. de Duras n'a ni la voix, ni la figure, ni le jeu assez nobles pour la tragédie. Cela est d'autant plus singulier qu'il est excellent dans le comique » (lettre au duc de Nivernais, 12 avril 1750). Supérieur à M. de Gontaut, le duc de Chartres fut apprécié dans *Ismène* pour son naturel et son aisance. Pendant la dernière saison, le jeune comte de Frise, neveu du maréchal de Saxe, parut avec succès dans le rôle de Champagne de *l'Homme du jour ou les Dehors trompeurs*.

Parmi les chanteurs, Ayen faisait valoir sa basse-taille dans le rôle truculent de Bacchus. Dès les débuts, Mme de Pompadour fit appel à des dilettantes musicaux parmi les plus excellents de la Cour. Ce furent MM. de Sourches, de Chaulnes et de Dampierre, auxquels se joignirent des domestiques musiciens. Quand le théâtre se fut agrandi, elle engagea des professionnels parisiens et des instrumentistes de la Chambre qui jouèrent sous la baguette de Rebel. Il y eut ainsi des violons, une flûte, un basson, un hautbois. Jélyotte vint jouer du violoncelle. Le corps de ballet fut amplifié par les enfants des maîtres à danser. Les garçons se nommaient Balletti, Barrois, Piffet, Béate, La Rivière. Les jeunes filles furent Mlles Dorfeuil, Chevrier, Astraudi, Puvigné et Camille.

En ce lieu privilégié, sur scène, dans les coulisses, dans la salle, le talent effaçait l'inégalité des conditions et réduisait le protocole. Ferrand, cousin de Jeanne-Antoinette, tenait le clavecin. Il fut l'auteur de *Zélie* et reçut une tabatière avec le portrait du roi. La voix de Mme Trusson, femme de chambre de la dauphine, charma dans les rôles d'Isis et de Chloé. Mme de Marchais-Binet, cousine de la marquise, était ravissante dans les divers rôles de l'Amour. Marmontel la dépeint sous les traits d'une créature exceptionnelle qui traversa la vie comme une fée et demeura toujours l'amie de Mme de Pompadour ; elle fut plus tard la comtesse d'Angiviller.

Dès la fin de la première saison, Jeanne-Antoinette s'était imposée comme actrice, cantatrice et danseuse. De l'aveu général, la qualité de sa formation dépassait le niveau de l'amateurisme. Les années suivantes, les ballets du mercredi remplacèrent ceux du manège et elle précipita le rythme des spectacles. Tout fut fait avec liberté, allégresse et bonheur. *Ragonde*, dont elle eut l'idée en soupant avec le roi, fut monté en trois jours à l'occasion du mardi gras 1748. La Vallière avait été prévenu par un courrier à quatre heures du matin et les ouvriers travaillèrent deux nuits. Que d'amitiés se nouèrent lors des répétitions, dans la complicité de l'effort, du rire et des trouvailles improvisées ! La petite Alexandrine, fille de Jeanne-Antoinette, parut en figurante, habillée en sœur grise.

L'inventaire des costumes, décors et accessoires est celui du magasin de l'illusion : trident de fer pour Neptune, thyrses pour Bacchus et les satyres, dards pour les tritons, arcs d'Indien, babouches de Turcs ; faux du Temps, roue de Fortune, couronne du Destin, sceptre de Jupiter ; couteau enchanté du petit prince, massue du géant Moulineau ; quenouilles, fuseaux des paysannes et de la Parque, trompes de chasse en fer-blanc, marteau de Vulcain, masques de Pantalon et d'Arlequin ; poulardes et dindes en carton de la noce paysanne, serpents à ressorts pour la mort de Cléopâtre.

Le coiffeur Notrelle, perruquier des Menus, venait de Paris en fiacre pour les répétitions, ajustait les coiffures des guerriers et des faunes, les longs cheveux de la fée, les moustaches turques, les barbes chinoises. Les tailleurs étaient Renaudin et Rioux pour les hommes, Suplis pour les dames. La garde des habits, Mme Schneider, en dressa l'inventaire général en 1749. Les costumes des Menus Plaisirs étaient retaillés, rafraîchis, allongés pour la grande duchesse de Brancas. Ceux des magiciens, des gnômes et des cyclopes étaient interchangeables, comme aussi ceux des fleurs, des plaisirs et des nymphes. Pierrot — le petit Dupré — avait un habit de raz de castor blanc. Guerriers, matelots et démons étaient vêtus de satin noir ; faunes et dryades, en taffetas feuille morte avec des draperies peintes en peau tigrée. Polyphème avait un manteau d'agneau noir. Dans les rôles comiques, l'Allemand arborait une fausse bedaine de camelot rouge, la nourrice une fausse poitrine rembourrée de laine brune. Pour les dernières saisons, une machinerie grandiose fut mise au point. Le vaisseau de Cléopâtre se mouvait mieux qu'à l'Opéra, l'arc-en-ciel d'*Isis* se perdait dans la verrière du grand escalier, mille trois cents bougies concouraient à l'éclat du soleil d'*Issé*.

C'était évidemment par prudence et crainte du ridicule qu'aux premiers temps le public avait été soigneusement trié. Outre le roi, étaient invitées Mmes d'Estrades et du Roure, qui ne jouaient pas, le maréchal de Saxe, Champcenetz, Tournehem et Vandières. Il n'y avait pas d'officiers des gardes. La reine vint pour la première fois en mars 1747. Elle savait que son historiographe, Montcrif, était l'un des auteurs de la marquise. Invitée de longue date par elle, ou en dernière minute par le roi, elle ne se dérobait qu'à l'approche de Pâques pour faire ses dévotions. Marie Lesczinska se rendait au théâtre avec des sentiments mitigés. Elle aimait fort à se divertir, mais, sans être bégueule, se montrait intransigeante sur les principes moraux. Mesdames de France acceptaient d'être

assises sur des pliants. La dauphine de Saxe venait avec son
époux au spectacle quand elle n'était ni enceinte ni enrhumée.

Dès la fin de la première saison, un public un peu plus vaste
fut admis. Aux habitués s'ajoutèrent le maréchal de Duras, le duc
d'Aumont, les Noailles, le duc et la duchesse de Luynes, accompagnant leur parent, Grimberghen, qui se faisait vieux. Vinrent
également M. et Mme de Baschi avant leur départ pour Münich.
Le nouveau théâtre comprit des gradins, des loges et un balcon
qui pouvait contenir plus de monde. En 1748 apparut l'abbé de
Bernis, à qui le roi donna une grande marque de faveur en le pla-
çant dans sa propre loge. M. Ogier, surintendant de la maison de
la dauphine, et le président Hénault, glorieux auteur de *François II*, vinrent s'asseoir à l'orchestre sur des tabourets bas qui
leur avaient été réservés par des cartons à leur nom. Par déroga-
tion à l'étiquette, les applaudissements pouvaient éclater même en
présence du roi.

Cette année-là, Mme de Pompadour se sentit assez sûre d'elle
pour lancer des invitations aux répétitions générales, ce qui lui
permit d'obliger des amis parisiens et des courtisans qui n'étaient
pas admis devant la famille royale. En novembre 1748, Mme du
Châtelet écrivit à Saint-Lambert qu'elle allait y assister. Elle-
même avait joué le rôle d'*Issé* à la Cour de Lorraine avec Mme de
Lutzelbourg, amie et correspondante de Mme de Pompadour. De
concert avec son régisseur, La Vallière, Jeanne-Antoinette invitait
des étrangers : le prince de Würtemberg, le génois M. de Centu-
rione, Bernstorff, envoyé de Danemark, à qui fut attribuée une
petite loge d'où il voyait sans être vu.

Le roi, assis sur une simple chaise, assistait aux métamorphoses
de sa magicienne. Elle l'entraînait hors des soucis quotidiens et
l'enlevait à sa mélancolie. C'était toujours une surprise et un nouvel émerveillement. Exerçant tous les sortilèges de l'art, Jeanne-
Antoinette transposait dans des univers fabuleux les épisodes de
leur propre roman. Elle chantait chaque fois le triomphe de
l'amour. Etait-elle Pomone, en jupe de taffetas blanc chargée de
fleurs et de fruits, Louis XV était Vertumne sous la figure du
chevalier de Rohan. Etait-elle Galathée, nymphe des eaux couverte de perles, en gaze argent et vert tendre, il était le jeune et
amoureux berger Acis. Etait-elle Herminie, moulée dans un do-
liman de satin cerise avec une jupe pailletée d'or, il était le guer-

rier Tancrède, rôle confié à son ami le duc d'Ayen. Etait-elle Europe, il était Jupiter. Etait-elle Erigone, il était Bacchus. Apparaissait-elle en Vénus, vêtue d'une robe d'azur au réseau d'argent chenillé d'outremer, il était Adonis. Dans le rôle de Colin et dans *le Prince de Noisy,* habillée en homme elle frôlait l'équivoque du travesti. Ainsi étaient proposés à l'inconscient du roi autant d'obscurs chemins conduisant à l'objet du désir.

Louis XV décida lui-même d'interrompre par économie ces spectacles particuliers, qui continuèrent sur le théâtre de Bellevue, quand la marquise eut inauguré cette résidence. En haussant les divertissements de la Cour au niveau des spectacles de Paris, dont la réputation était alors internationale, Jeanne-Antoinette avait gagné beaucoup d'amis, l'aura d'une star, une excellente mémoire et la maîtrise infaillible de ses émotions, si utile dans la jungle de la grande politique.

Le rideau baissé, la soirée se poursuivait jusqu'à minuit et demi dans les Petits appartements du roi au second étage, où ne montaient que les habitués et quelques invités, nommés par Louis XV parmi ceux qui avaient chassé avec lui ce jour-là.

Après quelques instants d'attente dans le petit salon, la compagnie passait dans la salle à manger d'hiver, qui servait seule alors et s'éclairait par trois fenêtres sur la cour des Cerfs. Plus haut, à l'étage des terrasses s'étendaient les cuisines, offices, rôtisserie, pâtisserie, fourneau et lavoir, installations qui s'étendirent constamment autour de la petite cour du roi. Là régnèrent successivement sur les marmitons deux chefs de grand talent, Lazur et Beccaria. En janvier 1746, une batterie de cuisine neuve en cuivre rouge fut livrée par Mincl. Cependant, la présence des serviteurs autour des convives était aussi réduite et légère que possible. Deux ou trois valets de la garde-robe, après avoir placé devant chacun le nécessaire, se retiraient à pas feutrés. Carafes et fiasques rafraîchissaient dans les bacs d'étain des tables-servantes, comme le montre le *Déjeuner d'huîtres* de J.-Fr. de Troy, pendant du *Déjeuner de jambon* de Lancret, tableaux qui tous deux ornaient justement la pièce.

Le prince de Croy nous entrouvre cette retraite inaccessible, ces réduits délicieux où il était enfin admis, à force d'assiduités auprès du roi dans la forêt, comme auprès de la marquise à sa toilette ; mais il gardait l'impression que d'autres lieux se déro-

baient, plus secrets encore. Le roi se montrait gai, détendu et lo-
quace. Il était heureux d'échapper aux solennités du *grand couvert*,
où des inconnus venaient le voir ouvrir d'un geste adroit son œuf
à la coque, tandis que les vingt-quatre violons de la Chambre faisaient vibrer des chanterelles parfois monotones et glapissantes.
Louis XV plaçait toujours Jeanne-Antoinette à côté de lui, le plus
souvent à sa gauche, et Mme d'Estrades à sa droite ; il désignait
les occupants des autres places les plus proches et laissait le reste
des convives se répartir au hasard. Aux deux cousines se joignirent souvent Mme de Brancas la Grande et la comtesse du Roure,
mais les dames furent toujours en nombre limité. En hommes, la
société regroupait les quelques familiers dont la présence rassu-
rait Louis XV, lui que paralysait l'apparition de nouveaux visages. Ayen, fils aîné du duc de Noailles, était très libre avec le
roi, qui s'invitait chez lui à Saint-Germain pour y prendre du
café et des saucisses. L'ami préféré de Louis XV était le comte de
Coigny, promis à une mort prochaine et tragique. M. de Meuse,
allié des Pâris, colérique mais d'une gaîté communicative, et M. de
Gontaut, parfait honnête homme, étaient les chevaliers servants
de Jeanne-Antoinette. M. de Livry, Premier maître d'hôtel de Sa
Majesté, venait avec son épouse, une Toulousaine aimable et
pleine d'esprit. Il y avait parfois le prince de Soubise, dont la *folie*
de Saint-Ouen était commode à Louis XV quand il chassait dans
la plaine de Saint-Denis. Toujours étaient là quelques-uns des
ducs, MM. de Broglie, de Fitz-James, de La Vallière, de Chaulnes,
d'Harcourt et l'aimable duc de Nivernais jusqu'à son départ pour
Rome. Parmi d'autres invités venaient encore le baron de Montmorency, MM. de La Suze, de Brionne, de Croissy, M. de Voyer
d'Argenson, fils du ministre de la Guerre. En étaient aussi M. de
Sourches, l'excellent musicien qui venait d'être nommé grand prévôt de France, et le comte de Clermont, vainqueur à Lawfeldt, qui
présidait au Petit Luxembourg une académie technique où les artistes rencontraient les savants.

Toutes ces personnes étaient unies soit par les liens du sang,
soit par les services civils et militaires rendus au monarque, soit
par les rôles qu'elles tenaient sur le théâtre de la marquise. Une
désinvolture supérieure distinguait Maurice de Saxe ; il parlait
bien, c'était un esprit logique, il donnait la réplique au roi avec
une grande justesse. Il ne s'asseyait pas, mais faisait le tour de

la table, harponnant de-ci, de-là un morceau, car il était fort gourmand. Jeanne-Antoinette lui donnait du « Mon Maréchal », Louis XV l'appelait « Comte de Saxe » et le traitait plus en ami qu'en sujet, acceptant les manières libres du reître, à ses yeux génial, le seul de ses courtisans qu'il estimât, car il le jugeait indispensable à la sécurité du royaume et à sa propre gloire.

Certains soirs, c'était Jeanne-Antoinette qui priait à souper dans son appartement personnel, au même étage et de l'autre côté des cours. Les premiers travaux qu'elle avait ordonnés concernaient sa cuisine, à l'étage des terrasses. En octobre 1746, elle la fit agrandir d'une ancienne office du roi, au moment où était surélevé le bâtiment qui séparait les deux cours intérieures. Cette cuisine comportait un lavoir, un four, des fourneaux-potagers, un tourne-broche, des âtres de cheminée. Elle était isolée du service des Petits appartements et invisible de la cour des Cerfs. En janvier 1747, le potager fut avancé dans la moitié de la croisée et surmonté d'une hotte ; deux trémies furent aménagées du côté du corridor pour une meilleure aération et deux languettes de plâtre posées à la cheminée pour l'empêcher de fumer. Lignès était le maître d'hôtel ; Benoît, le chef de cuisine. La marquise se faisait livrer la volaille engraissée dans ses poulaillers, la salade et les fraises cueillies dans le Potager du roi, la glace fabriquée dans les glacières du parc, la fleur d'oranger distillée par Roze au Grand commun, précieuse pour les tisanes et pour l'eau de beauté.

Jeanne-Antoinette réservait au roi une chère délicieuse et une compagnie qu'elle savait lui convenir. C'était le même cercle, encore plus réduit, mais auquel elle se permit d'adjoindre son frère, le jeune Poisson de Vandières. Dans cet appartement, la petite Alexandrine Le Normant d'Etiolles était confiée aux soins de Mme Dornoy ; quelques courtisans, comme le prince de Croy, ont pu l'apercevoir entre deux portes.

Chez le roi comme chez elle, Jeanne-Antoinette dirigeait avec à-propos et spontanéité une conversation qui, sans elle, revenait toujours à la chasse du jour ou à celle du lendemain : le sanglier que Louis XV tua dans les jambes de son cheval (octobre 1745), l'énorme loup forcé dans les fourrés de Versailles par un chien napolitain et un lévrier d'Irlande, tous trois peints par Oudry (Salon de 1746), la rage qui s'était mise dans la grande meute (juin 1750). Le roi aimait à rappeler son tableau de chasse : le

22 août de la même année, il avait tiré en trois heures trois cent dix-huit pièces de gibier. Il ne tarissait pas sur les exploits de son piqueur, Lansmartre, dit Lansmatte, dont la vigueur, le franc-parler et les capacités de veneur lui en imposaient. Certes, l'entretien ne pouvait porter ni sur les personnes, ni sur la conjoncture politique, ni même sur l'histoire, qui passionnait le roi mais pouvait être un terrain dangereux. L'amitié, la galanterie, les arts et le théâtre suggéraient assez de propos neufs, spirituels et joyeux que dominait le rire de Jeanne-Antoinette. Louis XV, habituellement emmuré dans sa timidité, se montrait un causeur charmant, brillant et enjoué.

Après souper, il se dirigeait vers le bout de la Petite galerie, peinte en jaune d'or par Martin et meublée de banquettes couvertes de damas vert. Il passait devant les tableaux des *Chasses étrangères,* aujourd'hui au musée d'Amiens, chasses à l'ours, au léopard, à l'éléphant, à l'autruche, au crocodile, propres à faire rêver les chasseurs de sangliers. Au fond de la Petite galerie, sous la voussure surbaissée qui épouse la pente du toit, Louis XV faisait lui-même le café, versant l'eau qui bouillait dans les *braisières* de cuivre. A ces moments, la qualité des personnes présentes et l'intimité qui les unissait autorisaient entre les amants un certain abandon, des marques de tendresse, un léger badinage. En décembre 1748, Jeanne-Antoinette avait si bien chanté et dansé que le roi, la caressant devant les confidents, lui dit qu'elle était la plus charmante femme qu'il y eût en France. Mais la familiarité n'effaçait jamais la majesté inhérente à la personne de Louis XV, et nul ne pouvait oublier qu'il était en présence du maître.

L'ère des succès inaugurée à Fontenoy se poursuivit jusqu'en 1748. Louis XV, à cette époque de gloire, se sentait porté par l'amitié de son peuple. Il fut tenté de se mêler incognito à la foule des Parisiens, comme il l'avait fait à l'occasion d'un précédent carnaval. Une escapade au bal de l'Opéra eut lieu dans la nuit du 21 février 1746 et passa presque inaperçue. Jeanne-Antoinette et Louis XV y entraînèrent, avec Mmes d'Estrades et du Roure, plusieurs seigneurs dont le duc de Duras. Arrivées au Pont-Tournant des Tuileries, sur l'actuelle Place de la Concorde, les voitures royales furent échangées contre un carrosse du prince de Soubise et une voiture de remise. Au retour, vers le petit matin, le carrosse se rompit devant Saint-Roch. Il ne restait que le fiacre, où s'entassa toute la compagnie.

C'était à l'Opéra que les généraux vainqueurs venaient cueillir l'ovation d'une foule élégante et chaleureuse. Déjà, le maréchal de Villars avait été couronné par Mlle Antier, qui incarnait la Gloire dans le palais d'Armide. A son tour, Maurice de Saxe reçut l'hommage d'une couronne de laurier offerte par Mlle de Metz, qui succédait à sa tante dans le même rôle. Après Raucoux, brillant témoignage de son habileté tactique, une cantate fut chantée en son honneur par Mlle Fesch, dite Chevalier.

A cette époque, les spectacles de Paris manquaient à Mme de Pompadour qui les avait passionnément fréquentés en musicienne accomplie. Alors que les Comédiens-Français avaient leur salle sur l'autre rive de la Seine, ses domiciles successifs, également proches des Italiens et de l'Opéra, avaient fait de Jeanne-Antoinette une habituée de ces deux théâtres. Il lui arrivait de revenir d'Etiolles pour une représentation à l'Opéra. Elle vécut cette période brillante qui correspondit au triomphe de Rameau et précéda la *Querelle des Bouffons*. Au répertoire habituel s'entremêlaient les reprises et les créations. Campra, avec les *Fêtes véniciennes* et l'*Europe galante*, Lully avec *Cadmus et Hermione*, *Atys*, *Persée* et *Armide*, ne cessaient pas d'être applaudis. De Mouret, les *Amours de Ragonde*, créées à Sceaux chez la duchesse du Maine, furent introduites en 1742, et les *Grâces* reprises bientôt après. Royer, Mondonville et Bodin de Boismortier étaient aussi des compositeurs dont on entendait la musique avec plaisir. En 1745, les directeurs Rebel et Francœur donnèrent les *Fêtes de Polymnie*, de Rameau, et montèrent leur propre ballet de *Zélindor, roi des Sylphes*. L'année suivante, une distribution brillante contribua au succès de *Scylla et Glaucus*, de Jean-Marie Leclair.

La plus belle voix féminine était celle de Marie Fel, fille d'un organiste de Bordeaux, femme charmante qui fut beaucoup aimée et veilla sur la vieillesse un peu dérangée du pastelliste Quentin de La Tour. Mlle Rotisset de Romainville, scandaleusement passée de la musique de la reine à l'Académie royale, le lui cédait à peine par le talent. Parmi les chanteurs, l'admiration du public allait à Chassé de Chinais, gentilhomme breton qui poursuivait son heureuse carrière, et à Cuvillier père qui achevait la sienne. Leur

voix de haute-contre possédait, semble-t-il, un registre plus étendu
que celui des ténors actuels ; ou n'était-ce que des voix de tête
particulièrement travaillées ? Le Béarnais Pierre Jélyotte, qui avait
été le maître de JeanneAntoinette, jouissait d'une renommée européenne. « Dès qu'il chantait, il se faisait un silence involontaire
qui avait quelque chose de religieux et certains sons étaient aussi
brillants que s'ils sortaient d'une cloche d'argent » (Dufort de Cheverny). « Les jeunes femmes en étaient folles ; on les voyait à
mi-corps, élancées hors de leur loge, donner en spectacle elles-
mêmes l'excès de leur émotion » (Marmontel). Dans la chorégraphie, les Dumoulin succédaient à Dupré, dont les élèves, Noverre
et Vestris, se faisaient connaître sur le théâtre de la Foire Saint-
Germain et sur des scènes secondaires. Parmi d'autres ballerines
et croqueuses d'entrechats, la Camargo, Mlles Carville et Lyon-
nois continuaient de régner sur le plateau de l'Opéra, où la Deschamps allait bientôt paraître.

En avril 1747, quand la saison s'ouvrit avec l'*Année galante*,
Mme de Pompadour se montra dans la loge du roi entre la duchesse de Chevreuse et Mme d'Estrades. Derrière elle, MM. de
Luxembourg, de Chevreuse, de Meuse, et le jeune Abel Poisson,
qui se faisait appeler le marquis de Vandières, leur tenaient lieu
de garde d'honneur. Les spectateurs saluèrent avec respect la
jeune marquise, avant d'entendre la musique charmante de Mion,
qu'elle protégeait. Jeanne-Antoinette reparut en décembre pour
l'*Atys* de Lully. Après le baisser du rideau, elle fut applaudie jusqu'à son départ.

Les Parisiens lui savaient gré de son heureuse influence sur
Louis XV et des attentions qu'elle lui inspirait à l'égard de la
reine. Jusqu'ici, les favorites avaient attisé la discorde et aggravé
la mésentente au sein du couple royal ; l'arrogante duchesse de
Châteauroux devait convenir que la reine lui faisait « une mine
de chien ». Jeanne-Antoinette reconnaissait que la bienveillance de
Marie Lesczinska, en réponse à ses bonnes grâces, n'allait pas de
soi. Une attitude différente l'aurait fait souffrir, mais elle ne s'en
serait jamais plainte, ce qui était le signe d'un respect authentique.
Ces confidences étaient faites à la duchesse de Luynes, dame
d'honneur, qui était l'intermédiaire inévitable de toute démarche
auprès de la souveraine. Jeanne-Antoinette était d'ailleurs liée,
depuis ses premières visites chez Mme de Saissac, à la maison

de Luynes et de Chevreuse. Elle avait compris que la piété et la charité de la reine la plaçaient au-dessus des plus sévères critiques.

Tel un oiseau de paix, elle fit tomber les préventions installées dans l'esprit du roi. En mai 1746, elle put confier à la duchesse de Luynes qu'une ordonnance de 40 000 écus allait éponger les dettes de jeu accumulées par Marie Lesczinska pendant dix-sept ans. Le roi ne s'en était pas soucié depuis la naissance du dauphin. En décembre 1749, il liquida un nouveau passif et lui donna pour ses aumônes secrètes. Il y avait aussi des années qu'il n'offrait plus de présents à l'occasion du jour de l'an. Il avait commandé une tabatière d'or émaillé pour la défunte Mme Poisson ; le 1er janvier 1746, il l'offrit à la reine ! L'année suivante, une écritoire dont Jeanne-Antoinette avait constaté la vétusté chez Marie Lesczinska fut remplacée et la reine reçut pour les étrennes de 1748 une pendule agrémentée d'un carillon qui jouait treize airs. Elle s'en divertit pendant la petite vérole de la duchesse de Luynes, sa meilleure amie, qu'elle appelait « la Poule ». Sous l'influence de Jeanne-Antoinette, Louis XV retrouvait les petites prévenances, pourtant élémentaires, qu'il avait oubliées. Il accueillait la reine à son arrivée, la faisait asseoir, la reconduisait jusqu'à sa voiture, enfin se montrait moins maussade, quoique toujours embarrassé. Il formait lui-même le jeu de son épouse, faisait examiner par le Dr Helvetius le bouillon qu'on lui servait. Il lui présenta les portraits de leurs filles pensionnaires, que Nattier était allé peindre sur son ordre à l'abbaye de Fontevrault. C'était ceux de Mesdames Victoire, Sophie et Louise. Nous savons par la fille du peintre, Mme Tocqué, que « l'intention du roi était de faire une surprise agréable à la reine, ce qui réussit en tous points ».

Dans les maisons où il invitait désormais son épouse, Louis XV lui montrait les changements qu'il avait ordonnés à son intention. A Choisy, dès novembre 1745, il fit placer dans sa chambre un nouveau *meuble* de satin blanc brodé de chenille dans une bordure tissée d'or. A Fontainebleau, en octobre 1747, au retour d'une chasse au sanglier, il abrégea son débotté pour la conduire dans son appartement agrandi et rénové. L'intention était de rendre agréable à Marie Lesczinska un séjour qu'elle n'aimait pas. Une cheminée neuve en brèche violette avait été montée devant le lambris rafraîchi ; une pièce d'entresol avait été peinte en *petit*

vert et l'oratoire *à la capucine,* c'est-à-dire en couleur de bois,
comme la reine les aimait, avec des tableaux de dévotion. A Fontainebleau, le style rocaille s'insinuait avec prudence dans le décor des temps passés. A Versailles, une campagne de travaux fut
consacrée à la modernisation des cabinets intérieurs, entre les deux
petites cours qui éclairent faiblement le corps central du côté du
midi.

En présence du couple royal, Jeanne-Antoinette s'effaçait discrètement. Le 29 avril 1746, à Marly, elle rejoignit vers l'abreu-
voir le roi qui voulait admirer les chevaux de Coustou, récemment
hissés sur leurs piédestaux pour remplacer ceux de Coysevox.
Marie Lesczinska, qui n'avait pas encore vu ces chefs-d'œuvre,
approchait de son côté avec sa suite. Le roi s'empressa auprès
d'elle, tandis que Jeanne-Antoinette se fondait parmi les dames
du palais. Il est piquant de rappeler ici que Coustou venait de mourir et ce qu'il advint quelque temps après. Plusieurs artistes qui
souhaitaient lui succéder dans son logement des galeries du Louvre
s'adressèrent au directeur des Bâtiments. L'une des suppliques
commençait en ces termes :

> Coustou, qui donnait à la pierre
> Et la vie et le sentiment
> Vient de quitter le logement
> Dont le roi l'honorait sur terre
> Pour le céleste appartement
> Qu'ouvre aux hommes de bien saint Pierre,
> Le Tournehem du firmament...

Quand le roi eut admiré sous tous leurs profils les deux groupes
de marbre, il revint seul au château.

Pendant les étés où les dernières campagnes de Flandre éloi-
gnèrent à nouveau Louis XV de Versailles, Jeanne-Antoinette revenait de Choisy ou de Crécy, son nouveau domaine, pour se
présenter devant la reine. Elle allait à son dîner, la voir manger
« avec une réflexion et un appétit soutenus », comme le remarquait Dufort de Cheverny. Les soirs d'*appartement,* elle lui faisait
régulièrement sa cour et malgré son aversion pour les cartes, s'asseyait à une table de cavagnole. Mais quand le roi l'attendait, les
dernières minutes de la soirée lui donnaient sa revanche ; elle

demandait à se retirer et s'entendait dire avec douceur : « Allez ».
Bientôt, Marie Lesczinska éprouva à son égard un sentiment
qu'elle aurait exprimé en ces termes : « Puisqu'il en faut une, autant celle-là qu'une autre ».

Mais le zèle intempestif de Jeanne-Antoinette donna lieu à
quelques escarmouches. Elle souhaitait assister au coucher de la
reine. A Marly, en janvier 1746, elle s'en ouvrit à Mme de Luynes,
qui lui transmit une réponse favorable. Sa Majesté, ajouta la duchesse, pourrait même la retenir quelques moments de plus que
les autres dames. De cette grâce d'un soir, Jeanne-Antoinette
conclut un peu trop vite que les *entrées de la Chambre* lui étaient
acquises. Elle sut qu'il n'en était pas question. La suprême faveur, celle de *monter dans les carrosses,* lui fut accordée par hasard après un premier refus : lors d'un trajet de Choisy à Fontainebleau, en octobre 1746, la duchesse de Villars, dite Papète, dame
d'atours et amie intime de la reine, se désista. Jeanne-Antoinette
fut alors admise à la remplacer et même priée à dîner. Là encore,
la duchesse de Luynes avait servi d'intermédiaire.

Cependant, Mme de Pompadour fut franchement découragée
quand elle s'aventura inconsidérément sur le terrain des rites sa-
crés. A Pâques 1746, elle se proposa pour porter des plats à la
Cène de la reine et pour quêter à la chapelle, où une travée lui
était réservée : offre déclinée par la souveraine, qui désigna
Mme de Castries, car il était impossible d'associer à la célébra-
tion eucharistique une femme en état de péché. Un ami commun
de la reine et de Jeanne-Antoinette comparait Marie Lesczinska
à Blanche de Castille : « Elle est sur la religion d'une sévérité
bien importante dans le siècle où nous sommes. Elle pardonne
tout, elle excuse tout, hors ce qui pourrait y porter atteinte. »
(Président Hénault).

Jeanne-Antoinette aimait beaucoup les fleurs et en offrait souvent à la reine. Un jour, elle se fit introduire tenant une immense
corbeille entre ses bras dégantés. Marie Lesczinska, surprise, fut
envahie par le flot d'une jalousie habituellement contenue. Elle
n'invita la jolie visiteuse ni à s'approcher, ni à se débarrasser de
ses fleurs. La tenant immobile sous son regard, elle admira publiquement et détailla sa beauté, comme elle eût fait d'une porcelaine de Saxe : son teint qui rivalisait avec les lys, ses bras arron-
dis avec grâce autour de la corbeille, sa gorge plus douce qu'un

pétale de rose... chaque nouveau compliment blessait davantage.
La reine pria Mme de Pompadour d'ajouter au plaisir de la vue
celui des oreilles, en faisant entendre cette voix qui charmait le
roi et la Cour. La marquise, toujours immobile et encombrée,
s'excusa ; mais la reine lui fit savoir que son souhait était un
ordre. Alors, loin de se troubler, Jeanne-Antoinette choisit de
chanter le monologue triomphal de la magicienne Armide :

> Enfin, il est en ma puissance,
> Ce fatal ennemi, ce superbe vainqueur
> .. ..
> A ce jeune héros, tout cède sur la terre.
> Qui croirait qu'il fût né seulement pour la guerre ?
> Il semble être fait pour l'amour...

Des dames riaient sous cape, d'autres dissimulaient leur gêne.
Peu importait au fond à Jeanne-Antoinette d'être ainsi traitée en
objet par la reine. Elle seule pouvait se permettre de faire remarquer à Louis XV que son jabot n'était pas assorti à ses manchettes
— ce qui pouvait arriver pendant la disgrâce de M. de La Rochefoucauld, Grand maître de la garde-robe.

Forte de l'amour du roi, Mme de Pompadour était aussi portée
par des puissances occultes. L'ascendant des Pâris sur le gouvernement de Louis XV parvint alors à son sommet. L'ambassadeur de
Saxe, le comte de Loss, désignait la marquise comme « la parente
des Pâris ». L'un de ses premiers succès fut le remariage de son
parrain Montmartel. Il venait encore d'être éprouvé par la mort de
son fils Amédée, jeune homme de grand avenir, survenue au moment même où Jeanne-Antoinette était présentée à la Cour.
L'épouse dénichée par elle était Mlle de Béthune, de l'illustre maison de Sully. Elle avait trente-sept ans. Après la bénédiction nup-
tiale, qui leur fut donnée à minuit par Mgr de Rastignac en la
chapelle de l'hôtel de Charost, les époux quittèrent Paris pour
Brunoy. Jeanne-Antoinette faisait d'autant plus volontiers des mariages que sa propre position était irrégulière.

Ses intrigues matrimoniales interféraient déjà avec la diplomatie. La dauphine espagnole était morte en couches le 22 juillet 1746,
laissant une Petite Madame destinée à ne vivre que deux années.
La question dynastique se posait à nouveau ; elle obligeait à trou-

ver pour le veuf de dix-sept ans une seconde épouse. De connivence avec Maurice de Saxe et Pâris-Duverney, Mme de Pompadour imposa le choix de la Saxonne Marie-Josèphe, nièce du maréchal et fille de l'électeur Auguste III, qui avait évincé Stanislas Lesczinski du trône de Pologne.

Dans les premiers temps de sa vie à la Cour, Jeanne-Antoinette parlait souvent de sa famille, sans aucune gêne et même avec excès. C'était le moment où les Pâris mettaient à profit leur pouvoir pour dédommager Poisson, leur fidèle agent. Cet homme qui, disait-on, avait échappé à la potence, était enfin rentré en grâce. Dès lors, il multiplia avec succès les démarches et rédigea des placets. En juin 1747, il n'hésita pas à relancer Louis XV jusqu'au camp de Lawfeldt, pour lui démontrer combien sa conduite avait été pure. Une nouvelle commission fut réunie, qui rétablit Poisson dans tous ses biens. Il obtint en sus une indemnité sur le Trésor royal, dont Montmartel était l'un des gardiens, et des lettres de noblesse pour l'activité même qui l'avait fait condamner. Ses armes, réglées par Louis Pierre d'Hozier, furent *de gueules à deux poissons d'or dos à dos.*

Cependant, Jeanne-Antoinette, avec une affectueuse fermeté, le tint éloigné de la Cour et lui reprocha plus d'une fois son avidité qui touchait à l'inconscience : « Vous devez bien juger, lui écrivait-elle, que puisque je n'ai pas sollicité pour un procès d'où dépendait votre réputation, assurément je ne solliciterai pas pour un où il n'est question que de biens de fortune. » En réalité, elle n'oubliait pas l'établissement des siens. Son inséparable cousine Elisabeth d'Estrades fut placée comme dame de compagnie, puis dame d'atours, auprès de Mesdames de France. Sa belle-sœur, Charlotte de Baschi, bientôt présentée à la Cour, vint demeurer à la surintendance des Bâtiments, pour faire auprès de Tournehem les honneurs de la maison. Le cousin Laurent René Ferrand reçut un intérêt dans la Ferme des Postes. Déjà, l'ami Savalette de Magnanville avait été nommé à l'intendance de Tours.

En effet, postes, charges, pensions, honneurs, tout était dans ses mains. Avec l'amour du roi grandissait son crédit, et avec le crédit l'afflux des courtisans autour d'elle. Sa bienveillance devenait insensiblement le canal par où découlaient les grâces du souverain ; elle dispensait l'avancement militaire aussi bien que les promotions dans l'ordre du Saint-Esprit et les honneurs de la Cour. Elle se

mêlait de beaucoup d'affaires sans avoir l'air de rien. Sa grâce et
sa gaieté à l'égard de chacun recouvraient en fait beaucoup d'adresse
et de connaissance. Elle aimait à rendre service, était ravie de se
concilier la noblesse, faisait des offres obligeantes et accordait aussitôt des audiences. Elle recevait à sa toilette, déjà plus qu'à demi
parée. Les ducs se succédaient auprès d'elle, M. de Gesvres empressé, M. de Bouillon servile, M. de Croy prudent solliciteur. « Il
était fort agréable, avouait-il, d'avoir affaire à un si joli premier
ministre, dont le rire était enchanteur. » Elle était aussi attentive
au sort des plus humbles ; certaines des faveurs qu'elle sollicitait
du ministre de la Guerre concernaient de simples soldats : « Un
charpentier de ma maison de bois (à Compiègne) demande le congé
de son cousin. La mère donne cent livres pour avoir un autre
homme. » Elle intervint pour un infirme à qui on refusait l'hôtel
des Invalides : « Cela me paraît peu chrétien », écrivit-elle. En
mai 1748, son mari lui-même recourut à elle pour obtenir une grâce
mystérieuse.

L'une des premières, souvent avant la reine, elle était informée
de l'actualité militaire et diplomatique. En octobre 1746, quarante-
deux heures après la victoire de Raucoux, M. de Valfons, qu'elle
avait connu au temps de sa vie parisienne, en apporta la nouvelle à
Fontainebleau. A cinq heures du matin, il réveilla M. d'Argenson,
ministre de la Guerre. A dix heures, il rendit compte à Louis XV
pendant qu'on le rasait ; après une brève visite à Marie Lesczinska,
il ôta ses bottes et vint chez Mme de Pompadour. Sur le portrait
qu'on lui avait fait du messager, elle avait déjà compris que c'était
son ami. Quand il fut entré dans son cabinet, elle se remit dans un
fauteuil et lui en désigna un autre auprès d'elle : « Nous avons le
temps de causer, le roi ne viendra que dans une heure. » Elle avait
suivi le déroulement des opérations et lui tendit des lettres reçues
de deux généraux, Luxembourg et Soubise, lui posa mille questions sur Maurice de Saxe qu'elle admirait : « Mon maréchal est
donc bien content ! Qu'il doit être beau à la tête d'une armée sur
un champ de bataille ! » Mais comme le moment approchait où
Louis XV allait descendre, elle le convoqua pour le lendemain à
sa toilette, avant l'heure d'affluence, ayant encore « tout plein de
questions à lui faire ».

Elle avait ménagé au maréchal de Saxe l'honneur entier de cette
victoire en le priant, dans un billet qu'il sut lire entre les lignes, de

ne pas la séparer du roi : « Je suis bien sûre que vous serez content et que vous continuerez à le bien servir ; je mets toute ma confiance en vous, mon cher maréchal » (10 août 1746).

Mme de Pompadour représentait à la Cour un milieu qui vivait de la guerre. Elle trouvait naturel de traiter personnellement avec les stratèges. Pendant la campagne de Flandre, elle correspondait avec le comte de Clermont, qui fut abbé, général d'armée, président d'une académie privée et membre de l'Académie française. Les jours où il allait au feu, il portait une cocarde que la marquise lui avait envoyée. Six billets d'elle, parmi ceux qui nous sont parvenus, lui expriment son attachement et celui du roi, le complimentent à chaque victoire ou prise de citadelle ; ainsi, après Raucoux : « La nouvelle de la bataille et la part que vous avez aux belles actions qui s'y sont faites, Monseigneur, m'ont fait le plus grand plaisir, par l'intérêt que je prends à l'Etat et à votre gloire... le roi m'a paru fort sensible à ce que vous avez fait » (16 octobre 1746). Pendant la campagne de 1747, elle pria le comte d'Argenson de lui faire parvenir un communiqué quotidien, car elle était pressée de questions par ceux qui la voyaient. Elle écrivait continuellement, dit-on, au maréchal de Saxe qu'après une bataille gagnée, il était honteux de ne rien entreprendre et détermina ainsi la conquête inutile de Berg-op-Zoom. Le 15 avril 1748, elle reçut le maréchal de Belle-Isle et le complimenta de la part du roi. Quand fut annoncée la signature du traité définitif entre la France, l'Autriche et la Hollande, le roi lui en parla le soir même, mais au *grand couvert* n'en dit pas un mot à la reine, qui ne l'apprit que le lendemain et en fut blessée.

Le rire de la marquise était cristallin, son étourderie charmante quand elle promettait à plusieurs le même poste. Un jour vint où l'on fit la queue dans son escalier versaillais, comme pour le roi dans l'Œil-de-bœuf et la première antichambre. Mais elle était sans illusions et posait le pied légèrement au faîte des grandeurs. Elle savait que sa disgrâce, si elle survenait, disperserait les adulateurs, comme les tourterelles quand un émerillon s'introduit dans leur volière.

Les soirs d'*appartement*, elle descendait parfois très parée et assistait au *grand couvert,* où la famille royale soupait en public. Elle était des voyages et des fêtes que secrètement elle inspirait. Le roi n'hésitait plus à l'afficher. Elle assistait dans la plaine des Sa-

blons à la revue des gardes françaises et suisses, obligation éludée
par la reine, qui maudissait la guerre ; mais la marquise était dans
sa calèche, exposée à la vue des soldats, pour qui les succès féminins d'un chef d'armée lui étaient comptés comme vertu martiale.
Chaque printemps, elle était assise au milieu d'un parterre de
dames parées dans l'orangerie de Versailles, où défilaient devant le
roi les gardes de sa Maison militaire.

Lors du second mariage du dauphin, qui était son œuvre, le duc
de Gesvres vint prendre ses ordres et elle dressa pour lui la liste
des invitations destinées aux dames de Paris. Le soir du bal masqué, elle était à visage découvert dans la Galerie des glaces, du
côté des croisées ; en face, la reine et la famille royale avaient pris
place sur une estrade garnie de velours cramoisi ; un suisse empêchait les indiscrets d'approcher. Soudain, le roi fit son entrée avec
un groupe de courtisans masqués comme lui ; remarquant un inconnu qui contemplait la marquise, il lui donna un petit coup sur
l'épaule pour passer ; l'autre, qui n'avait pas identifié Louis XV :
« Passe, beau masque, tu m'interromps dans le plaisir que j'ai à
voir une si belle dame ; regarde si cet éclat n'éblouirait pas les
dieux comme les hommes ! » Louis XV enjamba plusieurs gradins
et s'assit aux pieds de la marquise.

Parmi les dames de la Cour brillaient pourtant d'autres beautés :
Mme de Belzunce, dame de Mesdames, était belle comme le jour ;
Mme de Forcalquier, précédemment marquise d'Antin, pouvait être
comparée à Jeanne-Antoinette pour sa beauté régulière dont Nattier nous a laissé l'image (musée Jacquemart-André). Encore la
marquise était-elle plus gracieuse. Dans son visage transparent et
mobile, les yeux changeants reflétaient l'esprit et le cœur ; et par
ses dons, elle avait porté la qualité de favorite à des hauteurs
inaccessibles.

Louis XV la comblait d'étrennes, de petits et de grands cadeaux. Le jour de l'an 1747, elle reçut des tablettes incrustées de
diamants, timbrées en leur centre aux armes royales et cantonnées
des tours de son marquisat. En les ouvrant, elle y trouva un billet
de 50 000 livres payable au porteur. La Ville comme la Cour la
louèrent d'avoir apprécié sincèrement la beauté de l'objet plus que
son contenu. De même les terres et les maisons qu'elle acquit ne
lui furent qu'un prétexte à multiplier les plaisirs du voyage et à
offrir aux meilleurs artistes l'occasion d'exercer leurs talents ;

elle-même prenait l'initiative de ces réalisations auxquelles elle associait le roi tout en y imprimant la marque de son goût.

Le 23 juin 1748, Louis XV lui réserva la surprise d'une fête au « Petit château » de La Celle, qu'elle possédait depuis trois mois. Le souper s'y déroulait comme à l'ordinaire, en compagnie de Soubise, Luxembourg et La Vallière. Au moment du dessert entrèrent quatorze musiciens déguisés en bergers et quatre petites filles. L'une d'elles offrit un bouquet à la marquise, lui dit un compliment et chanta quelques petits airs charmants, comme ceux qu'elle-même composait. Puis le roi l'entraîna vers une fenêtre, d'où elle vit le feu d'artifice tiré en son honneur. Ce soir-là, tout joyeux, il fit dire à Versailles qu'il restait coucher au Petit château.

En ce printemps de 1748, dans l'euphorie de la paix enfin proche, Louis XV osa exhiber sa maîtresse chez ses courtisans intimes comme à la face de ses sujets. Le 4 juin, il accepta l'invitation des Luynes à Dampierre. Jeanne-Antoinette avait déjà été reçue chez eux en mai de l'année précédente, avec Mmes d'Estrades et de Livry ; elle y avait attendu le roi qui chassait du côté de Rambouillet, mais il avait manqué son cerf et n'était pas venu.

A six heures du soir arriva à Dampierre la *gondole* royale, grand carrosse où Mmes d'Estrades et de Pompadour avaient pris place, avec MM. d'Ayen, de Fleury, de Bouillon, de Soubise et de Luxembourg. Mme d'Egmont et M. de Chaulnes étaient venus de leur côté. Le président Hénault et l'abbé de Salaberry séjournaient chez leurs amis Luynes. Le duc de Chevreuse, fils de la maison, qui était sous les drapeaux, avait reçu son congé.

Le roi visita les appartements du rez-de-chaussée avant de descendre dans les jardins, accompagné de Jeanne-Antoinette et de sa cousine. Les promeneurs longèrent l'étang, prirent pied dans l'île, puis parcoururent le Plant neuf jusqu'à la grille, d'où ils découvrirent d'un coup d'œil la patte d'oie de Senlisse. De là, ils gagnèrent la Salle des tilleuls, virent l'étoile des charmilles, entrèrent dans le quinconce, traversèrent le canal. Ils firent quelques pas dans le petit bois et, par le parterre à l'anglaise, rentrèrent dans la maison, dont le roi parcourut les étages.

Le souper fut servi à neuf heures. Louis XV était placé entre Mme de Luynes et Jeanne-Antoinette. Il était de fort bonne humeur. Renonçant aux services d'un valet, il fit lui-même le café

pendant le repas, versant l'eau bouillante dans une cafetière placée
devant lui ; visiblement, il en avait convenu à l'avance avec le
duc. Après le souper, la compagnie contempla l'illumination des
façades ordonnancées par Jules Hardouin-Mansart, modèle de
l'architecture française que Louis XV jugeait en connaisseur. Pendant que Mme d'Estrades jouait au reversi avec les ducs d'Ayen
et de Chaulnes, le roi et la marquise firent contre Soubise et
Luxembourg une partie de comète. Louis XV monta se coucher
vers deux heures du matin et n'appela qu'à onze. Après la messe,
il alla courre le cerf à Plain Vaux, à deux lieues de Dampierre.
Les soixante chevaux de sa suite avaient logé aux écuries ducales
et la Grand'salle avait servi de salle des gardes.

Hormis Fouquet à Vaux, Colbert à Sceaux et le duc d'Antin
à Petit-Bourg, peu de seigneurs avaient reçu un monarque avec
autant d'aisance. Certes, dans leur logis versaillais de l'aile du
Midi, les Luynes retenaient Marie Leszczinska à souper de cent
à deux cents fois par an. Leur cuisinier, Thibault, s'employait à
la satisfaire. La reine laissait sa chaise sur le palier et ses porteurs la reprenaient vers minuit. Ce soir-là, à Dampierre, les Luynes s'empressèrent autour de la marquise, flattés peut-être de
l'avoir connue par Mme de Saissac avant sa faveur. Ils savaient
aussi que les armes de Pompadour avaient été portées naguère
par le comte d'Albert d'Ailly, qui était leur parent.

Un jour, Mme de Pompadour voulut voir la mer. Elle ne la
connaissait que par le truchement du théâtre et les fantasmes de
l'imagination. Au début de septembre 1749, un voyage au Havre-
de-Grâce fut décidé et préparé en secret. Le 17, Louis XV, Jeanne-
Antoinette et une quinzaine de personnes quittèrent le château de
Crécy, près de Dreux, l'une des résidences de la marquise. Les
voyageurs s'arrêtèrent un moment à Anet, chez la duchesse du
Maine ; ils assistèrent à un hallali manqué, à Navarre, chez le duc
de Bouillon. Après une étape nocturne et une réception officielle
à Rouen, ils parvinrent au Havre au bruit du canon.

Le duc de Luxembourg, gouverneur de Normandie, le duc de
Saint-Aignan, gouverneur particulier du Havre, auxquels s'étaient
joints le duc de Penthièvre, gouverneur de Bretagne, MM. d'Argenson et de Rouillé, ministres de la Guerre et de la Marine, attendaient leurs hôtes. Le roi fut logé — assez mal — à l'hôtel de
ville, dans l'appartement où déjà s'était reposé Henri IV. On vi-

sita la tour, la citadelle, la corderie et la manufacture de tabac.
Au cours des manœuvres navales, il avait été prévu d'honorer la
favorite ; elle plaça donc la première cheville d'un bateau à
construire, qui fut baptisé *Le Gracieux.* Le roi reçut l'hommage
d'un paon, que l'abbesse de Montivilliers avait le privilège d'offrir
au souverain, acte d'allégeance qui n'avait pas trouvé son occasion depuis longtemps. Partout l'accueil fut digne et chaleureux.
Un très bel album gravé d'après Descamps, la *Relation de l'arrivée du roi au Havre-de-Grâce,* garde le souvenir de ce voyage ;
la marquise en conservait un exemplaire dans sa bibliothèque.

Au retour comme à l'allée, l'étape de Gaillon fut brûlée. Certes,
le roi n'avait pas été sans prévoir une visite à l'archevêque de
Rouen dans sa somptueuse demeure ; mais Mgr de Tavannes,
grand aumônier de la reine, avait esquivé avec élégance l'obligation d'accueillir la favorite. L'anecdote a été contée par le marquis d'Argenson, qui n'aimait pas Mme de Pompadour : « Le roi
ayant dit à l'archevêque de Rouen qu'il passerait chez lui à Gaillon allant au Havre, ce prélat s'est contenté de lui faire une grande
révérence ; le roi lui dit une seconde fois : " M'entendez-vous ?
J'irai chez vous. " Autre grande révérence. Puis Sa Majesté a
marché trois pas, s'est retournée, a dit : " Non, Monsieur, je me
ravise, je n'irai pas chez vous. " De même, sous Louis XIV, l'abbesse de Royal-Lieu avait refusé de réunir sa communauté pour
la visite du roi et de Mme de Montespan, soupçonnée d'être venue surtout pour déguster les excellents gâteaux fabriqués par les
nonnes.

Mais le roi et Mme de Pompadour s'arrêtèrent à Bizy chez le
maréchal de Belle-Isle, bien qu'il fût retenu aux armées. Louis XV
devait cette visite à celui qui, deux ans plus tôt, avait libéré la
Provence envahie par les Austro-Sardes, repris les îles de Saint-
Honorat et de Sainte-Marguerite. Doué d'une imagination débor-
dante, Belle-Isle était l'une des plus fortes personnalités de l'armée. Les écuries de Bizy, nouvellement construites avec leurs
greniers incombustibles, méritaient l'attention de Louis XV, toujours prêt à faire agrandir les siennes.

En passant à Mantes, le mardi 22 septembre, le roi et la marquise firent collation dans le Val de Rosny, où deux vignerons
leur présentèrent des grappes de raisin sur des feuilles de chou.
Louis XV leur fit donner un louis d'or. On lui présenta aussi, de

la part de Mme Lefèvre, maîtresse-pêcheuse, propriétaire de la principale arche du pont, un poisson vivant long de cinq pieds. Louis XV n'agréa pas le présent, craignant un jeu de mots ; mais Mme de Pompadour le reçut avec simplicité et le fit envoyer à Versailles. On fut au château assez tôt pour que le roi pût y tenir Conseil.

Le bruit courut que le voyage du Havre préludait à un grand tour du royaume et que plusieurs selliers fabriquaient des berlines de campagne. Le roi devait visiter d'autres ports, où dix-huit vaisseaux allaient être lancés, et gagner les provinces méridionales. Mais l'excursion, coûteuse, ne se renouvela pas. Elle avait eu dès le départ l'allure d'une joyeuse partie, faite pour amuser et produire la marquise. La reine, restée à Versailles, manifesta l'aigreur qu'on pouvait en attendre. Jeanne-Antoinette fut touchée par les marques d'affection témoignées au souverain et dont elle prit sa part au passage : « Vous ne pouvez vous figurer, écrivit-elle au duc de Nivernais, à quel point l'adoration pour le roi et même pour tout ce qui était avec lui a été poussée... Les Normands n'ont suivi que leur cœur. »

Sous l'influence de Mme de Pompadour, Louis XV se transformait. Ceux qui le voyaient de loin en loin, tel le prince de Croy, le trouvaient changé à son avantage : bien portant, mieux équilibré, il consacrait un peu moins de temps à la chasse, beaucoup aux travaux du gouvernement. Il se montrait plus détendu, plus généreux, moins mélancolique, réconcilié avec lui-même. Jeanne-Antoinette saisissait au vol les instants agréables en ces jardins d'Armide. L'Amour, dans les miroirs qu'il lui tendait, lui renvoyait d'elle-même une merveilleuse image. La vie rêvée, la vie voulue, la vie vécue, à ces moments, ne faisaient qu'un. « Elle croyait à la destinée et elle avait raison », a écrit Voltaire. On eût dit qu'elle était protégée par une puissance magique, un sort, un talisman, un anneau constellé.

4

Les premières ombres

Mme de Pompadour savait et ne pouvait faire oublier ce que sa situation avait de scandaleux. Son mari, à qui l'oncle Tournehem avait cédé ses parts dans la Ferme générale, vivait à Paris et cherchait à l'oublier dans les coulisses de l'Opéra. Le roi devait être un exemple pour ses peuples, mais sa conduite était contraire à ses devoirs de chrétien, d'époux et de père : Jeanne-Antoinette était sa complice. La reine, certes, n'était plus aimée. Elle n'en était pas moins la reine et avait donné dix enfants. Comme dans le cas de Louis XIV et de Mme de Montespan, il s'agissait de ce que l'Eglise appelle un double adultère.

Assurément, l'amour conjugal était devenu un ridicule dans le monde, où l'infidélité se portait avec désinvolture. La comédie de La Chaussée, *le Préjugé à la mode*, jouée sur le théâtre de la marquise, montrait un mari gêné d'être amoureux de sa femme. MM. de Richelieu, de La Trémoille et de Melun avaient servi de modèles. Jeanne-Antoinette y jouait à ravir le rôle de Constance et la présence de la reine à ce spectacle ne manqua pas de provoquer des commentaires ironiques. Le roi lui-même considérait avec humour ces sortes de situations : quand mourut M. de Mailly, époux de son ancienne maîtresse, la reine demanda innocemment, puisqu'il y avait plusieurs marquisats de ce nom : « Quel Monsieur de Mailly ? — Le véritable », répondit Louis XV.

Mais dix-huit siècles de christianisme, au cours desquels la loi évangélique avait régi le mariage, faisaient peser sur les consciences leur poids de honte et de culpabilité. Et toujours, le clergé attendait le moment de secourir la créature au seuil de la mort. A

Metz, en 1744, il arracha au roi faible et malade le renvoi de
sa maîtresse : le prétexte était un canon de l'Eglise interdisant de
donner le saint Viatique à un mourant dont la concubine était
encore dans la ville. L'événement fut annoncé en chaire dans toutes les paroisses de France. Louis XV subit alors un chantage et
une humiliation publique. L'incident clos, il en garda une ran-
cœur plus vive que tous les remords. Il exila inexorablement les
trois responsables, Mgr de Fitz-James, évêque de Soissons, les
ducs de Châtillon et de La Rochefoucauld.

Il avait été marié trop jeune et malgré lui. A vingt-six ans, il
était père d'une nombreuse famille et la reine, se refusant à lui,
le poussait au péché. Que disait-elle en polonais à ses confesseurs,
les RR.PP. Radominski puis Bieganski ? Nul n'avait à le savoir ;
mais Louis XV était condamné à des amours illicites. L'étonnant
est qu'un état de choses inévitable ait alors fait tant de bruit.
Sous François Ier, sous Henri IV, grâce était faite à la nature humaine et les amours des rois étaient assimilées à celles des dieux.
Sous Louis XIV, le scandale se revêtait de majesté, se parait de
magnificence. Mais sous Louis XV, des faits nouveaux étaient sur-
venus. Un ébranlement de la conscience européenne, dont l'origine
remontait à l'apogée du Grand Règne, inquiétait les autorités établies, en premier lieu la haute Eglise. L'assemblée du clergé de
1750 attira l'attention sur les progrès de l'incrédulité moderne et
de l'impiété. Sous le gouvernement du vieux Fleury, le pouvoir
ecclésiastique avait guetté le moment où la mort du ministre et
l'inexpérience du jeune roi lui permettraient de s'imposer en France
au pouvoir temporel. Louis XV, par sa nature inquiète, scrupu-
leuse et fragile, était exposé à cette mainmise. Il avait été sacré
roi très-chrétien pour le bonheur de ses sujets et tout fléau qui
les frappait lui semblait venir du Ciel pour châtier ses propres
fautes.

Même si, à Metz, il avait demandé pardon à la reine, un amour
mort ne pouvait renaître et désormais son cœur irait toujours à
une autre. En ces courtes années de gloire et de bonheur, il s'abandonnait à sa nouvelle passion. Jeanne-Antoinette était telle que
« tout homme aurait souhaité l'avoir pour maîtresse », avouait Dufort de Cheverny. Elle remplissait si parfaitement son rôle auprès
du roi qu'elle « semblait être née pour cela », reconnaissait le
prince de Croy. Louis XV, ayant toute honte bue, cherchait à

concilier ses principes avec sa passion : le cœur, jouant à cache-cache avec la conscience, se pare si habilement des masques de l'innocence ! Mais l'approche de Noël et surtout celle de Pâques jetaient chaque année le trouble dans la conscience du roi. Il n'était pas en état de grâce. Depuis 1741, il n'avait pas reçu l'absolution et ne pouvait s'approcher de la sainte table ; le pouvoir de guérir les écrouelles lui était du même coup retiré.

La parole de Dieu lui était rappelée à domicile. Dans la chapelle de Versailles, dernière réalisation de Louis XIV, les pompes de la liturgie se déployaient magnifiquement. Les desservants ordinaires étaient les pères de la Mission et les trente chapelains semestriels. Pour les grandes solennités se joignaient à eux les chantres-chapelains, les castrats, les pages et les solistes venus de l'extérieur. Un prédicateur en renom était habituellement retenu pour les sermons de l'Avent et du Carême. Ainsi se succédèrent à partir de 1740 les RR.PP. de Fleury-Ternal, Teinturier, de Neuville, de Segaud, Laugier, Dumas, Griffet et de Beauvais. Ces jésuites intransigeants constituaient l'antenne du Vatican à Versailles. Pour répondre aux souhaits du roi, quelques prêtres séculiers, à la morale plus conciliante, alternèrent avec eux. Ce furent les abbés Ardouin en 1745, Josset en 1748, Adam, Veres et Poulle les années suivantes. Louis XV n'en estimait pas moins le courage de ceux qui osaient dénoncer ses faiblesses devant la Cour.

Lors de ces prédications, il était à la tribune royale et Jeanne-Antoinette, de la place qui lui était réservée, dans la troisième travée du côté de l'Evangile, ne le quittait pas des yeux. C'était de là qu'elle entendait la messe tous les matins, quand la Cour était à Versailles. Elle avait sur les genoux les *Heures de la Vierge* enluminées par son peintre Boucher. Ses pieds reposaient sur un large tapis d'ours.

Le cérémonial de la semaine sainte était d'une gravité impressionnante. Le jour des Rameaux, Louis XV assistait à la bénédiction des palmes, suivait la procession, adorait la Croix et entendait debout pendant la grand-messe le récit de la Passion. Le jeudi saint, il lavait les pieds de douze pauvres et les servait à table. Le vendredi, la Cène du roi se déroulait publiquement dans la grande salle des gardes ou Magasin ; depuis 1747, les ducs eux-mêmes apportaient les plats à Louis XV suivant un vieil usage que Mme de Pompadour s'était fait un plaisir de remettre en hon-

neur. Pendant l'office des Ténèbres, les motets de La Lande,
Blanchard et Mondonville étaient chantés en faux-bourdon.

Selon la tradition, le prédicateur de Carême commençait et
terminait sa série de conférences par un compliment au roi.
Louis XV écoutait l'orateur, impassible et majestueux, au point
qu'un jour le Père de Menou s'était troublé et avait tourné court ;
mais jamais le roi ne se serait permis d'interrompre l'exhortation,
comme l'avait fait jadis la grande Elisabeth. En 1740, le Père de
Neuville choisit pour thème « Malheur à celui par qui le scandale
arrive. » C'était un orateur élégant, au ton vif, au geste véhément,
qui touchait son auditoire par des tableaux réalistes. Dans les
peintures de l'amant ingénieux et passionné ou du malheureux
qui souffre en son réduit, Louis XV se reconnaissait lui-même et
s'instruisait de son peuple. Laugier, brillant méridional, au de-
meurant historien de Venise, critique d'art et grand théoricien de
l'architecture, parlait d'abondance et n'a pas laissé le texte de
ses sermons. Il attira l'attention de la Cour sur les devoirs des
grands.

En 1751, Louis XV allait-il se ressaisir et gagner l'indulgence
plénière proposée par Benoît XIV à l'occasion du Jubilé ? Il déclara qu'il ne découcherait pas de Versailles pendant tout le Carême et renonça à chasser les mercredis et jeudis, pour écouter
régulièrement les conférences. Le R.P. Henri Griffet, S.J., était
un mystique. Ses sermons, méthodiques et instructifs, ne dépas-
saient pas trois quarts d'heure. Il se réfèra à l'épisode évangélique
de la Femme adultère, où le Christ fustige l'hypocrisie humaine.
Il tonna contre les habitudes du moment. Louis XV eut des entretiens privés avec lui et son propre confesseur, le Père Pérusseau.
Dans le même temps, la reine faisait prier à Saint-Roch pour la
conversion de son époux, tandis que les jésuites disaient pour lui,
au noviciat de la rue du Pot-de-Fer, au collège Louis-le-Grand et
à la maison professe de la rue Saint-Antoine quinze messes chaque matin. Cependant, Louis XV resta éloigné des sacrements. La
mort édifiante de Mme de Mailly, sa première maîtresse, le tou-
cha, sans pourtant l'inciter à rentrer en lui-même. L'année suivante, le Père Dumas fut plus audacieux encore que son confrère
et remonta au récit biblique de David et Bethsabée, où l'adultère
est condamné sans miséricorde. Les allusions étaient claires ; ainsi,

Le Normant d'Etiolles était le pauvre Hittite à qui le roi avait enlevé son unique brebis.

Chaque temps de pénitence était pour Jeanne-Antoinette une épreuve et lui donnait lieu de s'inquiéter. Dès le temps pascal qui suivit son arrivée à la Cour, le roi monta chez elle, tenant un volume de Massillon, dont l'éloquence douce et pénétrante l'avait bouleversé. Il lui proposa d'en poursuivre avec elle la lecture, mais elle refusa ; alors, il descendit, la laissant seule, et elle fondit en larmes.

Par la suite, elle opposa au danger une parade ingénieuse et récupéra à son bénéfice ces temps de recueillement et de méditation. Elle organisa chez elle des concerts spirituels d'une haute qualité artistique, ce qui lui permit de répondre elle-même aux aspirations religieuses de son amant. En 1748, les musiciens de son théâtre, choristes et solistes, se réunirent dans son grand cabinet. Le jeudi saint, furent exécutés à grand cœur le *Miserere* de La Lande et un motet de Mondonville. Entre les deux, Jélyotte chanta un petit motet de sa composition. Le vendredi, le roi vint entendre le *Venite exsultemus* et le *Deus regnavit*. Jeanne-Antoinette chanta les récits, accompagnée de Mmes de Marchais, Trusson et de L'Hôpital, les voix masculines étant celles de MM. d'Ayen le fils, de Clermont-Tonnerre, de La Salle et de Rohan. Le lundi de Pâques, Louis XV vint encore et resta longtemps pour entendre le *Deus regnavit* de La Lande et le *Magnus Dominus* de Mondonville.

L'alerte était passée. Ce printemps-là et les suivants, loin de se retirer dans un couvent, Mme de Pompadour resta auprès du roi, toujours impénitent. Chez Louis XV, les velléités de conversion étaient passagères et la mélancolie sans remède. Mais si, un jour, la dévotion devait remplacer l'amour, elle se ferait dévote avec lui et l'exciterait à la pénitence.

Un événement tragique lui fit mesurer la sensibilité de son royal amant, si vite alarmé et tourmenté par d'excessifs scrupules. Le 4 mars 1748, à son lever, Louis XV apprit la mort accidentelle du comte de Coigny, son ami d'enfance, qu'il attendait pour chasser. On venait de le trouver, sanglant et inanimé dans la neige, près de sa voiture renversée, au lieu qui s'est appelé depuis le Point du Jour. Le roi se réfugia aussitôt chez Jeanne-Antoinette et en sortit trois quarts d'heure plus tard, les yeux rougis de larmes : « C'est moi qui suis cause de sa mort répétait-il, car je lui avais dit de revenir pour la chasse ». Jeanne-Antoinette déploya les ressources de son cœur et de son esprit. Elle partagea son chagrin, mais sut aussi dissiper ses fantasmes, calmer son angoisse, alléger ses remords. En réalité, Coigny, ce compagnon juvénile et charmant, avait été tué pour une affaire d'honneur et le duel fut déguisé en accident : « Le malheur du pauvre Coigny nous a mis au désespoir, écrivit-elle trois semaines plus tard à son amie alsacienne, Mme de Lutzelbourg. Le roi en a été à me faire peur. Il a donné des marques de son bon cœur, dont j'ai craint les suites pour sa santé. Heureusement, la raison a pris le dessus. »

Dans la vie quotidienne, Mme de Pompadour devait affronter l'hostilité de tous ceux qui, pour des raisons morales et religieuses, réprouvaient sa présence à Versailles. Ils constituaient le *parti dévot*, selon l'expression traditionnelle et légèrement péjorative de ceux qui n'en étaient pas. Cette faction comprenait autant de chrétiens sincères que d'hypocrites malfaisants. Bientôt s'y joignirent tous les mécontents de la Cour et le parti prit une consistance politique.

La reine en était involontairement l'un des pôles. C'était malgré elle que se déchaînaient les haines contre la marquise et les passions partisanes, car toute médisance était bannie de son cercle. Depuis longtemps, elle se gardait d'entrer dans aucune intrigue et avait assez d'esprit pour ne se mêler de rien. Ses journées, bien réglées et bien remplies, se partageaient entre la lecture du Père Malebranche, qu'elle n'entendait pas toujours, et la pratique persévérante de quelques arts pour lesquels elle n'était qu'à demi douée. Elle peignait sans savoir très bien dessiner des tableaux honorables dont certains nous sont parvenus. En se moquant de ses fausses notes, elle touchait du clavecin, de la guitare et de la vielle, sauf le vendredi ; elle s'essayait aussi à la musette de Cour, qui était à la mode ; mais à la musique, elle préférait le jeu et s'attablait chaque soir à son triste cavagnole, montrant son dépit quand elle perdait. Dans ses cabinets, l'entouraient les images de *sainte Thaïs dans sa cellule, sainte Eustochie entourée d'anges, sainte Azelle à la porte de son ermitage, sainte Maranne dans son oratoire,* le visage caché sous un sac.

Dans la ferveur de l'année jubilaire, la reine adopta une dévotion étrange qui se répandait alors : elle allait à tout moment voir la

Belle Mignonne. C'était une tête de mort, parée de rubans, éclairée de lampions, celle de Ninon de Lenclos, disait-elle. Dans l'attitude de la *Mélancolie* de Fetti, aujourd'hui au Louvre, tableau qui figurait dans les collections royales depuis le règne de Louis XIV, elle méditait longuement sur le sort des belles courtisanes et la vanité des affections humaines. L'après-midi, elle travaillait à ses tapisseries, recevait habituellement deux des amis de Jeanne-Antoinette : Montcrif, « historiogriffe des chats », qui était son lecteur, et le président Hénault, membre de l'académie littéraire fondée à Lunéville par le père de la reine. Le soir, elle allait causer chez son amie Papète, duchesse de Villars, ou présidait chez les Luynes à des réunions qui n'étaient ni très jeunes ni très joyeuses. Elle y trouvait les duchesses de Nivernais, de Mazarin et d'autres de ces dames qui s'inventeraient des devoirs si elles n'en avaient pas. Des prélats, Mgrs de Tencin et de Rohan, l'abbé de Broglie entouraient le futur cardinal de Luynes, qui ronflait parfois aussi fort que le chien Tintamarre. Venaient aussi des officiers, MM. de Razilly et d'Affry, ainsi que le comte de Tressan, qui traduisit péniblement pour la reine des cantiques de l'Ancien Testament.

L'âme du parti dévot était Mgr Boyer, ancien moine théatin, évêque de Mirepoix, qui en avait pris la direction après l'exil des conjurés de Metz. Il avait été placé comme précepteur auprès du dauphin par le cardinal de Fleury, qui l'avait aussi désigné pour détenir après lui la *feuille des bénéfices ;* ce privilège lui permettait de travailler avec le roi, qui s'en remettait à lui pour tout ce qui concernait la collation des abbayes et des évêchés, sources de profit pour leurs titulaires.

Dur et fanatique, Boyer avait détecté les manœuvres de Binet au moment où Jeanne-Antoinette tentait d'approcher le roi ; il l'avait dénoncé comme corrupteur de Louis XV et menacé de renvoi. Mme d'Etiolles, à ses yeux, avait peu de religion et trop de liberté d'esprit. Amie des philosophes, elle avait reçu chez elle Voltaire, Fontenelle, Cahuzac, Maupertuis et même ce jeune abbé de Bernis, renié par ses maîtres, les jésuites ; elle fréquentait gaiement ce milieu un peu fou, où l'on aimait trop à rire et à raisonner. De sorte qu'à peine installée à Versailles, la marquise trouva constitués définitivement les deux partis entre lesquels se parta-

geaient déjà les courtisans : le sien et celui de la Famille, avec lequel le parti dévot ne faisait qu'un.

Certes, Monseigneur le dauphin n'osait plus faire la grimace à
Mme de Pompadour, comme il l'avait faite à Mme de Châteauroux lors d'un bal masqué, ce qui lui valut une observation de la
reine. Mais il gardait le silence en présence de la marquise et avait
un air emprunté. Sur ce très jeune homme, enfermé dans une attitude de reproche, son charme était sans effet. Il se jugeait déten-
teur des vertus chrétiennes et chevaleresques. Quand il accompagna son père à Fontenoy, il n'avait pas seize ans. Il était sur le
champ de bataille étourdi comme un hanneton, brave mais témé-
raire. Il fallut l'empêcher de s'élancer prématurément à la tête de
son régiment au risque de le faire tailler en pièces. A Versailles,
il vécut dans l'appartement situé au rez-de-chaussée, à l'angle du
parterre du midi et du parterre d'eau. L'oncle Tournehem le fit
aménager à grands frais pendant l'année 1747, à l'occasion de son
second mariage.

Homme de cabinet, le dauphin n'aimait ni le monde ni la
chasse. C'était un causeur affable et cultivé, qui connaissait toutes
les familles de l'Europe. Il était doué pour la musique, jouait de
l'orgue, du violon, du clavecin avec son maître Royer et imitait
de sa voix profonde les chantres de la chapelle. Sa piété était
mystique et sentimentale : il adopta la dévotion au Sacré-Cœur
de Jésus, inaugurée vers 1668 par le Père Eudes, confirmée lors
des révélations reçues par la Bienheureuse Marguerite-Marie Ala-
coque à Paray-le-Monial et attaquée férocement par les jansénistes. Selon les vœux du dauphin, l'architecte Gabriel transforma
le chevet de la chapelle de Mansart pour y placer un autel du
Sacré-Cœur et le grand crucifix d'ivoire, reliquaire d'un fragment
de la Vraie Croix, que l'électeur de Saxe avait offert à son gendre.

Monseigneur était entouré de menins distingués. M. du Muy
était directeur des Economats royaux, cette administration discrète et peu connue qui consacrait le revenu des biens saisis sur
les protestants fugitifs à des constructions religieuses : ainsi le
portail d'Orléans, la cathédrale de La Rochelle, l'église de Choisy, Saint-Louis de Versailles, où M. du Muy voulut être enterré.
Les autres familiers étaient le comte de Gramont, myope, excellent homme, M. de Laval, qui devait tomber à Rossbach, Mgr de
Nicolay, évêque de Verdun, l'abbé de Saint-Cyr, sous-précepteur

érudit, mais peu éclairé. Si le duc de La Vauguyon était un faux dévot, le chevalier de Montaigu portait une haire et se donnait la discipline. Le baron de Montmorency dut sa place de menin à l'amitié de l'abbé de Bernis et à l'intervention de Mmes d'Estrades et de Pompadour.

Tout rempli de qualités qu'il fût, le dauphin manquait de caractère et ne parvint jamais à mûrir. Bientôt, il négligea son violon, devint chaque jour plus terne et apathique, ne pensant qu'à dormir. Il épaississait dans des proportions monstrueuses et déçut même ses partisans. Sans doute était-il écrasé par la personnalité de Louis XV, qu'il n'osait appeler ni Sire ni Père. Comme le Grand dauphin, son bisaïeul, il devait disparaître avant le roi.

Le premier mariage du dauphin avait donné à Jeanne-Antoinette l'occasion de paraître à la Cour, le second celle d'y affirmer son crédit. Marie-Thérèse Raphaëlle, l'infante aux yeux bleus, accentuait devant elle son port raide et glacé. Elle refusa toujours, sous des prétextes divers, de monter dans les Petits appartements, où le roi plusieurs fois l'attendit. Elle s'amusait du nom de la favorite : lors du premier voyage à Fontainebleau — qui fut pour la pauvrette le dernier, car elle mourut en couches l'été suivant — elle aurait dit, en voyant la marquise s'approcher de l'étang des Carpes : « Si elle tombait, ce serait un poisson qui retourne à son élément ! »

Mme de Pompadour avait examiné attentivement le portrait de la seconde dauphine avant de la faire venir de Dresde. Marie-Josèphe, à son arrivée, saluait gauchement, un peu comme une religieuse, à la manière allemande, et marchait en se tenant en avant. Sans être jolie, elle était fraîche et vigoureuse. Elle entendait et parlait mal le français, mais elle avait des yeux pétillants et un si grand désir de plaire qu'elle se gagna toute la famille. Elle fut pour le dauphin une tendre épouse, qui estompa la douleur du premier deuil, pour Madame Henriette une confidente, pour Adélaïde une amie de son âge, enjouée comme elle, et pour la reine une fille de plus, en qui elle cessa de voir l'ennemie saxonne. Jeanne-Antoinette, épousant les intérêts de la Couronne, attendait de voir Marie-Josèphe donner un héritier au royaume. Aussi partagea-t-elle l'espoir de chaque grossesse et la déception familiale lors des quatre fausses couches successives ; elle considéra comme « un réel malheur » la naissance de Marie-Zéphirine, le 26 août 1750, qui laissait présager une longue suite de princesses. Elle avait préparé une lettre qui ne devait partir que dans le cas d'un garçon.

A son arrivée à la Cour, Mme de Pompadour y trouva deux des six princesses royales avec qui elle aurait à vivre. Madame Henriette était douce, bonne et pondérée, Madame Adélaïde brusque, impérieuse et fantasque ; dans la pétulance de ses dix-sept ans, elle trouva un nom pour la marquise : « Maman Putain ». Jeanne-Antoinette considérait comme siennes ces filles au destin triste et clos, un peu encombrantes, exigeantes et capricieuses. Elle les entourait de sollicitude, remplie d'admiration pour la patience et la tendresse que le roi leur manifestait. « Il est difficile de trouver un père aussi unique dans tous les points » (lettre à son frère, 16 mars 1750).

Très vite, intercédant pour Madame Adélaïde, elle éloigna d'elle Mme de Tallard, son ancienne gouvernante, que la princesse détestait. Lors du premier Fontainebleau, Mme de Pompadour monta à cheval à la suite de Mesdames et renouvela en leur compagnie ces promenades ou ces chasses au daim qui étaient leurs plaisirs favoris. Le 18 mars 1747, elle prit place dans la même *gondole* que le roi et ses enfants pour une chasse à courre en forêt de Saint-Germain. Sur sa suggestion, peut-être, Louis XV fit envoyer à l'abbaye de Fontevrault des ânes tout harnachés, des chevaux et leurs équipages à l'attention des trois plus jeunes princesses. Comme l'avait souhaité Fleury, Mesdames Victoire, Sophie et Louise vivaient là depuis 1738, confiées à Mme de Montmorin ; mais cette abbesse, souvent malade, ne les voyait qu'une fois par mois et déléguait ses fonctions à des sous-gouvernantes peu instruites des choses du monde.

La marquise se réjouit avec la famille royale du retour des pensionnaires et incita le roi à leur ménager des entrées brillantes, à leur instituer des *maisons* particulières. Le dimanche 24 mars 1748, Madame Victoire, qui attendait impatiemment ce moment, fut accueillie avec effusion par Louis XV au village de Sceaux, dernière étape du voyage qui la ramenait de Fontevrault à Versailles. Elle n'avait pas quinze ans, était belle et ressemblait à son père, se montrant à son égard plus libre que ses sœurs. Son instruction fut confiée à l'académicien Hardion chargé de la bibliothèque particulière du roi et de sa collection de pierres gravées.

M. de Briges, l'ami de Jeanne-Antoinette lui donna des leçons d'équitation. Excellente musicienne comme ses sœurs, elle jouait du clavecin, du violon avec Guignon, de la basse de viole avec Caix d'Hervelois, de la musette avec Chefdeville, de la guitare avec Paisible. Pour ses menus plaisirs, son linge et ses vêtements, elle reçut cent mille livres par an, gérées par la maréchale de Duras.

Le 30 novembre de la même année, Jeanne-Antoinette vit arriver de Madrid Madame Infante, Louise Elisabeth, jumelle de Madame Henriette. Elle avait piqué dans sa coiffure un peigne recourbé à la mode espagnole. Sa fille Isabelle, qui venait d'avoir sept ans, l'accompagnait. Le traité d'Aix-la-Chapelle venait d'attribuer à son époux, don Philippe, le duché de Parme, Plaisance et Guastalla. Il allait en prendre possession au mois de mars, en son absence. Elle prolongea jusqu'en novembre son séjour à Versailles, avec sa dame de compagnie, Mme de Leyde, et toute sa suite. Elle logeait chez la comtesse de Toulouse, au rez-de-chaussée du corps central du château vers le nord. La princesse Isabelle était traitée en petite-fille de France. On lui avait fait un costume bleu de cavalière et elle singeait avec un bâton les exempts des gardes du corps. Quelques jours avant son départ, elle s'amusait à jouer la comédie, son chapeau à la main, imitant la marquise. Sans doute savait-elle qu'un théâtre, l'un des plus grands d'Europe, l'attendait dans le vieux palais de Parme.

Le dauphin continuait à bouder Mme de Pompadour. Il essayait sans y parvenir de la faire mettre en quarantaine, se heurtait à elle pour la promotion de leurs protégés respectifs, critiquait par le menu sa vie journalière, lui reprochait de faire gras en carême et d'éloigner son père des offices religieux. Il jalousait ses voyages et ses propriétés : à peine disposait-il personnellement de Meudon. Cependant, Jeanne-Antoinette employait tous les moyens de se gagner l'amitié des enfants royaux : « Devoirs considérables et indispensables, écrivait-elle à Mme de Lutzelbourg en 1749 : reine, dauphin, dauphine gardant heureusement la chaise longue, trois filles, deux infantes, jugez s'il est possible de respirer ! ».

Le 18 octobre, Mesdames cadettes arrivèrent à Fontainebleau après un voyage de plusieurs jours, accompagnées de quatre pages de la Petite écurie et seize gardes du corps. Jeanne-Antoinette eut l'honneur d'aller au devant d'elles avec le roi, le dauphin et Madame Victoire. « En vérité, écrivait-elle à son frère, rien n'est plus touchant que ces entrevues ; la tendresse du roi pour ses enfants est incroyable et ils y répondent de tout leur cœur ». Madame Sophie avait seize ans ; elle ressemblait un peu à son père, surtout de profil mais avait la bouche plate, le menton un peu long ; c'était cependant une belle princesse, au cœur mystérieux, qui observait son entourage à la dérobée ; elle regardait de côté comme les lièvres. Jeanne-Antoinette s'étonna de la trouver presque aussi grande qu'elle. Madame Louise, qui avait quinze ans, lui sembla minuscule, d'une apparence enfantine, les traits sans harmonie, mais « avec cela une physionomie fine qui plaît beaucoup plus que si elle était belle ». Elle devinait l'élévation de cette âme, en qui devait grandir la vocation de carmélite. Cependant, l'habileté incomparable de Jean-Marc Nattier n'a laissé de ces princesses que des images ravissantes : comme a dit le peintre à Casanova, c'était une magie que le dieu du goût faisait passer de son esprit au bout de ses pinceaux. Mesdames de France avaient en commun avec la marquise leur goût passionné de la musique et leur affection pour le roi. Mais avec le temps, n'allaient-elles pas prendre sur lui trop d'empire, occuper trop de place à la Cour et devenir pour elle d'inquiétantes rivales ?

Au jour le jour, Mme de Pompadour vivait dangereusement. A force d'adresse et d'attentions témoignées à ceux qui l'approchaient, elle évitait les affronts les plus sanglants. Puissante, elle était aussi vulnérable. Les faveurs qu'elle accordait aux uns éveillaient la jalousie des autres. Elle se rendait prisonnière de ses bienfaits.

Dès son arrivée à Versailles, elle fut mal accueillie par deux puissants personnages dont la malveillance se transforma en hostilité. Le comte d'Argenson, ministre de la Guerre, qui avait accompagné Louis XV à Fontenoy, satisfaisait le roi par son travail brillant et facile. Il était inaccessible, au centre d'une vaste et mystérieuse toile d'araignée. Contre Machault, que protégeait Mme de Pompadour, il prenait appui sur le Parti de famille. Louis XV, tout en éloignant son frère, le marquis d'Argenson, ministre des Affaires étrangères, accorda au comte les *grandes entrées* de la Chambre pour confirmer sa position au sein du gouvernement.

L'autre ennemi de la marquise fut le prince de Conti, fils de

celle qui l'avait présentée à la Cour. Il était l'arrière neveu du
Grand Condé et Grand prieur de France. Jeanne-Antoinette était
jalouse de ses entretiens secrets avec le roi. Elle le voyait passer,
furtif et important, de lourds portefeuilles sous le bras. Il échangeait avec Louis XV des papiers griffonnés en hâte pendant la
chasse. Il était en effet l'un des rares confidents de la diplomatie
personnelle que le souverain entretenait en Europe orientale, à
l'insu des ministres et des ambassadeurs, parfois à leur encontre
et toujours hors du circuit de la poste. Ce réseau a été connu
plus tard sous le nom de *Secret du roi*. Jamais Mme de Pompadour n'accepta d'en être exclue, ce qui envenima ses rapports
avec le prince de Conti.

Un jour, le prince apporta de l'Isle-Adam de beaux pigeons
destinés à la volière des petits cabinets. Il comptait les offrir au
roi tout en évitant la marquise. Jeanne-Antoinette fit appeler pour
les admirer le duc de Gesvres, qui partageait sa passion pour les
fleurs et les oiseaux ; or le duc se trouvait en compagnie de Conti,
qui l'entraîna malgré lui chez Mme de Pompadour. Tous deux la
trouvèrent en peignoir, nu-tête, à sa toilette privée. Elle conver-
sait avec la duchesse de Penthièvre, assise auprès d'elle dans un
fauteuil, pendant que ses amies, Mmes de Saluces et de Clermont,
se tenaient sur des tabourets près de la porte. Mais cette visite
insolite ne se renouvela pas.

Au-delà de Versailles, un malaise grandissait dans le pays. Paris, dont Mme de Pompadour s'était coupée, la prenait pour cible.
Dès l'année de la paix montaient vers le roi et vers elle des murmures hostiles. La popularité de Louis XV fléchissait. Lors des
préliminaires d'Aix-la-Chapelle, ses représentants Puisieulx et
Saint-Séverin négocièrent maladroitement. Ils négligèrent la question coloniale et la présence militaire de la France en Ligurie,
firent des concessions aux vaincus et ménagèrent sans nécessité la
dynastie hanovrienne qui régnait à Londres. Le prétendant Charles Edouard Stuart, réfugié à Paris, fut arrêté à sa sortie de l'Opéra et garrotté avec des rubans de soie, pour être livré à son rival.
Louis XV assistait lui-même au spectacle de Mme de Pompadour
quand on l'en avertit.

Frivolité, faiblesse et lâcheté effaçaient l'image héroïque des
années précédentes. Les clauses du traité furent publiées en février 1749. Louis XV, voulant apaiser pour longtemps les rivalités

internationales, faisait preuve d'un désintéressement inattendu.
Comme saint Louis, il restituait ses conquêtes. Après tant de sacrifices, ce geste irrita l'opinion et fit courir le dicton « bête
comme la paix ». Malgré les bals et les buffets, le peuple manifesta peu de joie. Dans la déception générale, le recul de la diplomatie française fut imputé à la favorite. En un temps où notre histoire médiévale commençait à être connue, certains évoquèrent
Agnès Sorel, qui avait inspiré à Charles VII une conduite énergique à l'égard des Anglais : c'était le rôle que n'avait pas joué
Mme de Pompadour.

Dès lors, des paquets anonymes contenant des écrits insultants
furent jetés au grand couvert sur la table de Louis XV, comme
le paquet de franges d'or sur celle de Louis XIV. Dans la capitale
circulèrent chansons, satires, estampes, libelles, vers outrageants.
Ce n'était plus la mousse légère de l'esprit parisien, dont s'amusait le roi avec Mme de Châteauroux à Choisy, ni les couplets
flatteurs qui avaient salué la nouvelle favorite, comparée quelques
années plus tôt à une blanche hermine. L'un de ces recueils s'appela les *Poissonnades* (1749). Les bruits qui couraient alors dans
les antichambres de Versailles, indiscrétions de femmes de chambre ou de soldats aux gardes, étaient amplifiés à Paris et fixés
dans des *nouvelles à la main* qui circulaient sous le manteau.
Vague après vague déferlaient les reproches inspirés par la haine.
C'est ici la source des légendes boueuses qui ont commencé à dé-
naturer la figure de Louis XV.

Tous ces écrits comportaient les mêmes chefs d'accusation : le
roi s'était abaissé en choisissant une « femme obscure », une « petite bourgeoise », une « grisette », dont l'ascension vertigineuse
dérangeait l'ordre établi. Ces termes mêmes démontrent que l'inspiration venait de la Cour. Un potentiel de jalousie, accumulé
contre les financiers depuis le Grand Règne et la Régence, se li-
bérait violemment. Dans la bouche du peuple et dans celle des duchesses, les propos étaient les mêmes, les griefs se rejoignaient.
On dépeignait Jeanne-Antoinette sous les traits d'une intrigante
avide, qui dilapidait le trésor royal, s'entourait d'un luxe de sultane, favorisait ses amis, enrichissait ses parents. Ce portrait était
moins le sien que celui de l'éternelle courtisane princière, celui
surtout des égéries de la Régence, la Fallary, la Parabère, Mme de
Prie.

Cependant, les espions de la police parisienne recueillaient les bruits contradictoires qui circulaient dans les cafés et sur les promenades publiques : tantôt la marquise était enceinte et si elle accouchait d'un garçon deviendrait duchesse de Nemours ; tantôt elle était déjà disgraciée, crachait le sang et serait congédiée au plus tôt ; de peur d'être assassinée, elle avait demandé deux gardes du corps ; elle entretenait la guerre par intérêt, vendait des régiments, des passeports pour faire sortir les blés, achetait tous les bijoux, tous les diamants du royaume, distribuait à prix d'or des places de sous-fermiers ; ses propriétés rurales lui rapportaient cent mille écus ; sa fortune, invisible et incalculable, était en dépôt dans toutes les places bancaires, à Gênes, à Venise, à Genève, à Londres, à Amsterdam ; on lui bâtissait huit palais à la fois ; sur son théâtre, le seul spectacle de *Mignonnette*, avec le ballet des petits chiens, coûtait 50 000 écus ; elle avait osé accepter pour étrennes le diamant de feu la duchesse d'Orléans, qui valait plus de 80 000 livres ; le contrôleur général des Finances venait de solder ses dettes, qui s'élevaient à six ou sept cent mille livres ; elle allait paraître à Marly dans une robe en point d'Angleterre qui valait 22 500 livres ; le roi avait commandé pour elle à la manufacture de Vincennes plus de 800 000 livres de fleurs de porcelaine colorées au naturel ; pour le même prix, on lui avait proposé de plafonner en émail son salon de Bellevue. Quel contraste avec Mme de Mailly, qui venait de mourir et n'avait voulu pour sa tombe qu'une simple croix de bois !

Aux yeux de Mme de Pompadour, tous ces bruits étaient des contes qui n'avaient pas le sens commun et ne méritaient que son mépris : « Ces faiseurs de nouvelles seraient bien attrapés s'ils savaient que je les méprise souverainement et qu'ils ne me font pas la plus légère peine » (lettre à son frère, 18 janvier 1751). En fait, elle n'en aurait rien dit si ces attaques ne l'avaient pas profondément blessée. Elle déclara publiquement à sa toilette que l'aménagement de son nouveau théâtre coûtait 20 000 écus et non pas deux millions comme on le chuchotait : « Je voudrais bien savoir, ajouta-t-elle, si le roi ne peut pas mettre cette somme à son plaisir, et il en est ainsi des maisons qu'il bâtit pour moi ». Cependant, quand Louis XV, deux ans plus tard, eut résolu de diminuer ses dépenses, la marquise voulut elle aussi ménager l'opinion et montrer l'exemple (lettre à Mme de Lutzelbourg, 3 janvier 1751).

Elle lisait attentivement les ouvrages à clé où elle croyait pouvoir se reconnaître : *le Voyage d'Amathonte,* de Rességuier, des traductions de l'anglais dont les manuscrits lui parvinrent. « Dans *Rosemonde,* écrivit-elle au comte d'Argenson, il n'y a rien qui puisse m'être appliqué, mais dans *Jane Shore,* peut-être l'entrevue du roi au bal de la Cour pourrait y faire penser un moment ». Elle assistait à la naissance de sa propre légende.

Louis XV et Mme de Pompadour réagirent avec colère et indignation, le roi aux offenses adressées à sa maîtresse, la marquise aux traits qui, à travers elle, visaient le monarque et bafouaient la majesté royale. Jeanne-Antoinette voulait être aimée ; or elle se montra dure, vindicative et d'autant plus féroce qu'elle savait sa position contestable et sa faveur précaire. Bien qu'elle aimât peu le comte d'Argenson, chargé de la police parisienne en 1749, elle dut recourir à lui et à son réseau d'espionnage. Elle prenait une part personnelle aux poursuites et quatre-vingt-cinq billets de sa main sont conservés dans les archives de la famille d'Argenson. De son côté, Montmartel, comme garde du Trésor, rétribuait les détectives sur le pied de 250 livres par mois.

Mme de Pompadour laissa s'exercer contre les coupables des châtiments rigoureux. Les audacieux rédacteurs et maîtres chanteurs qui avaient simulé et dénoncé un complot contre le roi ou la favorite dans l'espoir d'une gratification, furent incarcérés à Vincennes et à la Bastille, dont Baile, cousin de la marquise, était le gouverneur ; d'autres furent écroués au Mont Saint-Michel, au Château d'If, à Maestricht et à Charlemont. Ce furent Desforges, d'Allègre, Danry dit Masers de Latude, d'Houteville du Tertre, le marquis Bertin de Frateaux, le cordelier Guillaume Cazes. Rességuier, qui avait traité la marquise de « sangsue », dut à sa qualité de chevalier de Malte un simple séjour d'un an et un jour à la prison de Pierre-Encise : Jeanne-Antoinette avait été personnellement sollicitée pour une mesure de clémence.

Elle supportait particulièrement mal les allusions outrageantes à sa mère. Le président de Lévi, en vacances de Pâques à Utrecht avec son neveu, découvrit en flânant chez un libraire un opuscule intitulé *Melotta Ossonpi, histoire africaine.* Rentré à son hôtel, il s'aperçut en le lisant que l'histoire de cette prostituée noire était celle de Mme Poisson et que le nom de l'héroïne était l'anagramme de La Motte-Poisson. M. de Lévi, homme d'esprit, écrivait à ses heures. A Utrecht, il comptait rendre visite à la baronne Belle de Zuylen, dont le salon littéraire connaissait une célébrité européenne ; mais l'occasion d'être utile à une autre femme, aussi séduisante et généreuse, modifia ses projets. Il écrivit donc à Mme de Pompadour une lettre flatteuse, espérant être chargé de l'enquête et récompensé.

C'était ignorer que le comte d'Argenson disposait d'agents spécialisés. Le ministre confia l'affaire à Caron, subdélégué de Senlis (nous dirions sous-préfet) et au Gascon d'Alfonse, de son vrai nom Dagès-Desouchard. Notre ambassadeur à La Haye, M. de Bonnac, et nos chargés d'affaires, Chiquet et Durand, étaient dans le secret. D'Alphonse loua une habitation à Amsterdam, en paya le loyer d'avance et tint avec son épouse un certain état de maison. Il aborda prudemment le milieu interlope de l'édition clandestine, qui groupait des Hollandais et surtout des protestants français, exilés depuis les persécutions du règne de Louis XIV : Claude-François Jolly, Marc-Michel Rey, Châtelain, Le Blanc, Desprez, Rousset, Mme Léger...

Au terme de ces recherches, les soupçons tombèrent sur deux hommes de plume nommés Meusnier de Querlon et La Roche-Gérault. Pendant que des perquisitions avaient lieu sans succès au domicile parisien du premier rue Saint-Jacques, à Amsterdam les époux d'Alphonse prirent sous leur protection et firent parler la jeune amie du second. C'était Marie-Charlotte Huguenin, originaire du canton de Berne. Elle était enceinte et livra pour le prix d'une layette une malle de manuscrits suspects. Interrogée par la justice, elle désigna La Roche-Gérault comme leur auteur et celui de *Melotta Ossonpi*. Deux cents exemplaires constituant le tirage entier de cette brochure diffamatoire furent cédés par le libraire Nicolas Muntendam et brûlés dans sa propre cheminée.

Cependant, les autorités hollandaises, respectueuses des libertés, ne livrèrent La Roche-Gérault à la police de Louis XV que sur promesse de sa vie sauve. Mme de Pompadour remercia M. de Bonnac, qui avait négocié cette extradition : « Le respect que les Etats Généraux ont marqué au roi en vous remettant le coupable est en effet un exemple rare et qui vous fait beaucoup d'honneur. J'espère qu'il arrêtera un peu les plumes empoisonnées des habitants de ce pays » — *ce pays* désigne la Cour. La Roche-Gérault passa trente ans dans les geôles françaises. Marie-Charlotte Huguenin fut admise chez les Nouvelles Catholiques de la rue Sainte-Anne. Nous ignorons quels furent son destin et celui de son enfant.

Pour sonder l'opinion publique, ce monstre insaisissable, Louis XV se croyait permis de violer le secret de la poste. Chaque semaine venaient lui rendre compte Berryer, le lieutenant de police et Janel, intendant général des Postes, dont six commis décachetaient adroitement les lettres dans un bureau secret. Même à l'égard de la marquise, Louis XV restait d'une discrétion impénétrable. Il était très sensible aux propos hasardés contre lui. A la différence de Louis XIV, il aimait mieux être chéri qu'adulé. Toute attaque lui causait un chagrin profond et des remords cuisants. Il craignait d'avoir perdu par ses péchés l'amour de ses sujets, de mériter par son ingratitude le châtiment du Ciel, lui sur qui s'étaient répandues tant de grâces miraculeuses. Quand il lut le pamphlet *Réveillez-vous, mânes de Ravaillac,* « Je vois bien que je mourrai comme Henri IV », soupira-t-il tristement.

A la Cour, les oisifs animés d'une volonté de nuire examinaient la favorite avec autant de curiosité qu'un petit animal nouvellement arrivé dans la Ménagerie royale ; ils observaient jour après jour l'évolution de l'aventure amoureuse : le moindre nuage assombrissant l'humeur des amants, un froid, une bouderie dans un carrosse, un regard de reproche à une table de jeu, un compliment prononcé en public, une caresse furtive derrière un paravant ; la moindre fatigue, la pâleur, les traits tirés à la messe du matin, tout était commenté sans indulgence. Dès mars 1748, le dénigrant marquis d'Argenson trouvait à Mme de Pompadour « la mine du monde la plus défaite et malsaine. Elle maigrit et vient à rien ». L'année suivante, elle changeait chaque jour « jusqu'à devenir un squelette ; de gorge, ne parlons pas ».

Lorsque des vers allusifs révélèrent à tout le royaume la leucorrhée dont elle souffrait, Jeanne-Antoinette n'hésita pas sur l'identité de l'indiscret : M. de Maurepas, ministre de la Marine et de la Maison du roi, familier du cercle de la reine. S'il n'était pas lui-même l'auteur de cette chanson, il n'avait pas su reconnaître et arrêter le coupable. M. Berryer, passant un jour dans la Galerie des glaces, fut pris à partie par quelques courtisans qui lui demandèrent quand il ferait cesser cette infâme campagne contre le roi et la marquise. M. d'Argenson, son prédécesseur, aurait su l'étouffer depuis longtemps : « Je connais Paris autant qu'on le puisse connaître, répondit Berryer, mais je ne connais point Versailles. »

Au début d'avril 1749, Mme de Pompadour rendit visite à M. de Maurepas en compagnie de Mme d'Estrades :

« Quand saurez-vous donc, lui dit-elle, les auteurs des chansons ?

— Quand je le saurai, Madame, je le dirai au roi.

— Vous faîtes, Monsieur, peu de cas des maîtresses du roi !

— Je les ai toujours respectées, de quelque espèce qu'elles soient. »

Le soir même, à souper chez la maréchale de Villars, Maurepas raconta cette visite devant plus de trente personnes, maîtres et valets, et se vanta de porter malheur à la marquise, comme il l'avait fait à Mme de Châteauroux. « On sait que je l'ai empoisonnée », ajouta-t-il. A un autre repas, chez la maréchale de Duras, il récita les couplets d'une chanson inédite contre le roi et la marquise ; tout laissait à supposer qu'il en était l'auteur et confirmait les soupçons que Jeanne-Antoinette portait depuis longtemps sur lui. Des bruits divers couraient sur ce personnage brillant mais étrange, homme impuissant peut-être, psychopathe assurément. Ce causeur si applaudi avait pu être entraîné par sa propre verve et glisser malgré lui de la raillerie à la satire.

Mme de Pompadour vivait alors dans la terreur, craignait d'être empoisonnée, portait sur elle du contrepoison, faisait coucher son médecin dans son antichambre, surveiller ses cuisines, ne buvait de limonade que servie par les siens. De son côté, Maurepas perçut, sans en comprendre les raisons, l'inquiétude de la marquise. Le 27 avril, en présence de Mme de La Ferté-Imbault, il parla de l'orage imminent qui allait la frapper. Il croyait à la disgrâce de la favorite et ne voyait pas que les signes prémonitoires étaient ceux de sa propre chute. Le lendemain soir, Mme de Pompadour eut chez elle avec le roi un entretien animé dont Mme de Coigny fut témoin ; Louis XV s'était mis à siffler, ce qu'il ne se permettait de faire que quand il était énervé. Dès le lendemain matin, Maurepas reçut la lettre de cachet qui mettait fin à ses fonctions et l'éloignait de Versailles ; elle était de la main du roi et particulièrement brutale : « Je vous avais promis que je vous avertirais. Je vous tiens parole. Vos services ne me conviennent plus. Vous donnerez votre démission à M. de Saint-Florentin. Vous irez à Bourges. Pontchartrain est trop près. Je vous donne le reste de la semaine pour partir. Vous ne verrez que votre famille. Ne me faites pas de réponse. »

La cour fut consternée. Le dauphin pleura. La reine fut dans une affliction profonde qu'elle s'efforça prudemment de cacher. Le cardinal de La Rochefoucauld, archevêque de Bourges, reçut la permission d'y conduire l'exilé. De Rome, le duc de Nivernais, ami de la marquise, intercéda auprès d'elle pour Mme de Maurepas, sa belle-sœur, qui souhaitait suivre à Paris un traitement médical ; mais elle lui répondit : « Je suis bien fâchée de ne pouvoir vous rendre service à cette occasion, comme je l'ai fait dans d'autres ». Sa vengeance fut inexorable. Elle refusa au ministre disgrâcié de se rapprocher de la Cour en acceptant l'hospitalité que lui offrait M. de Saint-Florentin à Châteauneuf. Ainsi fut écarté, au regret de Louis XV, un seigneur de vieille race qui avait été secrétaire d'Etat dès l'âge de dix-sept ans. Ce ministre, excellent sous des dehors frivoles, avait relevé les arsenaux et les ports, soutenu en terre lointaine les entreprises de la compagnie des Indes et l'enquête scientifique des géographes. Mais il avait eu l'imprudence de déplaire au roi en manquant de respect à sa maîtresse.

Après la chute de Maurepas, la crainte d'être empoisonnée tourmenta la marquise encore de longs mois. En avril 1749, elle reçut un paquet qui lui parut suspect et pria Quesnay de l'ouvrir. Le docteur n'y trouva rien de dangereux ; il s'agissait d'un attentat simulé ; son auteur, Danry dit Latude, garçon chirurgien qui comptait faire fortune en le dénonçant, se présenta naïvement et fut arrêté par le maître d'hôtel, Gourbillon. Il devait s'évader à deux reprises de ses prisons, avant d'être libéré en 1789 par les soins du petit-fils de Quesnay.

En mars 1750, un faux prêtre, semble-t-il, se présenta chez la marquise en son absence, pour offrir à ses gens une mystérieuse potion ; mais Manon, la servante, était sur ses gardes. Dès son retour, Mme de Pompadour écrivit au comte d'Argenson, dans ce style clair et spontané qui lui est habituel : « Il vient d'arriver un prêtre ici, Monsieur le comte, qui a demandé ma fille de garde-robe. Il lui a donné une bouteille, disant qu'il s'intéressait à ma santé, que c'était une chose excellente et qu'il fallait qu'elle m'en fît servir sans me le dire. Elle a eu la bêtise de refuser ; il lui a offert dix mille livres, elle n'en a pas voulu davantage. Quand il a vu son obstination, il lui a demandé le secret et s'en est allé. Ceci vient de se passer tout à l'heure ; je le crois parti, mais au cas où il ne le soit pas, il faudrait avoir quelqu'un d'entendu qui allât dans toutes les auberges de Versailles. Manon le désignerait à merveille malgré la peur qu'elle a eue ».

Tant qu'elle subjuguait le cœur de Louis XV, Mme de Pompadour n'avait à craindre ni le poison, ni les ministres, ni l'opinion publique, ni la famille, ni les prêtres vrais ou faux. Le danger venait du roi lui-même : avec le temps, l'amour pouvait se lasser, s'affaiblir ou s'éteindre ; la passion était menacée par l'habitude ; Tristan et Iseult ne deviendraient jamais Philémon et Baucis. Jeanne-Antoinette était tout entière à la merci du maître. Elle connaissait sa conduite habituelle à l'égard de ses favorites comme de ses ministres : il continuait à leur donner des marques de faveur, alors même qu'il avait décidé de se séparer d'eux. Un jour, brusquement, il rompait sans préavis.

Elle risquait d'être trahie par son propre corps. Elle était trop sensible, nerveuse et réfléchie : « Je ne sens que trop quel est le malheur d'avoir une âme sensible », écrivait-elle à Mme de Lutzelbourg (5 décembre 1751). Les émotions, qu'elle essayait pourtant d'éviter, retentissaient longuement en elle. Elle frissonna plusieurs jours en songeant qu'un inconnu avait pu s'introduire par erreur dans la chambre du roi ; c'était un honnête cuisinier qui cherchait son ami, le maître d'hôtel Beccaria. Pendant une chasse au chevreuil à Compiègne, le roi fit une chute spectaculaire mais sans gravité, son cheval ayant mis le pied dans un terrier : « Vous jugez bien, écrivit-elle le lendemain à son frère, que ma tête n'est pas en bon état du saisissement que j'ai eu » (6 août 1751).

L'effroi fut grand la nuit où Louis XV eut une syncope dans le lit de Jeanne-Antoinette, qu'il avait rejointe trop tôt après un trop copieux souper. Elle alla, en déshabillé de nuit, réveiller Mme du Hausset, qui s'en fut chercher Quesnay. Le docteur ranima le roi avec des *gouttes de la générale La Motte*, médicament dont la publicité paraissait alors dans les gazettes. Tranquillisé, Quesnay raccompagna le roi dans sa chambre de l'appartement

intérieur. Louis XV n'avait pas quarante ans ; le docteur savait
qu'une telle crise aurait été fatale à un homme de soixante. Manon
s'était levée pour faire du thé ; on lui fit croire qu'il s'était agi
d'un malaise de Madame et le plus grand silence entoura cet événement, qui fit longtemps frémir après coup la marquise et sa
première femme de chambre.

Mme de Pompadour était sujette à des migraines inguérissables
qu'elle sentait monter le matin, parfois plusieurs jours à l'avance,
et ne parvenait pas à vaincre, même quand des circonstances im-
périeuses l'exigeaient. Dès le premier Fontainebleau, elle fut fâchée de ne pouvoir se rendre au sermon chez la reine et pria la
duchesse de Luynes de donner pour elle un louis à la quête. Le
roi se leva de table pour venir auprès d'elle et envoya l'un après
l'autre MM. de Meuse et de Soubise lui tenir compagnie. Le
22 mars 1747, le duc de Chartres, le maréchal de Saxe et plusieurs
courtisans attendirent vainement son lever : à deux heures, Gourbillon vint leur dire qu'elle était incommodée et gardait le lit.
Huit jours plus tard, le souper ne put avoir lieu dans les petits
cabinets ; la marquise avait la migraine ; le roi soupa chez elle
avec deux ou trois amis. Le samedi 16 mars 1748, elle dut renoncer à jouer *le Méchant* et *le Fat puni* : le mal de tête installé au
réveil ne fit qu'augmenter jusqu'au soir ; elle dut s'aliter et dé-
commander le spectacle. Une migraine qu'elle traînait depuis trois
jours ne l'empêcha pas de jouer *le Prince de Noisy*, le plus difficile de ses rôles, mais fut aggravée par l'effort (lettre à son frère,
26 avril 1750). A la Muette, en janvier 1753, elle sortit de table
atteinte de névralgies ; les membres de la famille royale vinrent
tout à tour prendre de ses nouvelles.

Sa coqueluche de Poissy lui avait laissé les bronches fragiles.
Le moindre courant d'air, comme dans le redoutable salon de
Marly, lui donnait des rhumes, des maux de gorge, des fièvres
que les saignées au pied ne soulageaient guère. Le lundi 27 octobre 1747, le retour de Choisy à Versailles fut retardé par l'une de
ces maladies. Le 22 mars 1748, bien qu'enrouée, elle joua *Zénéide*,
mais ne put chanter *Erigone* et se fit remplacer : « Madame de
Pompadour a eu la fièvre hier et a été saignée, écrivit la reine à
Mme de Luynes ; cela m'a fait une peur horrible dont j'avoue que
la charité n'a pas été tout le motif ; mais cela allait mieux au
soir et l'on disait seulement qu'il n'y aurait pas de voyage de

Crécy ». Cette lettre témoigne des sentiments étrangement affectueux qui attiraient la reine vers sa rivale.

Les ennuis gynécologiques de Mme de Pompadour, que Maurepas avait cyniquement divulgués, n'étaient que trop réels. Gros-
sesses et fausses couches, accidentelles ou non, étaient pour elles
également périlleuses. Entre avril 1746 et avril 1749, circulèrent
à trois reprises des bruits d'autant plus incertains qu'elle était mal
réglée. A Choisy, le 27 avril 1746, alors qu'on la croyait enceinte,
elle accompagna le roi à la chasse au faucon.

« Ma santé est assez bonne, écrivit-elle au comte de Clermont
le 16 octobre 1747, j'ai pris des eaux ces deux derniers jours pour
une bile affreuse que j'avais, causée par l'attente d'un moment qui
s'approche de jour en jour et que ma mort certaine ne me ferait
pas reculer, quand il sera nécessaire pour la gloire de celui à qui
je suis attachée ». Lors de la fausse couche qu'elle fit au carême
de 1749, le roi ne la quitta pas et redoubla d'attentions.

La Faculté, qui avait poussé le jeune Louis XV dans les bras
de maîtresses soigneusement choisies, lui conseilla de délaisser le
lit de la marquise. De son côté, Jeanne-Antoinette dut s'avouer
qu'elle remplissait mal l'essentiel de ce qu'elle-même considérait
comme sa charge. Elle était naturellement froide et voyait avec
mélancolie se transformer une relation où son cœur était plus
engagé que ses sens. Elle confia un jour en pleurant à Mme de
Brancas que le roi avait passé la moitié d'une nuit sur son canapé, sous prétexte qu'il faisait chaud. Elle fit de pathétiques tenta-
tives pour forcer sa nature. Elle imagina de suivre un régime
qu'elle croyait approprié : potages au céléri, truffes, chocolat va-
nillé et ambré, tel que le confiseur Fillon le fabriquait dans l'enclos Saint-Germain-des-Prés et le faisait connaître par annonces.
Mme de Brancas, alertée par Nicole du Hausset, s'en inquiéta,
jeta dans la cheminée un flacon d'elixir aphrodisiaque. Elle rai-
sonna son amie et lui fit comprendre qu'elle pouvait s'attacher le
cœur du roi par des moyens plus rares : sa tendresse, sa douceur
étaient ses plus sûrs atouts et l'habitude deviendrait son alliée.

Jeanne-Antoinette demanda une consultation à Quesnay. Le
docteur devina ce qu'elle n'osait lui dire qu'à demi-mots. Il calma
son angoisse en lui prescrivant le repos, l'exercice et le grand air,
ces règles d'une médecine naturelle qui commençaient à s'imposer aux hommes de science. Elle s'en trouva bien quelque temps.

mais les causes profondes de l'échec, dont elle se croyait seule responsable, n'avaient pas été envisagées : elles étaient sans remède.

Mme de Pompadour luttait visiblement pour maintenir sa position. Elle disait que sa vie était un combat perpétuel. Sa plus grande crainte était d'être supplantée par une autre. Des dames de la Cour, auxquelles ne se mêlaient plus les robines comme sous Louis XIV, elle n'avait guère à supporter que l'insolence. Elle osait espérer que Louis XV ne se laisserait entraîner dans aucune des cabales qui lancèrent successivement à l'assaut de sa personne des prétendantes de la haute noblesse, certaines malgré elles. La vertueuse Mme de Périgord, pour échapper au péril, se retira dans ses terres, d'où plus tard le roi la rappela pour la placer dans la Maison de ses filles. En 1747, Jeanne-Antoinette réussit à déjouer les intrigues qui lui opposèrent la princesse de Rohan, fille de la comtesse de Montauban, la comtesse de La Marck, sœur du duc d'Ayen, et la princesse de Robecq, fille de M. de Luxembourg, de la maison de Montmorency : tant il était insupportable que la fonction de maîtresse royale fût remplie par une bourgeoise ! Les meilleures amies de Jeanne-Antoinette, à commencer par ses *petits chats* d'Etiolles, pouvaient la trahir. Mme d'Amblimont reçut du roi quelques avances qu'elle fit semblant de ne pas remarquer ; mais Mme d'Esparbès n'aurait pas repoussé la chance. Chacun fut étonné de voir la marquise prêter sa maison de Brimborion à M. de Forcalquier, dont la femme était des plus belles.

Les dames de Paris, ses semblables, étaient pour elle des concurrentes non moins dangereuses. Lors du carnaval de 1749, Louis XV se rendit seul au bal masqué du Petit Ecu ; les courtisans se mirent à jaser et le lendemain elle y accompagna le roi. En 1751, le dimanche précédant Noël, dans la Galerie des glaces illuminée, les gradins étaient à moitié vides : Mme de Pompadour avait écrémé la liste des invitées, réduites à cent quarante-deux dames de la Cour ; mais l'éclairage excessif projetait des ombres trop fortes et vieillissait les visages, n'épargnant pas le sien. La bise qui fouettait les façades éteignit les lampions ; la fête fut sinistre.

Pour garder le cœur du roi, il fallait à Jeanne-Antoinette s'assurer à tout prix sa présence, ses visites impromptues, sa conversation. Dès le début de son long séjour à Versailles, Madame Infante accapara son père ; la marquise en prit ombrage et se plaignit de ne le voir presque plus. Il descendait dans l'appartement que la comtesse de Toulouse, veuve d'un fils légitimé de Louis XIV, avait mis à la disposition de Madame Infante ; la comtesse elle-même logeait en ville près de la paroisse et ne venait au château que les soirs de *grand couvert,* pour recevoir les visites du roi en attendant que la marquise, dans son attique, eût fini de souper. Madame Infante, qui s'amusait peu dans le cercle de la reine, retenait son père par de longues conversations ; ils s'entretenaient de mathématiques et de géométrie, comme en témoignent les instruments qu'il lui offrit. Le roi appréciait son esprit et elle réussit à retarder son départ pour Parme, où l'attendaient des palais délabrés et une vie monotone. Louis XV fit envoyer des meubles à l'Infant-duc pour calmer son impatience. Il choyait sa fille aînée, et la sachant démunie, la comblait de présents. « Madame Infante a tant de raisons pour aimer le roi », écrivait Mme de Pompadour à son frère, non sans amertume (16 mars 1750).

A la fin de 1749, il fut question de redistribuer les deux logements de la comtesse de Toulouse et de ses enfants, le duc et la duchesse de Penthièvre. Ils étaient voisins et situés sous le grand appartement ; le roi y descendait par un escalier dérobé, le même dont se servait Louis XIV pour rendre visite à Mme de Montespan. Mesdames Henriette, Adélaïde et Victoire espéraient obtenir l'un de ces logis pour recevoir elles-mêmes les visites de leur père, qui prenait plaisir à leur compagnie ; il avait l'habitude, depuis quelques mois, de les faire monter dans ses petits cabinets, en robes sans panier, le soir après souper. Mesdames cadettes aussi devaient être logées.

Jeanne-Antoinette prit les devants et dès la fin de 1749, se fit attribuer l'appartement Penthièvre. Elle écrivit à Mme de Lutzelbourg « Le roi m'a donné le logement de M. et Mme de Penthièvre, qui me sera très commode. Ils passent dans celui de Mme la comtesse de Toulouse, qui en garde une petite partie pour venir voir le roi le soir. Ils sont tous très contents et moi aussi ». Elle l'avait en réalité obtenu de haute lutte contre Mesdames. La reine, en l'occurrence, l'aurait appuyée. Les princesses se résignèrent. « Que la marquise loge en haut ou en bas, dit

Mme Henriette, le roi mon père n'ira pas moins ; il faut autant qu'il descende pour remonter que de monter pour redescendre ; tandis que moi, Dame de France, je ne puis loger en haut dans les Cabinets ». Le bruit courait que les ministres iraient travailler chez Mme de Pompadour avec le roi, comme ceux de Louis XIV chez Mme de Maintenon.

Après quatre ans, la liaison traversait des passages à vide et l'harmonie manquait parfois entre les amants. Fêtes, spectacles, voyages servaient à dissiper la mélancolie du roi, l'anxiété de la marquise. Le divertissement qu'elle organisa au château de La Celle, le 1ᵉʳ septembre 1748, ne fut qu'apparemment réussi. Pour lui en réserver la surprise, dès l'arrivée elle pria le roi de ne pas descendre dans le petit bois. Vers la fin du souper, devant tous les ministres qu'elle avait conviés pour dix heures, elle se leva de table et chanta des couplets à la louange de Louis XV. Puis elle l'entraîna dans les bosquets, où étaient préparés à la lueur des lanternes un orchestre, un théâtre et une salle de bal. Après les chants et les danses de petits enfants habillés en pierrots, le roi reçut un compliment et prit un domino ; mais à aucun moment, il n'avait participé à la fête ; il était de mauvaise humeur et resta masqué au bal sans danser jusqu'à trois heures et demie du matin. Le lendemain, la reine, qui en fut informée, désapprouva son attitude et plaignit la marquise.

Mme de Pompadour était à la dévotion du roi. Des forces mystérieuses la maintenaient fraîche et belle. Louis XV ne savait pas ménager la fatigue de son entourage ; il fallait marcher avec lui ; il épuisait les personnes comme il crevait les chevaux et les chiens, ce que Lansmatte, son fidèle piqueur, osa lui reprocher. Jeanne-Antoinette écrivit à son amie alsacienne : « La vie que je mène est terrible, à peine ai-je une minute à moi ; répétitions et représentations, et deux fois par semaine ; voyages continuels ». Dès la fin de 1748, elle renonça à la chasse « pour se donner le temps de penser ». Les heures qu'elle consacrait à sa correspondance étaient parfois dérobées au sommeil : « Bonsoir, mon cher père, écrivit-elle en octobre 1752, je suis excédée de visites, d'écriture ; j'ai cependant bien encore une soixantaine de lettres à écrire. »

En juin 1750, elle se sépara de sa fille, la fit entrer au couvent de l'Assomption à Paris. Alexandrine était encore bien petite, elle n'avait pas six ans ; mais sa gouvernante, la bonne Mme Dornoy, déjà atteinte du mal dont elle devait mourir, y entra avec elle et une sous-gouvernante qu'elle avait formée à Versailles, Mlle de La Forge. La marquise ne pouvait offrir le calme et l'attention nécessaires à un enfant. Sa vie personnelle était tout entière absorbée par le service du Maître.

Le succès même de son théâtre la conduisit à élargir imprudemment l'intimité royale. Dès 1748, les chasses seules ne conduisaient plus aux soupers dans les petits cabinets : une cour assidue faite à la marquise y donnait accès et les comédiens y venaient comme de droit. Le nombre des convives passa de dix-huit en novembre 1747 à vingt-quatre quelques mois plus tard. A la fin de l'année suivante, après *Ragonde*, une table longue comme celle d'un réfectoire admit trente-quatre couverts. La foule des favorisés augmentait comme une boule de neige ; le trop-plein allait souper à côté dans l'appartement de la marquise. Les invités atteignirent la soixantaine en 1749. Dans ce tourbillon qui s'accélérait autour d'elle, peut-être Jeanne-Antoinette oubliait-elle que le roi redoutait la cohue, avait horreur des nouveaux visages, n'aimait pas s'adresser à des inconnus.

Pour éviter l'engourdissement de la passion, renouveler le charme et diversifier les plaisirs, Mme de Pompadour trouva de nouvelles sources d'enchantements qui relayèrent son activité théâtrale : elle multiplia les voyages et les séjours dans ses propres résidences, entraînant Louis XV sur les chemins de l'Ile-de-France. « Vous ne doutez pas du plaisir extrême que j'ai de ces voyages, écrivit-elle à son père en 1750, mon seul regret est qu'ils soient si courts, je voudrais y passer ma vie. » A Versailles, cette année-là, les courtisans ne pouvaient presque plus accrocher le roi, tant il se faisait rare ; il ne passa au château que cinquante-deux nuits, l'année suivante soixante-trois. En avril 1752, il s'en absenta chaque semaine du mardi au vendredi ; dans la seconde quinzaine de juin, il changea dix fois de domicile et ne passa que cinq nuits à Versailles. « Nous sommes toujours en chemin » (à Mme de Lutzelbourg, janvier 1749). Deux ans plus tard, la même constatation se chargeait d'une plainte : « Eternellement sur les grands chemins... réellement nous y sommes » (29 septembre 1751). Peut-être essayaient-ils l'un et l'autre d'échapper à eux-mêmes.

5

Dans les jardins d'Armide

« Tout bourgeois veut bâtir comme de grands seigneurs... »
Cette observation de La Fontaine s'était vérifiée depuis les premières années du siècle. Le faste architectural des financiers était
le signe nécessaire de leur puissance et de leur réussite. Chez eux,
le luxe s'exhibait avec plus d'ostentation que dans la noblesse,
mais le goût se manifestait avec moins de conformisme. Ce furent
des hommes de finance, Pierre et Antoine Crozat, Hogguer, Cheni-
zot, Gaudion, Savalette, Bouret, d'Augny, La Borde, Grimod du
Fort qui donnèrent leurs chances aux architectes les plus originaux et les plus novateurs. Chez les Pâris à Bercy, chez Duverney
à Neuilly-sur-Marne, chez son parrain Montmartel à Brunoy,
Jeanne-Antoinette avait assisté aux embellissements des maisons
et des parcs. A Etiolles, où elle était « maîtresse absolue » (Barbier), elle dirigea les transformations financées par son oncle Tournehem. Dès son installation à Versailles, elle le fit nommer directeur général des Bâtiments royaux et la survivance de la charge
fut promise à son propre frère : Vandières, après un long voyage
d'initiation en Italie, succéda effectivement à son oncle, le 18 novembre 1751.

L'activité architecturale était entre Mme de Pompadour et le
roi l'occasion d'entretiens passionnés, fréquents et interminables.
Le goût et la compétence de Louis XV dans ce domaine sont
souvent attestés par ses contemporains, en particulier par des
hommes de l'art. Son Premier architecte depuis 1742, Ange-
Jacques Gabriel, qu'il avait vu dessiner sous les yeux de Gabriel
père, entretenait avec lui des rapports quotidiens et privilégiés ;

Mansart en avait eu de semblables avec Louis XIV, au scandale de la Cour et de Saint-Simon. Louis XV aimait les bâtiments, au point que la guerre de succession d'Autriche ne ralentit pas l'activité de ses chantiers. Quant à la marquise, le prince de Croy l'a vue « se promener un crayon à la main sur ses plans de Crécy ». Les dessins que les architectes lui destinaient étaient contrecollés sur de la soie. Nous conservons un projet aquarellé qui montre la façade et les jardins de son ermitage de Fontainebleau ; plié en quatre, il offre un revers bleu ciel aussi agréable à la vue qu'au toucher.

Avant sa faveur, Mme de Pompadour avait connu un architecte de la Ville de Paris, nommé Destouches, à qui la Ferme générale confia la reconstruction de l'hôtel d'Armenonville, affecté à la direction des Postes. Dès 1746, sur le conseil de Louis XV, un contrôleur des Bâtiments, Jean Cailleteau de Lassurance, fut désigné pour le service de Mme de Pompadour. Il était né dans la profession. Son père, Pierre Cailleteau, avait été l'un des collaborateurs les plus inventifs de Jules Hardouin-Mansart et de Robert de Cotte qui, selon Saint-Simon, l'auraient volontiers tenu sous clé pour exploiter ses talents. C'est Pierre Cailleteau qui avait bâti pour le duc d'Antin le magnifique château de Petit-Bourg, situé face à Etiolles sur l'autre rive de la Seine. Jean de Lassurance, contrôleur de Marly, était assez considéré pour monter habituellement dans les carrosses du roi. Il était académicien depuis 1734 et reçut le cordon de Saint-Michel en 1750, car sous l'influence de Mme de Pompadour l'habitude s'établit d'anoblir des artistes. Des courtisans l'employaient à l'occasion, Mme de Brissac à Mousseaux, à Dampierre peut-être le duc de Luynes, qui l'avait en amitié. Ses rapports directs avec Tournehem et la marquise ont parfois irrité Gabriel.

Pour les jardins, Mme de Pompadour employa plus spécialement un autre contrôleur, Jean-Charles Garnier d'Isle, apparenté au grand Le Nôtre. Elle eut ses propres jardiniers, Jubin, Crosnier, Duchêne. Alors que les sciences de la nature prenaient un nouvel essor, elle développa une curiosité déjà très éveillée chez Louis XV pour les minéraux, les animaux et les végétaux. Parfois, ses cultures et ses plantations précédèrent les réalisations royales.

Dans chacune des résidences monarchiques, à Trianon, à Marly, à La Muette, à Fontainebleau, à Compiègne et à Choisy, Mme de

Pompadour avait son appartement, proche de celui du roi, relié à lui par un couloir ou par un escalier. Partout où il allait, Louis XV était environné des services attachés à sa personne : la Faculté, la Garde, la Chambre, la Bouche. Quand il revenait d'une promenade nocturne, ses quatre pages galopaient en portant le flambeau devant sa voiture qui allait très vite. En tout lieu où il couchait étaient « à l'ordre », en bottes et en uniforme, un gendarme, un chevau-léger, un mousquetaire gris et un mousquetaire noir. Partout se reproduisait en réduction le cérémonial de Versailles.

Pour échapper à l'étiquette et à la malice des observateurs, Jeanne-Antoinette souhaita posséder au voisinage de plusieurs des maisons royales une petite habitation personnelle. Ainsi furent créés les ermitages de Versailles, de Fontainebleau et de Compiègne, où elle fut chez elle et vit le roi dans l'intimité. Hors des villes royales, Louis XV lui offrit ou fit bâtir des maisons de plaisance plus ou moins grandes, Montretout, La Celle, Crécy, Bellevue, dont certaines ne lui appartinrent que peu de temps. Montretout fut remplacé au bout de trois mois : « J'ai abandonné Tretou et j'ai acheté à la place La Celle », écrivit-elle le 26 mai 1748. Ce « Petit château » fut lui-même revendu deux ans plus tard au fermier général Roussel. Elle disposa d'hôtels particuliers, à Versailles celui des Réservoirs, à Paris l'hôtel de Pontchartrain et l'hôtel d'Evreux, plus connu sous le nom de l'Elysée.

Les dépenses entraînées par ces constructions lui étaient amèrement reprochées par le public. Les chiffres chuchotés augmentaient de bouche en bouche. Des préjugés régnaient à ce sujet, selon lesquels les bâtiments royaux engloutissaient des sommes ruineuses pour le pays. Saint-Simon et Voltaire, se référant au règne de Louis XIV, l'ont cru et l'ont fait croire. Pourtant, c'était moins par goût personnel que pour plaire au roi et l'intéresser que Jeanne-Antoinette se lançait dans ces entreprises. Elle disait à ses amis qu'on ne pouvait le captiver vraiment qu'en lui montrant des dessins d'architecture. Selon le marquis d'Argenson, Sa Majesté ne respirait qu'avec des plans et des dessins sur sa table. Jeanne-Antoinette se défendait du reproche d'avidité qui a toujours atteint les favorites royales : « Je suis beaucoup moins riche que je ne l'étais à Paris, écrivit-elle à son père en janvier 1753. Ce que j'ai m'a été donné sans que je l'aie demandé. Les dépenses faites pour mes maisons m'ont beaucoup fâchée. Ç'a été l'amusement du maître ; mais si j'avais désiré des richesses, toutes les dépenses faites m'auraient produit un revenu considérable. Je n'ai jamais rien désiré... »

La dispersion de ses nombreuses résidences imposait à la marquise des déplacements en voiture qui lui étaient tour à tour un plaisir et une fatigue. Ses équipages étaient remisés à Versailles rue de l'Orangerie. Le temps qu'elle passait dans sa berline était consacré au rêve et au repos : elle réservait alors ses forces et n'adressait pas la parole à son médecin, l'attentif et dévoué Dr Quesnay. D'autres voitures transportaient ses serviteurs, vêtus de la livrée jaune de Pompadour. Lors des déplacements rituels de la Cour, elle entendait jouer au départ et au retour les vingt-quatre violons du roi. Pendant les trajets les plus longs, elle partageait en chemin le repas de la reine, qui était suivie de ses « cantines ». Quelques jours avant les départs, Marie Lesczinska autorisait les dames à paraître en « robe de chambre », car les robes d'apparat étaient soigneusement serrées dans les coffres de voyage. Pour les hommes, l'uniforme dans toute résidence autre que Versailles était de couleur verte et galonné d'or. Les plus intimes courtisans avaient imaginé ce costume pour se distinguer des nouveaux venus. Nul n'était admis à le porter sans l'accord de la marquise, qui réglait tout le détail des voyages. Ces déplacements tenaient la Cour en haleine, mais pour Louis XV n'étaient pas une évasion. Ses responsabilités ne le quittaient pas. Partout existait un cabinet du Conseil, où le roi se consacrait plus tranquillement qu'à Versailles aux tâches du gouvernement. Les ministres venaient plus ou moins nombreux et par roulement.

Choisy était pour Louis XV un lieu propice à ses chasses et à ses amours. Château et jardins, créés pour la Grande Mademoiselle, lui avaient été vendus par les La Vallière en 1739. Le roi en faisait les honneurs comme un simple seigneur et y conduisait ses maîtresses. La reine n'y venait que sur invitation. La terrasse dominait la vallée de la Seine, les allées tracées par Le Nôtre fuyaient vers des paysages lointains. Au-delà de Villeneuve-Saint-Georges, s'étendait la forêt de Sénart, chargée de douces émotions. Jeanne-Antoinette vint à Choisy quatre jours après sa présentation à la Cour et s'y sentit un peu chez elle, à quelques lieues de ses propres fiefs. L'appartement des favorites, tapissé de la moire rayée blanche et bleue qu'avait choisie Mme de Mailly, était situé dans les combles, près de la bibliothèque de prêt. Au printemps de 1746, le roi étant parti pour les armées, la marquise descendit au premier étage et fit enlever le lit d'une chambre pour en faire un salon ; mais cette seconde installation n'était pas définitive, car des travaux importants transformèrent bientôt la noble habitation en maison royale.

Choisy était réservé à l'intimité, au travail et au délassement. Il y régnait une relative liberté. Lors du premier séjour de Jeanne-Antoinette, Stanislas Lesczinski fit une apparition intempestive. Comme chaque année, il avait quitté la Cour de Lunéville pour celle de France. Il rendait visite à sa fille et lui donnait des conseils que la prudence de Marie Lesczinska rendait inutiles. Quand il arriva, Jeanne-Antoinette était assise à une table de quadrille dans la chambre du roi, où venait d'être placé un « meuble » en gros de Tours blanc avec des découpures et des nœuds d'un dessin fort agréable. Elle portait ce jour-là un costume de chasse qui mettait en valeur la finesse de sa taille. Louis XV fut déconcerté et ne mit aucun empressement dans son accueil ; il traitait avec désinvolture celui qui devait léguer à la France le duché de Lorraine, au point que le bon Stanislas finit par dire à sa fille : « Quand donc apprendrez-vous à vivre à mon gendre ? »

A Choisy, Louis XV travaillait avec M. de Saint-Florentin. Dans les jardins, il maniait la serpe en compagnie du duc de Croy. A table, il était servi par le gouverneur du château, son ami le comte de Coigny, que remplaça M. de Champcenetz. Le cuisinier était le fameux Moustiers. Les soupers comprenaient deux potages, huit hors-d'œuvre, quatre grandes entrées et quatre moyennes, huit plats de rôtis, quatre salades, douze à seize entremets, froids ou chauds ; en tout quarante-huit plats, parmi lesquels Jeanne-Antoinette choisissait à la mesure de son appétit léger : probablement la chiffonnade plutôt que le gendarme aux gros oignons, les petits pâtés à la balaquine de préférence à la ciboulette de gibier à l'espagnole.

Lors du second mariage du dauphin, le roi souhaita être entouré à Choisy d'un grand nombre de dames. Il convia les épouses, filles et sœurs de ses grands et petits officiers, auxquelles il fit ajouter d'anciennes dames du palais, la maréchale de Villars, Mmes d'Egmont et de Luxembourg. Mme de Pompadour voulut faire inviter Mme de Baschi, sa belle-sœur, sans qu'on sût à quel titre elle pouvait l'être. Louis XV en était embarrassé. Jeanne-Antoinette dit alors avec espièglerie au duc de Gesvres qu'elle-même pouvait être comptée parmi les grands officiers. Le roi ajouta sur la liste le nom de Mme de Baschi. Dans la nouvelle galerie blanche et or, la table fut de quarante-six couverts. La poudre et le fard rehaussaient les visages féminins ; certes, ils sacrifiaient la fraîcheur du printemps, mais prolongeaient la beauté jusqu'au seuil de l'hiver et l'assemblée était ainsi parée d'un éclat intemporel.

Le château de la Grande Mademoiselle rappelait par son plan le Versailles de Louis XIV, par ses élévations le Clagny de Mme de Montespan. Vers la Seine, l'étage noble contenait une galerie centrale, disposée comme la Galerie des glaces entre deux salons d'angle. Dans l'aile gauche, les tribunes plongeaient sur le vide de la chapelle. Sous l'influence de Mme de Pompadour, plusieurs campagnes de travaux remanièrent cet ancien logis et en agrandirent les belles dépendances.

Le Premier architecte, Ange-Jacques Gabriel, transforma profondément cet édifice qui avait été sous Louis XIV le chef-d'œuvre de son grand-père. L'aile des Seigneurs s'allongea vers le nord, le château doubla d'épaisseur du côté de la cour, ménageant de nouveaux appartements pour le roi et la favorite. L'architecte, harcelé par ses maîtres, travaillait dans l'affolement pour que tout fût prêt au retour de Compiègne. Il écrivit le 28 juin 1754 au marquis de Marigny : « Le roi, à son dernier voyage de Choisy, a ordonné la démolition de tout l'appartement des Bains, de son cabinet du Conseil, petit cabinet particulier, et de tout ce qui est au-dessus jusqu'au comble, pour reconstruire tout à neuf un nouvel appartement pour Madame votre Sœur au rez-de-chaussée... Je fais mes plans actuellement et prierai Dieu après que cela puisse être exécuté pour le retour, et que les entrepreneurs s'arment de courage. »

Au rez-de-chaussée, l'appartement de Mme de Pompadour fut revêtu de lambris décorés par Peyrotte ; dans son petit cabinet, l'artiste représenta sur fond gris de lin des bouquets de fleurs dans des cartels d'ornements ; pour sa chambre, Boucher composa des dessus de portes qui prirent place en 1755. Le 21 août, l'ébéniste Maclard livra une commode de laque à figures et fleurs chinoises, un secrétaire de même vernis noir, une petite table en marqueterie de bois des Indes appelée vide-poche, avec des fleurs et des oiseaux. Le lendemain, Joubert fournit à son tour une autre commode, une table à écrire et une petite table, toutes deux en bois de rose et de violette. Madame Adélaïde reçut des meubles semblables.

En effet, le 17 janvier 1751, les cinq Mesdames de France et huit de leurs dames vinrent à Choisy par la route nouvellement ouverte, sur l'invitation de la marquise. La Cour y vit un signe éclatant de sa réussite auprès de la famille royale et de son pouvoir sur Louis XV. Jeanne-Antoinette avait gagné la reine, mais n'hésitait pas cependant à lui tenir tête à certaines occasions : elle obtint ainsi pour son amie, Mme de Chevreuse, la charge de dame d'honneur en survivance de sa belle-mère, Mme de Luynes. La reine, qui avait montré quelque réticence, eut cinq jours pour obtempérer.

Un peu à l'écart du château, Mme de Pompadour voulut avoir une demeure personnelle à partager avec le roi : Gabriel créa pour elle le petit château de Choisy, dont la disparition est aussi regrettable que celle du grand. C'était un rez-de-chaussée à l'italienne couronné de balustrades. Dans l'appartement de la marquise, l'antichambre et la chambre avaient des *meubles* de damas blanc, vert et cramoisi comme chez le roi. Cabinet et garde-robe étaient décorés de camaïeux verts par Peyrotte.

Dans une salle à manger intime de Choisy, Louis XV et Mme de Pompadour eurent une table volante qui évitait la présence des serviteurs. La baronne d'Oberkirch la décrivit sous Louis XVI, alors qu'elle ne servait plus et que les ressorts en étaient rouillés : « Elle était placée dans une pièce où nul ne pénétrait que les convives invités par le roi Louis XV. Elle était de douze couverts. Des contrepoids la faisaient sortir du parquet dont elle faisait partie ; le centre s'enfonçait à volonté, de manière à renouveler le service. Un cylindre en cuivre doré formait un tambour dont la bande fixe portait les couverts. Quatre *servantes* mouvantes à volonté apportaient ce que l'on demandait, au signal de la sonnette, et en écrivant son désir. » Cette réalisation était due à l'ingénieur Guérin. Les dessins techniques en sont aujourd'hui dans les réserves du musée Carnavalet. Dans les mêmes appartements, des groupes d'oiseaux peints par Bachelier évoquaient les quatre parties du monde : pour l'Europe un coq, deux canards, un héron, un serpentaire ; pour l'Amérique un perroquet, un ibis, un vautour et un toucan ; pour l'Asie un casoar, une grue couronnée et un toucan ; pour l'Afrique des grues, pintades et spatules. Ces tableaux appartiennent aujourd'hui au Muséum.

Chaque automne ramenait la Cour à Fontainebleau pour un séjour de six à sept semaines. Beaucoup de seigneurs qui ne venaient pas à Versailles saisissaient l'occasion des chasses pour s'approcher du roi. Le château médiéval, profondément transformé par François Iᵉʳ et Henri II, était incommode. La promiscuité y était plus gênante encore qu'à Versailles et l'indiscrétion plus facile. Travers et ridicules se remarquaient d'autant plus que l'étiquette conservait sa rigueur. Le prince de Croy en fit à ses dépens l'expérience : entrant dans la galerie des Réformés, il apprit la mort du prince de Dombes, suivie de la mort subite de son page dans la chambre même du roi. Le ministre de Gênes, M. de Sorba, qui était minuscule, lui offrit un habit noir qui provoqua des sourires ironiques. Il alla chez Mme de Pompadour, où le rire se donna libre cours ; mais elle prit sa défense avec autorité, car « son ton était au-dessus des plaisanteries des courtisans ».

Dans ces espaces inextricables, les architectes Gabriel et Thouroux de Moranzel cherchaient à gagner de la place et se livraient à des percements délicats à travers les murs médiévaux. Lors de son premier séjour, Mme de Pompadour disposa de l'appartement de Mme de Châteauroux, qui avait des fenêtres sur le jardin de Diane et une porte sur la cour ovale. Elle était servie par ses propres gens, avait un chef de premier ordre et donnait au roi de petits soupers, mais excellents. Le dimanche, 23 octobre 1746, elle reçut à sa table le prince Edouard Stuart et le duc d'York. Dès ce moment, elle avait pris pied dans le rez-de-chaussée surélevé qui dominait la cour de la Fontaine, pour y trouver plus d'horizon et de lumière. Son installation y fut définitive deux ans plus tard. Sur la cour, l'actuelle galerie à jour avait ses baies partiellement obturées et vitrées. La chambre de Mme de Pompadour occupait la travée centrale et l'une des travées étroites face à l'étang des Carpes. Sur la cour également, elle avait sa « chaise » et sa garde-robe. Séparés par un long corridor, son salon et ses deux antichambres donnaient sur le jardin de Diane, dans une partie du château qui a été transformée plus tard. Cédant son précédent logement à Mme de Brancas, elle succédait au duc d'Orléans et à la princesse de Conti. Elle était maintenant voisine du roi et de Le Bel, non loin de la salle à manger où étaient exposées la *Halte de chasse* de Carle Van Loo et la *Halte de grenadiers* de Charles Parrocel. Le décor mural était traité dans le style rocaille assagi et reflétait une évolution vers la simplicité. C'était l'époque où Louis XV commençait à se lasser de l'or et fit repeindre son ancienne petite salle à manger, devenue cabinet, en blanc rechampi de vert. Dans le salon de la marquise étaient associés de grands cadres neufs et des compartiments de boiseries anciens ; un trumeau de glace séparait les deux fenêtres. La chambre avait des moulures simples alternant avec des éléments plus ornés : pilastres, trumeaux, encadrement de l'alcôve.

Dès 1746, Mme de Pompadour avait une porte et un perron sur la cour de la Fontaine. Après la campagne de Raucoux, Maurice de Saxe arriva nuitamment à Fontainebleau. Après s'être habillé, négligeant le ministre de la Guerre il alla directement chez la favorite ; le roi, qui soupait chez elle, le retint. Il en sortit à une heure du matin, sans flambeau ni laquais ; mais son jeune aide de camp, Valfons, l'attendait. Il lui donna le bras pour descendre les quelques marches et le raccompagna à son appartement.

Jeanne-Antoinette assista de sa fenêtre, le 15 novembre 1747, à l'un des plus beaux hallalis du règne. Le cerf, qui avait été traqué entre la croix du Grand Maître et celle de Saint-Hérem, courut droit en direction du château. Trouvant fermées les portes du Chenil neuf, il s'engagea dans la chaussée de Maintenon, poursuivi par les deux meutes, fit une boucle dans le Parterre du Tibre et revint se jeter dans l'étang. Les courtisans s'assemblèrent au bruit de la fanfare. Louis XV, venant du Parterre, apparut à cheval dans la cour de la Fontaine. Apercevant Jeanne-Antoinette, il lui adressa quelques mots avant la mise à mort. Il prêta moins d'attention au dauphin et à la dauphine qui observaient le spectacle du premier étage.

Le calendrier des divertissements était minutieusement réglé comme à Versailles. Des concerts avaient lieu chez la reine le lundi et le mercredi. Le dimanche et le vendredi étaient consacrés au jeu. Des spectacles étaient donnés les trois autres jours : la comédie le mardi, la tragédie le jeudi, la comédie italienne le samedi. Des artistes venaient de Paris aux frais des Menus Plaisirs.

Le théâtre était situé dans l'aile de la Belle Cheminée. Le roi aimait à s'y trouver avec Mme de Pompadour, dans les hauteurs de sa loge grillée, d'où la vue plongeait sur celle de la reine. En 1746, Mme de Pompadour étant dans la loge royale aperçut la marquise de La Ferté-Imbault dans celle de la duchesse de Modène, qui l'avait invitée. Après le baisser du rideau et le départ du roi, Jeanne-Antoinette ôta la grille et fit à son amie parisienne des signes affectueux qui étonnèrent la cour.

Après une première audition à l'Opéra de Paris en 1752, le *Devin de village*, paroles et musique de Jean-Jacques Rousseau, parut mériter d'être représenté devant la Cour. Le duc d'Aumont, premier gentilhomme de la Chambre en exercice, était alors préposé aux spectacles et M. de Cury intendant des Menus. Jean-Jacques fut pris en voiture et parvint à Fontainebleau avec Mlle Fel, Grimm et peut-être aussi l'abbé Raynal. Confus, gêné de sa tenue négligée, il fut conduit dans une loge d'avant-scène et vit s'asseoir dans celle d'en face le roi et Mme de Pompadour. L'auteur était impressionné par l'éblouissante assemblée féminine qui emplissait le petit espace de la salle rococo. Jélyotte, Cuvillier fils et Mlle Fel firent triompher l'œuvre pastorale, qui émut le public jusqu'aux larmes : ici vibrait une corde nouvelle de la sensibilité. Sur l'avis de Mme de Pompadour, le roi fit prier Rousseau de paraître en sa présence le lendemain matin ; mais Jean-Jacques se déroba, craignant l'effet de sa timidité maladive et celui de son humiliante infirmité, refusant surtout d'abdiquer son indépendance en acceptant une pension. Diderot l'en blâma. Cependant, le roi continuait de fredonner l'air du devin de la voix la plus fausse de son royaume.

Longtemps, Louis XV et Mme de Pompadour durent emprunter pour se rendre à leur loge un circuit tortueux qui passait par le garde-meuble. En 1755, Gabriel et Moranzel étudièrent un passage direct à partir des Petits cabinets. Tous deux veillaient au confort et à l'entretien des lieux. La chaise volante de Versailles, qui n'était plus utile à la marquise depuis son installation au rez-de-chaussée, fut transférée à Fontainebleau et trouva place dans l'épaisseur des murs ; en septembre 1754, il restait à poser les portes palières et à maroufler des toiles de propreté. Une autre année, Gabriel écrivit à Marigny : « Nous avons fait notre voyage

de Fontainebleau hier, où nous avons séjourné quatre heures.
L'appartement de Madame votre sœur est en bon état. »

Jeanne-Antoinette souhaita posséder à l'écart du château un
pavillon particulier. Un terrain lui fut concédé sur le chemin de
la Croix Saint-Jacques, en direction de Bourron et de Nemours.
Avant même d'en recevoir le brevet, elle appela maçons et jardiniers. Neuf mois plus tard, la maison était habitable et le jardin
planté. Le bâtiment d'habitation existe encore, à peine transformé.
Ce fut à l'origine un pavillon carré aux quatre façades identiques,
construit en moëllon couvert d'enduit. Le rez-de-chaussée, orné
de chaînes de refends, est surmonté d'un étage attique. La balustrade supérieure est interrompue en son milieu par un fronton
arrondi qui était timbré aux armes de la marquise. Les portes ou
fenêtres, au nombre de trois par étage, sont à peine décorées. Sur
la cour se trouvaient à droite une petite antichambre, à gauche
une salle à manger fort jolie. Doublant la salle à manger du côté
du jardin, un cabinet d'assemblée était assez grand pour recevoir
six tables de jeu. Par-delà ce cabinet, un autre plus petit s'éclairait
de deux croisées, l'une sur le jardin, l'autre sur le côté. L'escalier,
fort commode, prenait place entre ce cabinet et l'antichambre.

Sur le premier palier s'ouvraient deux garde-robes en entresol.
En haut, une antichambre éclairée par le toit et chauffée par un
poêle était commune aux deux appartements de Mme de Pompadour et de Mme d'Estrades. Nicole du Hausset disposait d'une
garde-robe. La sculpture décorative, réalisée par Verberckt et Ma-
gnonnais, se concentrait sur les trumeaux de glaces, d'où retom-
baient de légères guirlandes de fleurs.

A gauche de la cour d'honneur s'étendait la basse-cour des
Belles poules, partagée en quatre trapèzes pour chaque espèce de
gallinacées. Une étable abritait deux ou trois vaches. De l'autre
côté de la cour, un espace plus vaste était consacré aux communs :
écurie pour vingt-huit chevaux, remises pour trois voitures, infir-
merie, logements pour porteurs, laquais, cochers, garçons d'office
et de cuisine, garçon d'attelage et postillon.

De part et d'autres de la maison se succédaient, comme des
perles autour d'un cabochon, des cabinets de verdure alternative-
ment ronds et ovales. Chacun d'eux était à peine plus grand
qu'une pièce d'habitation. Sur le grand axe du jardin s'alignaient
un parterre à palmette et un bassin rectangulaire ; au fond, une

vaste demi-lune, idée de Gabriel, s'épanouissait en patte d'oie vers la forêt. Le reste du terrain se partageait entre des bosquets et un jardin potager. Louis XV avait autorisé à prélever sur le domaine royal cinquante mille plants de charmilles et d'ormilles.

Après quelques années, deux ailes basses furent ajoutées de part et d'autre du pavillon et masquées par du treillage. Louis XV s'échappa souvent du château pour rejoindre Jeanne-Antoinette dans cette maison que l'on a appelée l'Ermitage. En septembre 1749, par exemple, il y vint faire la cuisine et souper avec elle. Le 19 septembre 1755, il y mangea des œufs avant d'aller courre avec la petite meute.

Mme de Pompadour n'allait plus guère à la chasse. Pourtant, le costume d'amazone en drap sec, austère et strict lui allait si bien : il faisait triompher sa féminité, laissant deviner la finesse des poignets, soulignant la souplesse de la taille ; elle était à cheval si mince, si ronde, si lisse qu'on l'eût dite « faite au tour », comme l'écrit Croy. Dans *le Prince de Noisy,* elle était, selon le duc de Nivernais, un « délicieux Poinçon », dans *Ragonde* un inoubliable Colin en veste rose. Aussi eut-elle l'idée d'une veste cintrée à la turque, boutonnée aux poignets, moulant la gorge, que l'on appela « négligé à la Pompadour » et dont la mode se répandit.

Interrompus par la guerre, les séjours annuels à Compiègne recommencèrent chaque été à partir de 1748. Le voyage était long et fatiguant. Le 27 juin 1751, arrivée avec le roi à huit heures et demie du matin, Jeanne-Antoinette se reposa au lit avant de prendre un bain. La reine arriva plus tard. Louis XV était gai, comme en vacances.

Il trouvait à Compiègne des bâtiments vétustes qui remontaient pour l'essentiel aux Valois, incommodément assis sur le rempart entre la ville et la forêt. Louis XIV, logé en roi à Versailles, à Fontainebleau en seigneur, disait l'être à Compiègne en paysan ; il chassait dans la forêt et faisait manœuvrer ses armées dans la plaine ; cependant, il n'avait rien entrepris pour le château. Louis XV y fit travailler au temps de ses premières maîtresses et ordonna un projet de reconstruction générale qui exigea vingt ans de réflexions.

Jeanne-Antoinette occupa d'abord un modeste appartement, presque absorbé depuis lors dans des transformations ultérieures.

Le décor en était sobre et discret. Le grand cabinet avait des lambris vert clair rechampis de blanc ; seules étaient dorées les bordures des miroirs et des tableaux. Joubert y livra deux commodes en palissandre à dessus de marbre de Rance et des rideaux cramoisis. L'antichambre servait de salle à manger. Certains locaux de service, cuisines, offices et gobelet, donnèrent lieu à des échanges entre Mme de Pompadour et la reine.

Quand de nouvelles constructions lui cachèrent la plaine et la forêt, la marquise se transporta dans la cour de l'Orangerie, où le prince de Croy, en août 1754, l'estima très bien logée. Ce soir-là, après souper, le roi vint comme à son ordinaire, fit asseoir les convives en grand cercle et badina avec Jeanne-Antoinette. A mi-voix, il lui parlait de M. de Chaulnes, lieutenant général de Picardie, qui était à la veille d'un duel avec l'intendant d'Amiens.

Les familiers appréciaient le séjour rustique et tranquille de Compiègne, que ne fréquentait pas les pétulants colonels, retenus l'été dans les villes de garnison. La reine séjournait chez les Carmélites, où la richesse de son mobilier contrastait avec l'austérité des lieux monastique. Les ministres, qui logeaient en ville, étaient plus disponibles qu'à Versailles. Quelques surprises égayaient la villégiature estivale. En août 1749, M. de Montaran, directeur de la Compagnie des Indes, montra une petite biche du Bengale, destinée à la Ménagerie royale, qui vivait de pain mouillé et de laitue. En 1751, le comédien Grandval, de passage à Compiègne pour affaires, fut retenu par Mme de Pompadour, qui l'invita à jouer devant le roi. Elle fit envoyer en poste chercher des costumes à Paris.

Louis XV et Jeanne-Antoinette se plaisaient à des jeux dignes de Robinson Crusoé. En 1749, le roi fit dresser une petite tente sur un parquet près du Vivier Coras, au bord des mares où le cerf venait parfois se faire prendre. On l'appelait la « maison de bois ». Le jardin, dessiné en étoile par le duc de Chaulnes, était planté de houx. Le roi venait là déjeuner sans étiquette, mais non sans luxe : la vaiselle d'or et de porcelaine, les cafetières d'argent, caves et cabarets précieux s'y déployaient sur des nappes de petite Venise. Carle van Loo, dans la *Halte de chasse* (musée du Louvre) a laissé l'image la plus évocatrice d'un pique-nique royal.

Le même été, entre la route d'Humières et celle des Nymphes, surgit une réalisation aussi étrange qu'éphémère. Autour d'un

kiosque de bois offert par le Grand Turc fut tracé un jardin aux
allées sinueuses et aux détours inattendus, préfiguration des jardins pittoresques de la fin du siècle. Un belvédère était suspendu
dans un arbre, comme il y en eut de princiers à la Renaissance
et de populaires à Robinson. « Votre lettre, écrivit Jeanne-Antoinette à son frère, m'a trouvée dans la forêt de Compiègne, où j'ai
vu l'ermitage encore plus joli que l'année dernière. J'y passe la
moitié de ma vie avec grande satisfaction » (15 juin 1750).

En ville, elle acheta l'hôtel de Mme Le Ferron, dans la rue des
Jésuites, en face du château, avant de faire bâtir son propre pavillon. Il s'éleva dans la plaine en bordure du grand parterre. Rien
ne reste de ce bâtiment à l'italienne qui semble avoir été très joli,
ni du jardin, l'un et l'autre assez semblables à ceux de Fontainebleau.

Louis XV conduisit fréquemment Jeanne-Antoinette au petit
château de la Muette, vieille maison voisine du bois de Boulogne
où il avait des souvenirs d'enfance. Dans le manège, il monta pour
la première fois à cheval, âgé de dix ans, le 8 mai 1720. Après
les exercices d'équitation vinrent les premières chasses dans la forêt voisine. L'adolescent pria dans la chapelle édifiée pour lui par
Robert de Cotte. Jamais Louis XV ne consentit à abattre, pour
le reconstruire en entier, ce château trop petit. Il y ordonna, tantôt sur la cour, tantôt sur le jardin, des modernisations toujours
incomplètes, coûteuses et sans grande unité. Le 8 octobre 1747,
venu avec Jeanne-Antoinette, il lui montra la nouvelle façade sur
la cour. L'architecture était fidèle au style de leur enfance, la
composition centrée sur un dôme « à l'impériale » comme à Petit-
Bourg. Jeanne-Antoinette eut au premier étage un appartement
décoré dans une harmonie de blanc et d'azur. La garde-robe
avait un meuble d'indienne assortie. En août 1748, elle se fit livrer
par Gaudreaux — dont la commode de la chambre royale à Versailles est conservée dans la collection Wallace — une commode
plaquée d'amarante, un secrétaire de bois de violette et satiné.
Pour la garde-robe, des tablettes, c'est-à-dire une étagère suspen-
due, une encoignure, une table de bois de violette à dessus de
brèche d'Arabie. Le 5 janvier 1749, le même ébéniste lui livra
une table à écrire gainée de velours bleu. Le tiroir fermant à clé
renfermait l'écritoire, la boîte à poudre et la boîte à éponges.

Elle dormit fort mal la nuit du 22 janvier 1749, car le duc de

Richelieu, qu'elle avait froissé dans ses prérogatives, dansa au-dessus de sa tête : gaminerie qui lui aliéna pour un moment la confiance de Louis XV. Deux ans plus tard, lors d'un voyage très enjoué, le roi et la marquise inaugurèrent les nouveaux salons sur le jardin. L'appartement rénové se prêtait à des repas de quatre-vingt-cinq couverts. Louis XV était attiré à La Muette par son cabinet d'optique. Le microscope et le télescope de trois pieds et demi avaient été construits pour lui par un Bénédictin rémois nommé Noël.

Le domaine de Marly, inhabité pendant la Régence, avait failli disparaître. Louis XV, héritier d'un lourd patrimoine, décida cependant de le conserver. Dans ce vallon humide et boisé, Jules Hardouin-Mansart, peut-être sans Le Nôtre, avait opéré une éblouissante métamorphose. On aurait dit « une pensée fugitive, un songe réalisé », comme Vigny l'a écrit de Chambord. Pour glorifier Louis XIV, son architecte s'était fait maître de ballet. Le château, de plan carré, se refermait sur un salon central. Douze pavillons réservés aux seigneurs gravitaient comme des satellites autour de l'astre royal. Dans cette architecture inspirée de l'Italie, le relief et l'animation des façades étaient confiés à la peinture décorative ; les toitures se dissimulaient derrière des balustrades. L'ensemble, fragile, clinquant, inadapté à nos climats, ne pouvait subsister sans des soins constants. Chaque hiver, une équipe soulageait les toitures du poids de la neige pour éviter les fuites. Terrasses, cascades et plans d'eau exigeaient la vigilance des fontainiers. Louis XV supprima la Rivière, dont les marbres furent donnés à l'abbé Languet de Gergy pour ses travaux de Saint-Sulpice.

Soucieux de confort, le roi fit entresoler une grande partie du château. Sous l'inspiration de Mme de Pompadour, il crayonna lui-même les plans nécessaires et les remit directement à Lassurance sans en parler à Gabriel. « L'appartement rouge » de Louis XV était au rez-de-chaussée sur le parterre. Jeanne-Antoinette occupait au-dessus de lui trois niveaux. Dès novembre 1746, Anne Desvignes lui livra pour ses tentures six pièces de toile de Perse à ramages et fleurs sur fond blanc. Cette étoffe servit au tapissier Sallior pour lui faire une ottomane à sept coussins de taffetas d'Angleterre ; le bois en était blanc à filets verts. Gaudreaux fournit deux écrans d'amarante massif, tendus de satin blanc à bouquets, et une commode en vernis des Indes. La garniture de cheminée du salon fut livrée par Minel : les chenets représentaient Vertumne et Pomone assis sur un pied à feuillage et balcons. Dans l'entresol, une encoignure de Migeon contenait une chaise d'affaires, ses flacons et ses linges. Quesnay et son domestique eurent des lits en siamoise de Rouen rayée bleue et blanche à bouquets, des fauteuils de paille avec des coussins et des chaises à la reine assorties. Logé au niveau supérieur, le savant pouvait promener ses méditations sur la terrasse.

En mars 1760, Jeanne-Antoinette ordonna quelques transformations. De nouveaux lambris furent posés dans sa chambre et son salon. Elle agrandit aux dépens d'un escalier d'entresol son cabinet de chaise et fit placer une armoire dans sa garde-robe qui contenait trois lits : c'était sans doute aussi la chambre d'Alexandrine et de sa gouvernante. L'enfant vint pour quelques jours à Marly, en 1750 ; sa maman la trouva en bon état, mais fort maigre. Elle y revint l'année suivante après une maladie.

Les séjours à Marly, fréquents en toutes saisons dans l'intervalle des grands voyages, étaient réservés aux familiers. Les diplomates étrangers n'y venaient pas, sauf ceux de la famille, les ambassadeurs de Naples et de Madrid ; mais le roi y tenait Conseil dans un salon voisin de sa chambre. Cependant, l'intimité s'était élargie. Bien que Louis XV eût fait aménager dans les communs dix-huit nouveaux appartements, beaucoup de courtisans logeaient au dehors, les uns dans le bourg de Marly, les autres à Louveciennes chez la comtesse de Toulouse. On les appelait les « polissons ».

Mme de Pompadour avait confié au duc de Luynes qu'elle n'aimait pas le grand salon de Marly. La reine ne s'y plaisait pas non plus. Il était rempli de tables de jeu : tables de quadrille ou de piquet en bois d'amarante, tables de brelan rondes, avec au centre un casier rotatif à huit séparations, tables d'ombre en acajou, comme il en fut livré douze le 31 mars 1753 ; jeux de trictrac, en ébène et en ivoire, dont les pions, dés, cornets, bredouilles et fichets étaient renfermés dans des sacs de peau de mouton violette. Louis XV jouait vite et bien. Ses courtisans jouaient très gros jeu. Le prince de Tingry, après avoir gagné 1 500 livres, en perdit les jours suivants 1 000 puis 1 600. Au lansquenet, les coupeurs ordinaires étaient, avec Mme de Pompadour, Mlle de Sens,

MM. de Luxembourg, de Soubise, de La Vallière et de Livry. En
mai 1749, Jeanne-Antoinette perdit beaucoup. Le roi lui procurait
de quoi s'acquitter. Mais en 1752 et 1753, ayant en Mmes de
Maillebois et de Brancas deux excellentes coéquipières, elle finit
chaque fois l'année avec un gros actif. Elle perdit en 1755, gagna
en 1757, 1758 et 1763.

Dans le salon assez lugubre de Marly, le moraliste Marmontel,
ami de la marquise, a décrit cet aspect affligeant des mœurs de
la Cour : « Là, j'allais voir, autour d'une table de lansquenet, le
tourment des passions concentrées par le respect, l'avide soif de
l'or, l'espérance, la crainte, la douleur de la perte, l'ardeur du
gain, la joie après une main-pleine, le désespoir après un coupe-
gorge se succéder dans l'âme des joueurs sous le masque immobile d'une froide tranquillité. » Jeanne-Antoinette, issue d'un milieu habile à faire fructifier les richesses, répugnait à ce genre de
gâchis. Aussi souvent que possible, elle « polissonnait », allait
d'une table à l'autre, disait un mot à chacun, souriait à ses amis
et observait les autres.

Aux abords mêmes du château de Versailles, un terrain de dix
hectares fut cédé à titre viager par Louis XV à Mme de Pompadour. Pris sur le petit parc, au lieu dit la *Porcherie* et le *Quinconce*, il s'étendait entre la grille du Dragon, la Porte Saint-
Antoine et le chemin de Marly. Pour s'y rendre, Jeanne-Antoinette
utilisait une petite voiture tirée à bras d'homme, sa *vinaigrette*.
Dès la fin de 1748, elle y eut son ermitage. La maison était un
rez-de-chaussée de cinq croisées sur deux. La construction et
l'ameublement ne prirent que deux mois, les plâtres ayant été sé-
chés avec des braseros. Les trois pièces principales étaient, sur
la cour une antichambre servant de salle à manger, sur le jardin
un salon et une chambre-bibliothèque. De ce côté s'approfondis-
sait un parterre à la française. De part et d'autre s'étendaient des
bosquets et des boulingrins. En fond de perspective existait un
jardin dont le Premier architecte s'était personnellement dessaisi
en faveur de la marquise. Là furent aménagés une pièce d'eau, des
serres et des bâtiments à l'usage du jardinier Crosnier. Des potagers bordaient le chemin de Marly sur près de trois cents mètres.
Près de l'habitation, une basse-cour et une vacherie procuraient
à la marquise les plaisirs de la campagne. En 1750, elle fit transporter à grand peine et placer dans son jardin la baignoire de

Louis XIV. C'était une cuve octogonale qui avait été taillée dans un seul bloc de marbre de Rance pour l'appartement des Bains au rez-de-chaussée du château.

Dans ce domaine, Mme de Pompadour élevait des animaux rares et cultivait des fleurs précieuses, plaisir qu'elle faisait partager au roi et à ses hôtes. Après dîner, Louis XV et le prince de Croy parcouraient la serre et la ménagerie. Le prince admirait les jacinthes et la sensitive en fleurs. Un jour d'hiver, il recueillit des graines de « buisson ardent » pour ses propres jardins et s'émerveilla d'un faisan couleur de feu. A l'ermitage, Mme de Pompadour reçut parfois Mesdames pour une collation, les ducs de Fleury, d'Havré et de Chaulnes. « J'y passe la moitié de ma vie, écrivit-elle le 27 janvier 1749... J'y suis seule ou avec le roi et peu de monde : ainsi j'y suis heureuse. »

Telle une fée, Mme de Pompadour réveilla les charmes endormis du Grand Trianon, abandonné depuis la mort de Louis XIV. Comme Marly, ce palais d'été blanc et rose aux colonnes de marbre avait répondu à la secrète prédilection du Grand Roi pour l'art italien. Le couronnement en était alors orné de vases et de figures enfantines ; mais les couvertures de plomb tapies derrière les balustrades étaient inadaptées au climat de l'Ile-de-France. Dans le palais, les cheminées étaient rares. Il fallait être le roi Stanislas, accoutumé aux froids du Nord, pour accepter d'habiter Trianon à l'automne. Mesdames de France n'y venaient que pour des collations estivales.

Le 12 avril 1747, l'oncle Tournehem et ses architectes, Gabriel, Mollet, Lécuyer, constatèrent l'état des lieux. Les dalles de la cour et les marches des perrons étaient soulevées, brisées, disjointes. Il fallut dégager la charpente du péristyle pour s'assurer que les madriers n'en étaient pas pourris à leurs extrémités. Les combles étaient en assez mauvais état, mais il n'était pas question d'envisager la réfection générale de cette plomberie coûteuse. Les architectes estimaient ne pouvoir remplacer le plomb par de l'ardoise « sans nuire à la grâce et à la légèreté de ce palais ». Ils convinrent de répartir les travaux sur plusieurs années en commençant par l'aile de Trianon-sous-Bois. Le 23 mars 1749, dans une armoire fermée depuis la mort de Louis XIV furent découvertes des porcelaines précieuses et une écuelle de vermeil. Cette année-là, des plans de modernisation étaient à l'étude ; le

14 octobre, l'ordre de les exécuter fut signé à Etiolles par Le Normant.

Les appartements, aux lambris anciens, reçurent des meubles neufs. Le palais reprenait vie. Batterie de cuisine, literie et linge de maison furent abondamment renouvelés. Minel livra coquemar, fontaines, saumoniers, bassines à confiture et à caramel. Brillon fournit cent soixante-douze paires de draps, trois cents nappes, deux cent cinquante douzaines de serviettes... Louis XV occupa le dernier appartement de son bisaïeul, dans l'aile droite de la cour d'honneur en venant de Versailles. Il donna à Jeanne-Antoinette un appartement qui communiquait de plain-pied avec le sien et avait été celui de Mme de Maintenon. Au couchant, le cabinet d'assemblée de la marquise, ancien salon des Sources, commandait la longue galerie qui conduit à Trianon-sous-Bois. De l'autre côté, sur le jardin particulier se succédaient le cabinet du Levant, le cabinet des Fleurs et la chambre du Repos. En novembre 1749, Mme de Pompadour reçut pour cette pièce un « meuble » de satin blanc des Indes brodé de soie avec des branchages d'or. Le lit, de bois laqué de blanc à filets verts, était drapé de florence blanc avec des tresses de soie et d'or. Une cheminée de marbre griotte fut posée en février 1751.

A Trianon, l'abondance des fleurs était prodigieuse. Grâce à un million neuf cent mille pots de grès, la décoration des parterres pouvait être renouvelée plusieurs fois par jour. L'intervention d'une femme toute puissante fit fructifier cet héritage et donna une impulsion nouvelle à l'art des jardins. Les intentions de Jeanne-Antoinette furent fidèlement interprétées par les Richard, horticulteurs de père en fils, et le botaniste La Quintinie, auquel succéda Bernard de Jussieu. Les nouveaux tracés s'orientèrent en direction du nord-est vers l'avenue de Saint-Antoine. Selon l'exemple donné par la marquise dans son ermitage personnel, Louis XV voulut ici des poules, des vaches hollandaises, des serres, une ménagerie, un jardin botanique et un jardin fleuriste. Pour le pavillon de la Ménagerie (1750), Gabriel adopta le plan en ailes de moulin qui était à la mode dans toute l'Europe ; ce petit édifice est aujourd'hui plus connu sous le nom de Pavillon français. Non loin de là, une salle à manger d'été fut appelée le Salon frais : ce pavillon de treillage n'eut qu'une existence éphémère, mais vient d'être ressuscité d'après les plans qui en subsistent.

Le roi, la marquise et leurs hôtes visitaient la laiterie, enlevaient les œufs frais, s'attardaient dans les serres surchauffées par des tuyaux dissimulés dans les murs. Ces installations, agrandies plusieurs fois au fil des années, reçurent des ananas en provenance des colonies britanniques et hollandaises ; sous les vitrages mûrissaient en espaliers odorants pêches, prunes, abricots et cerises. La Quintinie, dans son traité sur *L'art de tailler les arbres fruitiers*, évoque avec délectation la pêche bien mûre, « rouge du côté du soleil », sa peau fine, douce au toucher, moelleuse et satinée. Des commandes d'ombrelles en taffetas et de chaises pliantes « comme celles de l'Ermitage » trahissent l'intervention attentive de la maîtresse de maison.

Vivre à la Cour en l'absence du roi, que ce fût à Versailles, à Trianon ou ailleurs, dépassait les forces de Jeanne-Antoinette. Pendant deux saisons encore après Fontenoy, Louis XV devait rejoindre ses armées des Flandres. Le soir du 1er mai 1746, veille de son départ, il passa un long moment auprès d'elle. Le 2 au matin, elle partit pour la terre beauceronne de Crécy qu'il venait de lui offrir. Dans sa voiture montèrent Tournehem et Montmartel, qui avait avancé les fonds.

La châtellenie de Crécy était sise à dix kilomètres de Dreux. Mme de Pompadour y vécut en dame de qualité, comme elle l'aurait fait à Etiolles si elle y était restée. Loin de Versailles, elle fit oublier sa condition de favorite et répandit ses bienfaits parmi les villageois sous l'égide du clergé local. Elle joua parfaitement ce rôle qui lui convenait à merveille, mais ne fut jamais enchantée du site, sinon de la maison. En effet, la terrasse dominait de haut la vallée de la Blaise, dont le versant opposé limitait la vue.

Les bâtiments étaient neufs mais mal fondés. Il fallut tout le talent de Lassurance pour les consolider et les mettre à la mode. Il utilisa les pierres débitées sous Louis XIV pour l'aqueduc de Maintenon, dont une épidémie avait interrompu les travaux. De part et d'autre de la cour, sur une décision de Louis XV, les ailes furent reconstruites, tandis que le logis lui-même était repris en sous-œuvre et agrandi. Sur la terrasse, à gauche du salon central, s'étendaient les pièces de parade ; de l'autre côté, l'appartement du roi, et en retour vers l'arrivée, celui de la marquise. Elle recourut à son amie alsacienne pour les tissus d'ameublement : « Ce n'est pas des nankins peints que je désire, mais si vous trouvez des *gourgourans* d'une couleur pour faire des rideaux de *meubles*, soit en jaune et blanc, cramoisi, vert ou bleu, cela est plus résistant que le taffetas. Si vous trouvez encore de ces *basins*, je ne serais pas fâchée d'en avoir deux ou trois cents aunes pour des lits de garde-robe » (Choisy, 28 juillet 1747).

La pièce où elle se tenait le plus volontiers était son boudoir-bibliothèque. La forme en était octogonale, rattrapée par quatre réduits de commodité. Un globe terrestre et un globe céleste de Robert de Vaugondy incitaient à l'étude (musée de Chartres). En 1751, la marquise demanda à Boucher de composer une décoration dont elle suggéra le programme. Chacun des huit panneaux admit trois encadrements de formes différentes que reliaient des festons de fleurs. Le médaillon central montrait un paysage de la région : en leurs esquisses les plus spontanées, Desportes et Boucher ont su donner bien avant Corot des portraits sensibles de la France. Plus haut et plus bas, des couples enfantins symbolisaient les arts, les sciences et les sports : l'*Architecture* et la *Chimie*, la *Comédie* et la *Tragédie*, le *Chant* et la *Danse*, la *Peinture* et la *Sculpture*, l'*Ornithologie* et l'*Agriculture*, la *Poésie* et la *Musique*, l'*Astronomie* et l'*Hydraulique*, la *Pêche* et la *Chasse*. Ces peintures, détachées de leur boiserie, sont conservées à New-York dans la Frick Collection.

Pour embellir la colline d'en face, trop proche et aride, Mme de Pompadour y fit tracer par Garnier d'Isle un vertugadin, glacis de gazon en amphithéâtre entre deux forêts. Pour étendre son domaine et ses horizons, elle acquit le fief d'Aunay, qu'elle voyait de sa terrasse, et celui de Magenville. En 1752, elle s'intitulait marquise de Pompadour, baronne de Brette, La Rivière et Saint-Cyr-la-Roche, dame de Crécy-Couvé, Tréon, Aunay, Garancières, Le Boullay-les-deux-Eglises, Saint-Rémy-sur-Avre, Boissy-en-Drouais et autres lieux.

Crécy fut pour le roi un relais de chasse, un lieu de détente et de travail. Le gibier abondait du côté de Houdan. La forêt de Dreux était sillonnée de belles routes, mais le sol y était dur au pied des chevaux. Dans la forêt de Châteauneuf, Louis XV put établir un chenil. Il allait courre le cerf à Sainte-Apolline et, s'il chassait en forêt de Rambouillet, venait faire médianoche chez la marquise. Un jour d'octobre où une douleur au genou l'empêchait de marcher, un fauteuil roulant lui permit de tirer en plein champ deux cents pièces de gibier.

Le 14 septembre 1749, il tint conseil à Crécy avec le cardinal de Tencin, le maréchal de Noailles, MM. de Puisieulx et de Machault, avant de travailler le soir en compagnie du comte d'Argenson. La marquise leur offrit à déjeuner, sauf à Machault qui partait pour Maillebois. Elle invita tour à tour ses amies : en septembre 1750, la princesse de Conti se joignit à Mesdames de Livry et de Châteaurenault ; Mmes de Pons et du Roure vinrent un autre jour. En 1751, la suite royale inaugura la nouvelle route de Saint-Thibault à Crécy pour un joyeux séjour. Sur la terrasse, MM. de Langeron, d'Estissac et leurs jeunes amis jouèrent aux barres ; après souper, la compagnie se répartit entre les tables de quinquenove, de mormonithe et de passe-dix, où le duc de Chartres perdit six cents louis.

A Crécy, Mme de Pompadour put accueillir les siens librement et les soustraire aux insolences de la Cour. M. Poisson y séjournait tant qu'il voulait, avec sa fille ou en son absence, confié alors aux soins de l'intendante, Mme Duhalde : « Je suis ravie que vous vous amusiez à Crécy, lui écrivit-elle en 1753. Restez-y, mon cher père, autant que cela vous conviendra et rendez justice à mon tendre attachement. ». Poisson suivait le progrès des travaux : « Vous seriez bien surpris, écrivit-il à son fils, de voir aujourd'hui comme moi les magnificences de ce lieu, l'effet prodigieux et admirable que produisent les canaux, la grande pièce d'eau qui est en face du château dans le bas, les progrès des plants et d'une infinité d'allées qu'on a plantées partout ; et surtout celle qui va de la patte d'oie jusqu'au faubourg de Dreux, où l'on a fait un nouveau chemin. Par un bel et bon arrêt, votre sœur s'est fait adjuger la propriété de tous ces arbres. On avait meublé, pour l'arrivée du roi, Aunay, qui est totalement découvert aujourd'hui, ce qui fait de la terrasse le plus beau coup d'œil qui se puisse voir ».

Abel Poisson de Vandières accompagnait Louis XV aux chasses de Rambouillet et le servait à table chez sa sœur. Le 15 avril 1748, à l'étonnement des convives, le roi le fit asseoir après qu'il l'eut servi quelques instants.

« Quant à Crécy, je l'aime à la folie et ne changerai pas à son sujet », écrivit la marquise à Mme de Lutzelbourg au lendemain du voyage au Havre. C'était moins des lieux qu'elle parlait que des plaisirs de la vie rustique. Elle eut une laiterie, pour laquelle une commande fut répartie entre quatre sculpteurs : Vassé fit une *Laitière,* Coustou le jeune une *Petite fille tenant un coq et des œufs,* Allegrain une *Batteuse de beurre* et Falconet une *Jardinière.* Mme de Pompadour et sa fille s'habillaient en paysannes. Le seul portrait incontestable que nous conservions d'Alexandrine est une intaille sur sardoine de Guay, qui formait le chaton d'une bague : l'enfant y apparaît de profil, un fichu de mousseline noué à la paysanne sous le menton (Cabinet des médailles de France). Dans certains actes, Alexandrine Le Normant d'Etiolles est nommée dame de Crécy.

Une estampe d'après Carle van Loo montre la marquise en jardinière, coiffée d'un chapeau de bergère en paille, comme celui qu'elle portait dans *Eglé ;* souriante, elle tient entre deux doigts une petite branche de jacinthe ; le panier suspendu à son bras est rempli des fleurs qu'elle vient de cueillir, œillets, violettes, renoncules, girofléés ; il s'en détache quelques brins de muguet. Jeanne-Antoinette avait, comme toute élégante, une recette personnelle pour prolonger les plaisirs du printemps : elle préparait dans un pot de grès des fleurs de ses jardins, des épices exotiques, des fines herbes du potager, y ajoutait quelques pincées de sel et de poudre d'iris, des écorces de citron, un bâton de cannelle coupé en menus morceaux, arrosait d'eaux de rose, de fleurs d'oranger et de reine de Hongrie ; le mélange ayant bien macéré se transformait en brindilles impalpables et décolorées ; elle le plaçait alors dans un vase de forme ronde, au couvercle percé d'yeux, appelé pot-pourri, qui répandait longtemps une odeur délicieuse.

Mme de Pompadour, châtelaine, fit partager sa joie de vivre et ses richesses à tout son voisinage. La chanson qu'elle composa pour les enfants du pays est dans toutes les mémoires :

> Nous n'irons plus au bois,
> Les lauriers sont coupés.
> La belle que voilà
> Ira les ramasser.
> Entrez dans la danse,
> Voyez comme on danse,
> Chantez, dansez,
> Embrassez qui vous voulez.

A certaines occasions, les feux d'artifice fusèrent de la terrasse de Crécy. La fête finie, les curés regagnaient à pied dans la nuit leurs paroisses voisines. Pour la paix d'Aix-la-Chapelle, des projets d'arc-de-triomphe furent proposés. La réjouissance prévue le 7 octobre 1751 pour la naissance du dauphin fut annulée à l'annonce du décès de M. Le Normant, beau-père de la marquise ; mais elle maria, dota et habilla plusieurs jeunes filles. Ainsi, à Boissy-en-Drouais, Catherine Toutain fut unie à Toussaint Hublet, Marie-Marguerite Le Blanc mariée à Pierre Michel Tisserand. Le curé reçut à cette occasion un louis d'or et une médaille d'argent. L'année suivante eurent lieu dans la paroisse de Couvé huit autres mariages, parmi les quelque quarante que Mme de Pompadour subventionna dans la région. Cette forme de bienfaisance était habituelle à la société de ce temps ; elle évitait aux plus pauvres des rosières la déchéance ou le couvent. Au village de Crécy, la marquise avait démoli et rebâti les maisons qui offusquaient la perspective du château. Elle fit les frais d'un nouveau presbytère et orna l'église de Couvé d'une *Visitation,* tableau du jeune Jean-Marie Vien, qui donna, dit-on, ses traits à la Vierge.

A Bellevue, Mme de Pompadour eut la joie d'une création entièrement personnelle. Au voisinage de Meudon, elle avait été séduite par la beauté d'un site exceptionnel. L'on y dominait d'assez haut la Seine en un point où son cours décrit deux bras enserrant une île. Des bateaux de commerce et de plaisance animaient la rivière. Au nord, la vue embrassait Paris au-delà du bois de Boulogne. Elle s'étendait au midi vers le parc de Meudon, au couchant vers Saint-Cloud et le pont de Sèvres. Cependant, le sol aride et ingrat n'avait jamais supporté d'édifice. L'endroit n'avait pas de nom ; celui de Bellevue lui fut donné par Jeanne-Antoinette. Pour constituer le domaine, les Bâtiments du roi négocièrent achats et échanges avec des particuliers et des religieux. Mme de Pompadour, vint, dit-on, avec ses architectes et leur fit part de ses intentions du haut d'un siège de gazon qu'on lui avait préparé. Lassurance et Garnier d'Isle étudiaient leur projet, à la fin de 1748. Dans une lettre à Mme de Lutzelbourg, la marquise se défend de bâtir un palais, comme le bruit en courait à Paris : « Meudon aura neuf croisées de face sur sept ». En fait, les façades latérales ne devaient avoir que six ouvertures par étage ; ou la marquise a écrit par inadvertance, ou les dessins n'étaient pas arrêtés. Cependant, arpenteurs et terrassiers étaient à l'œuvre depuis l'été précédent. Louis XV visitait le chantier, où travaillèrent un moment huit cents ouvriers. Il y dînait sur le pouce et conseillait lui-même les gens de métier. Au sommet du versant abrupt, le mauvais sol exigea des fondations profondes. Au bas de la pente, deux parcelles furent acquises de l'abbé Bailly et du banquier Despuech. Il y avait là un joli pavillon construit sous la Régence et qui s'appelait Brimborion.

Le plan de la propriété était inhabituel, car on arrivait à la cour d'honneur à travers des jardins ; l'autre façade bordait la terrasse. De part et d'autre de la maison, séparées d'elle, les principales dépendances dessinaient deux quadrilatères. L'un contenait la conciergerie, l'appartement des bains, la ménagerie et les poulaillers. L'autre était partagé entre le théâtre, le service de la bouche, des écuries pour trente-sept chevaux, les remises et la chapelle du commun.

L'inauguration en présence du roi était fixée au 25 novembre 1750. Jeanne-Antoinette se dépensa en préparatifs épuisants. Pour marquer de son sceau personnel le caractère intime de ce séjour, elle imagina un nouvel uniforme dont elle offrit à ses invités l'étoffe et le dessin des broderies. Pour les hommes, l'habit était de velours pourpre, bordé d'un brodé d'or à larges boutonnières, sur un gilet de satin gris pâle rehaussé de chenille et d'or. Les femmes avaient des robes de satin du même gris, mais sans or ni broderies. Les valets étaient vêtus de vert aux frais de leurs maîtres.

La fête fut réussie et la satisfaction générale n'appela que deux réserves : la couleur rouge du costume ne fut pas jugée heureuse et les cheminées fumaient si fort qu'il fallut transporter le souper à Brimborion. Cet inconvénient persista, même quand les fumistes Moreau et Meller eurent posé des languettes, des ventouses et des soupapes. Chaque année, la marquise fit redorer ses chenets. Dans la chambre du roi, ils représentaient l'Amour et Psyché ; dans son cabinet, des enfants chasseurs.

Pendant la semaine de Noël, ses soucis de maîtresse de maison valurent à Jeanne-Antoinette une prodigieuse migraine : « Je n'en suis pas étonné, écrivit M. Poisson à son fils, car elle s'excède à meubler et à préparer tout ce qu'il faut à Bellevue. Cependant, elle a été aujourd'hui à la messe et je l'ai trouvée mieux ». Le même dimanche, elle écrivit à son amie alsacienne : « J'ai ce qu'il me faut pour tous mes meubles de Bellevue ; ainsi, je n'ai plus besoin de perse ». Et quelques jours plus tard : « J'ai été enchantée de recevoir le roi à Bellevue. Sa Majesté y a fait trois voyages. Il doit y aller le vingt-cinq de ce mois. C'est un endroit délicieux pour la vue. La maison, quoique pas bien grande, est commode et charmante, sans nulle magnificence. Nous y jouerons quelque comédie. »

Loin d'être un palais, la maison était en effet de proportions bourgeoises. Chacune des quatre façades était surmontée en son centre d'un fronton triangulaire, au tympan sculpté par Guillaume II Coustou. Du côté de l'arrivée et des jardins, l'artiste avait représenté Galathée sur les eaux ; Acis venait à sa rencontre et deux amours, derrière elle, gardaient son char marin. Comme sur le théâtre de la marquise, le symbolisme de cette évocation idyllique n'échappait à personne. Du côté de la terrasse et de Paris, trois amours emplissaient un panier de guirlandes de fleurs. Les deux frontons latéraux montraient les armes de Pompadour. La tour héraldique se retrouvait dans l'entrelacs en fer forgé de chaque appui de fenêtre. Au niveau du premier étage, dix-huit consoles placées entre les croisées portaient autant de bustes. C'étaient pour la plupart des portraits d'empereurs romains que Tournehem avait choisis pour sa nièce dans le magasin des marbres de Folichancourt.

Le rez-de-chaussée était réservé à Mme de Pompadour et l'étage au roi. Un escalier intérieur reliait les chambres superposées des amants. Dans l'axe, le vestibule et le grand salon servant de salle à manger de parade étaient dallés de marbre. Jeanne-Antoinette avait prêté, semble-t-il, ses traits à la *Musique,* représentée en pied par Falconet. La statue est aujourd'hui au Louvre. La déesse à l'expression juvénile, le sein nu, tient une lyre de la main droite ; sa démarche est souple et le geste du bras gauche est accueillant. Dès le XVIIIᵉ siècle, cette œuvre a été préférée à celle qui lui répondait dans le vestibule, la *Poésie* de Lambert Sigisbert Adam. Le salon de musique servait aussi de salle à manger d'hiver et le couvert y était mis habituellement. Le sous-sol, éclairé par des soupiraux, contenait deux pièces pour le café, la cave à vin, la panneterie, la fruiterie et l'argenterie.

Dans les pièces de compagnie, les thèmes de la décoration

étaient mythologiques et champêtres. Le sculpteur Saly, les peintres Boucher, Oudry, Van Loo et Pierre avaient apporté le concours de leur talent. Un ensemble jaune paille orné de fleurs des champs reposait Louis XV du cramoisi royal auquel il était voué. Une suite chinoise de Boucher ornait la chambre de Mme de Pompadour, dont le caractère était asiatique. La marquise aimait créer autour d'elle un climat exotique. Elle se fit peindre par Van Loo à demi étendue sur des coussins, sous l'aspect d'une sultane au pantalon bouffant, à laquelle une servante noire présente une tasse de café. Pour la salle de bain voisine, Boucher exécuta dans sa manière voluptueuse la *Toilette de Vénus* (New-York) et *Vénus consolant l'Amour* (Washington). Le bidet était plaqué de bois de rose à marqueterie de fleurs, avec des ornements de bronze doré, seringue et cuvette en étain.

La cage de l'escalier principal était amplifiée par les artifices de la peinture en trompe-l'œil. Comme dans les villas vénitiennes, sous des portiques tracés en perspective évoluaient des personnages qui semblaient participer à la vie de la maison : Ariane et Bacchus, Zéphir et Flore, Diane et Endymion, Mars et Vénus. Tel un brillant cortège d'invités de marque, les immortels descendaient chez les mortels et les appelaient dans leur univers fabuleux. L'œuvre était des deux Brunetti, le père pour le décor, le fils pour les figures. Garnier d'Isle, contrôleur des Bâtiments du roi à Paris, chargea ces artistes de restaurer les fresques de l'hôtel de Pontchartrain, rue neuve des Petits-Champs, mis à la disposition de Mme de Pompadour. Ils s'exercèrent aussi brillamment chez des amis de la marquise, le prince de Soubise, le duc de Luynes, le duc de Richelieu, le financier Savalette, Machault d'Arnouville.

A l'étage, Mme de Pompadour elle-même avait fait œuvre de décorateur dans la petite galerie que Boucher avait peinte sur ses dessins. Le centre de la maison recevait le jour d'un lanterneau vitré, sujet à de fréquentes réparations. Cet espace contenait l'assistance les jours où le chapelain ouvrait les portes de l'oratoire pour célébrer devant un retable de Boucher, l'*Adoration des Bergers* ; c'est le tableau qu'Etienne Fessard a gravé sous le titre de la *Lumière du monde* ; il est aujourd'hui au musée de Lyon. Les appartements secondaires, garde-robes et autres pièces de commodité étaient tapissés de papiers de la Chine. Au total, reconstituer le décor de Bellevue reste pour les amateurs un exercice inépuisable.

Dans cette demeure, Jeanne-Antoinette offrait à Louis XV une vie retirée et des occasions de prendre le large. Si la maison était modeste, la marquise y disposait d'une domesticité considérable qui avait l'honneur de servir le roi. Pendant le Carnaval, cette hospitalité fastueuse permettait à Louis XV de libérer ses propres gens, trait de générosité qui était bien dans son caractère. Le nombre des invités ne dépassait jamais la vingtaine, y compris les « polissons ». Ils laissaient leurs chevaux et leurs cochers dans le tourne-bride adossé à la terrasse des Capucins, dont l'écurie était de trente-huit stalles. A partir de Bellevue, Louis XV faisait des battues dans les plaines de Grenelle, de Billancourt et de Saint-Denis. Les chasses à courre finissaient souvent à Bellevue, où le cerf venait se noyer dans un bassin carré qui avait été creusé comme réservoir général.

Louis XV échappait aux contraintes familiales, mais n'oubliait pas ses enfants, surtout quand leur santé lui donnait des raisons d'être inquiet. Le 5 mai 1751, pour un rhume de Mme Victoire, il fit l'aller et retour de Versailles sans quitter son uniforme pourpre. Revenu chez la marquise, il tint conseil avant d'assister à la comédie, où Jeanne-Antoinette se produisit dans *Zéliska* devant le duc de Deux-Ponts. Le théâtre avait été inauguré par un ballet de circonstance, *l'Amour architecte,* qui fut pour Louis XV une surprise et lui fit grand plaisir. Décorée à la chinoise, la salle, extensible, n'était pas aussi petite que Jeanne-Antoinette voulut bien l'écrire au duc de Nivernais. Les 4 et 6 mars 1753, elle chanta le rôle de Colin dans le *Devin de village* de Rousseau ; elle fit parvenir cinquante louis à l'ombrageux auteur dont la pièce l'avait charmée à Fontainebleau. Il lui exprima sa reconnaissance, ce qui n'était pas dans ses habitudes.

Comme à Crécy, Mme de Pompadour offrit volontiers son domaine pour des fêtes nuptiales. Dès le 4 août 1750, avant même la fin des travaux, Brimborion servit au dîner des noces de sa cousine, Madeleine de Malvoisin, qu'elle avait fait élever au couvent de Saint-Joseph, avec Bouret d'Erigny, le frère du fermier général. Les ministres d'Argenson et Machault parurent à la réception. Le 25 avril 1751, Mlle de Romanet, nièce de Mme d'Estrades, célébra à Bellevue son mariage avec le comte de Choiseul. L'épouse fut placée comme dame de compagnie auprès de Mesdames de France, l'époux comme menin du dauphin. C'était à Bellevue que Jeanne-Antoinette recevait le plus volontiers sa proche famille. Dès le premier été, pour donner quelques semaines de vacances à la petite Alexandrine, elle la fit sortir de son couvent parisien : « Je verrai mercredi Bellevue, écrivit-elle à son frère le 7 août 1751. Je suis comme un enfant de joie de le revoir. Je verrai aussi Alexandrine, qui y est depuis deux mois ».

Le suisse Jean-Joseph Saulge, invalide de guerre, remontait l'horloge qui réglait la vie de la maison. L'armée des jardiniers conduite par Garnier d'Isle achevait le tracé à la française qui précédait la cour d'honneur de part et d'autre du tapis vert. Du côté de Sèvres, l'un des bosquets enfermait un baldaquin rococo, comme celui que Jeanne-Antoinette avait admiré chez Pâris-Duverney à Neuilly-Plaisance. Le bosquet des Arts contenait l'*Apollon* de Guillaume II Coustou. Pour le bosquet de l'Amour, Michel-Ange Slodtz reçut du marbre et fit un piédestal très ouvragé. Il modela cinq esquisses de la statue, mais l'œuvre ne vit jamais le jour. Ailleurs dans ces jardins, l'inspiration de la statuaire évoquait délicatement l'évolution des sentiments qui unissaient Jeanne-Antoinette à Louis XV. Dans les œuvres de Pigalle, l'Amitié le disputait à l'Amour. Le même artiste représenta le roi en triomphateur romain.

Des essences précieuses comme le jasmin d'Angleterre, le jasmin d'Espagne, le seringat et le lilas de la Perse se mêlaient à la végétation de l'Ile-de-France. Dans le bosquet d'hiver, les connaisseurs remarquaient surtout les grands lauriers-cerises et les thuyas de la Chine. Lauriers-cerises et lauriers-thyms formaient les deux meilleures palissades. Les jardiniers, Jubin et le vieux Duchêne, donnaient tous leurs soins à la figuerie et parcouraient attentivement les serres, où, selon le conseil de La Quintinie, « toujours quelque entrée secrète était ménagée pour les chats ». Le potager, où les primeurs venaient à maturité sous leurs cloches de verre, s'étendait du côté de Meudon. L'on y recueillait pour la cuisine légumes et fines herbes, car la marquise et ses gens vivaient sur le domaine. A partir de 1754, cinquante-six caisses d'orangers empruntées à Meudon décorèrent la terrasse.

Quand Mme de Pompadour eut revendu Bellevue au roi, en juin 1757, et y revint en invitée, Boucher peignit d'elle un portrait

en pied qui évoque avec nostalgie les splendeurs de ces jardins
(1759, Londres, collection Wallace). Dans une robe mousseuse de
gaze mordorée, un éventail fermé à la main, elle s'accoude au
piédestal du groupe de Pigalle, *l'Amitié et l'Amour*. Ses poignets,
encerclés de quatre rangs de perles, émergent de bouillonnés volumineux qu'on appelait des *engageantes*. Près d'elle, la chienne Inès,
pékinoise ébouriffée, est assise sur un banc ; d'un buisson s'échap-
pent des roses aux pieds de la marquise.

Vers 1750, il était bien vrai qu'on travaillait pour elle sur sept
ou huit chantiers à la fois, comme le colportait la rumeur publique,
même si la dépense était moins folle qu'on ne le prétendait. Goût
de la nouveauté, recherche de la perfection qu'elle partageait avec
Louis XV, caprices de femme aimée firent surgir autant de créations, toutes belles, certaines éphémères.

Jeanne-Antoinette était profondément fidèle aux êtres. Rien
n'était plus étranger à sa nature que l'indifférence ou l'oubli, elle
ne concevait les liens que durables. Elle s'attira, autant qu'elle les
prodiguait, des dévouements entiers, des affections inlassables, mais
elle ne s'attachait ni aux lieux ni aux choses. Elle quittait ses
domaines d'un pied léger dès qu'elle en avait épuisé le charme ; et
les objets, curieux ou beaux, se succédaient rapidement entre ses
mains volages.

6

L'amour platonique

A Versailles, l'appartement du bas allait être désormais le domicile officiel de Mme de Pompadour. Eclairé de neuf baies sur la terrasse du nord, il était vaste et confortable. Surtout, il était le signe d'une étape nouvelle dans la carrière de la favorite et consacrait sa position privilégiée. Comparé à l'attique des premières années, il était digne et même prestigieux. Mme de Montespan l'avait occupé à l'époque où elle était pour Louis XIV une conseillère. Ce n'était plus le repaire caché des amours clandestines, mais le lieu d'une sorte de bienséance dans l'illégitimité.

Les travaux indispensables à l'installation de Mme de Pompadour durèrent plus d'un an. Le Normant de Tournehem, au début de 1750, avait pris les convenances de sa nièce et confié la tâche à l'architecte Charles Lécuyer, contrôleur du château. L'appartement avait son entrée sur le passage voûté de la chapelle entre la cour royale et les jardins. C'était celui des Penthièvre agrandi à ses deux extrémités, si bien que l'enfilade s'étendait sous les salons de Diane, de Vénus et de Mars. Du côté de la voûte, deux antichambres furent gagnées sur la salle des hoquetons ; la seconde servit de salle à manger. Suivaient un grand cabinet de dix mètres sur dix, la chambre à coucher et un cabinet particulier doublé d'un boudoir sans fenêtres. Ces deux dernières pièces empiétaient sur l'ancien vestibule des Bains de Louis XIV, dont quatre colonnes doriques en marbre de Rance furent noyées dans un mur. L'ensemble de l'appartement était dégagé par un long corridor. Des pièces de commodité et des installations sanitaires prenaient jour sur la cour intérieure du roi et sur la cour des Cerfs. C'étaient en particulier deux salles de bain et la « méridienne » ou chambre de repos de la marquise. Un mur très épais contenait l'escalier circulaire par où Louis XV descendait directement dans la chambre ou le boudoir de Jeanne-Antoinette. Seules les trois pièces principales occupaient la hauteur du rez-de-chaussée.

Le reste fut aménagé en « duplex » au-dessus de la première antichambre pour le Dr Quesnay et son domestique, au-dessus des cabinets particuliers pour Nicole du Hausset et sa compagne. Au rez-de-chaussée comme à l'entresol, le corridor était partout garni de placards. Au-dessus de la salle de bains, les espaces de rangement, lingeries, garde-robes et chambres de servantes se superposaient sur trois niveaux, si bien que le domaine de Mme de Pompadour occupait toute la hauteur du château.

Ange Gabriel approuva le plan de l'appartement le 6 mai 1750, et Lécuyer se flattait d'en mener à bien l'exécution pour le retour de Fontainebleau à la mi-novembre. Il oubliait que les principaux artisans étaient les mêmes qu'à Bellevue, où ils faisaient déjà des prodiges de rapidité. En l'absence de Mme de Pompadour, le marquis de Gontaut visitait les travaux et lui en rendait compte. Le 23 juin, alors que cloisons et planchers venaient d'être faits, une équipe de nuit assemblait les marbres des premières cheminées. Sur ce chantier exposé au nord, l'été ne suffit pas à sécher les plâtres ; à l'automne, il fallut faire brûler de la tourbe dans de grands poêles de fer.

Selon l'usage des Bâtiments du roi, qu'il s'agît de lambris, de cheminées ou de miroirs, des éléments neufs s'associaient à des éléments de *remploi*. Les entrepreneurs assuraient Le Normant de leur zèle, mais déploraient de n'être pas payés. Le menuisier Guesnon, qui n'avait rien reçu depuis trois ans, dut emprunter dix-mille livres avant d'obtenir un premier acompte. Dans les ateliers parisiens, malgré le grand nombre des compagnons engagés par Verberckt, la sculpture des lambris prenait du temps : « Je serai dans l'inquiétude, écrivait Lécuyer, jusqu'à ce que la totalité de cette menuiserie soit arrivée. » Il prit le chemin de Paris et rencontra la voiture du marbrier Trouard, chargé de deux cheminées destinées à la chambre et au boudoir. La dernière livraison de menuiserie arriva dans la nuit du 6 au 7 novembre. Martin vint immédiatement « imprimer » les panneaux du boudoir avant de les vernir. Les miroirs fournis par Dumont et la veuve Chauffour pour cet appartement sans soleil s'y déployaient sur de grandes surfaces.

Par l'intermédiaire de M. de Gontaut, Jeanne-Antoinette veilla en femme pratique à des détails qu'elle jugeait importants : les lits pliants des valets de chambre à dissimuler pendant la journée dans l'embrasure d'une porte condamnée sur le passage de la chapelle, les rayonnages nécessaires à la bibliothèque du docteur, d'innombrables placards, l'armoire du suisse dans un renfoncement circulaire datant de Louis XIV. Un soin particulier fut donné au confort de la chambre à coucher. Jeanne-Antoinette hésita sur la place du lit et situa finalement l'alcôve face aux fenêtres, entre deux réduits dont l'un contenait sa « chaise d'affaires ». Au-dessus des portes, des vitrages ovales donnaient un peu de jour au corridor. Avec huit mois de retard, ces travaux fébriles prirent fin au printemps de 1751. Encore n'avait-on pas prévu l'insonorisation de la chambre, où parvenaient les bruits du salon de Mars, situé au-dessus ; déjà, pourtant, les tribunes des musiciens y avaient été démontées ; pendant le voyage de Compiègne, on souleva le parquet et comprima de l'étoupe entre les lambourdes. Cette technique avait été expérimentée en 1723 au Palais-Bourbon, où le XVIIIe siècle, selon Pierre Patte, a inauguré l' « art de se loger commodément et pour soi ». Dès 1756, l'appartement de Mme la marquise de Pompadour apparaît dans le plan de Versailles commenté par Jacques-François Blondel au tome IV de son *Architecture française*.

Tandis qu'elle s'installait dans son nouveau logis, Lassurance lui construisait un hôtel dans le voisinage, sur un terrain de 427 toises rétrocédé au roi par Binet, valet de chambre du dauphin. Là s'était élevée la Tour d'eau, construite inutilement par Colbert pour pulser l'eau dans les bassins. Un grand corps de logis s'éleva sur la rue des Réservoirs ; des écuries et des remises entourèrent la cour. La marquise fit décorer les appartements de lambris par Rousseau et Verberckt, de peintures par Rysbraeck et Dubois. Cette vaste demeure lui servit d'intendance et de garde-meuble. Elle s'y rendait de l'appartement d'en bas par une galerie de bois qui longeait l'aile du nord du côté du parc. Les principaux de ses gens y avaient leur domicile : Mme du Hausset, le docteur Quesnay, l'écuyer Sauvant, l'intendant Collin, le factotum Gourbillon et sa femme, Marie Volet, qui servait de « concierge ».

Jeanne-Antoinette était désormais seule. Le vide se faisait autour d'elle. Les conseillers et les amis des premiers jours s'éloignaient, dispersés par la mort, la retraite, la brouille ou la trahison. Mme de Tencin, cette vieille intrigante dont le seul nom donnait au roi la chair de poule, s'éteignit en décembre 1749 ; son frère, le cardinal-ministre, se retira dans son archevêché de Lyon et sa maison d'Oullins, pour « mettre un intervalle entre la vie et la mort » selon la belle expression de l'époque. Mme de Pompadour dut s'employer à réconcilier les frères Pâris, brouillés par leurs épouses. Le 30 novembre 1750, elle apprit avec peine la mort du maréchal de Saxe, au château de Chambord que le roi lui avait donné et où il menait, entre ses houlans et ses danseuses, une vie fastueuse et dissolue. Aux yeux des moins frivoles, il avait vécu comme si rien n'existait après la mort ; il avait dit à son médecin, Sénac : « Vous arrivez trop tard, mon ami, c'est ici la fin d'un beau songe. » Son convoi traversa la Sologne et la Beauce ; en Champagne, il fut salué dans chaque place de guerre par des salves d'artillerie. Louis XV, qui lui devait les journées les plus glorieuses de son règne, avait pensé l'ensevelir près de Turenne à Saint-Denis ; mais Maurice, duc de Courlande, était étranger, bâtard et luthérien. Sa dépouille prit place à Saint-Thomas de Strasbourg, où Pigalle fut chargé de sculpter son mausolée. Jeanne-Antoinette pria Mme de Lutzelbourg de ne pas lui envoyer son oraison funèbre : « Je ne puis penser à sa mort sans douleur » (1ᵉʳ avril 1751).

Dès 1750, la santé de Tournehem lui donna des inquiétudes. « M. de Tournehem, écrivit-elle au duc de Nivernais, me fait sentir le chagrin de craindre pour ceux qu'on aime » (août 1751). Ses jambes enflaient. Il souffrait de coliques néphrétiques et son humeur s'était assombrie. Il craignait aussi de voir le jeune Vandières prétendre prématurément à sa succession ; la marquise pria son frère de le tranquilliser. Elle dut aussi empêcher son propre époux, Le Normant d'Etiolles, d'entraîner le vieil homme dans une aventure amoureuse qui l'aurait achevé. Comme il convenait que la famille d'un directeur des Bâtiments fût bien logée, les Le Normant s'étaient lancés à Etiolles dans la construction d'un nouveau château.

Les inquiétudes de Jeanne-Antoinette furent justifiées : le 17 novembre 1751, Tournehem recevait à Etiolles le comte d'Argenson quand il fut pris de fièvre. Il mourut le lendemain après s'être confessé à un prêtre de ses amis. La nouvelle en parvint à Jeanne-

Antoinette à Choisy, où le roi soupa seul avec elle. « Je ne sens que trop, grand'femme, écrivit-elle à son amie alsacienne, quel est le malheur d'avoir une âme sensible : ma santé a été un peu dérangée par la mort de M. de Tournehem. Je me porte un peu mieux depuis quatre jours » (5 décembre 1751).

Les architectes de la marquise, Lassurance et Garnier d'Isle, furent emportés tous deux en 1755. Leur successeur auprès de Mme de Pompadour fut Jacques Germain Soufflot, un architecte de Lyon qui lui avait été présenté par le cardinal de Tencin ou le duc de Villeroy. Elle fut touchée aussi par la mort de Mme de Saissac, grand-tante du duc de Luynes, qui l'avait accueillie avant sa faveur : la défunte laissait son beau chandelier d'argent à M. de Grimberghen, en le priant, s'il ne le vendait pas, de le remettre au duc de Chevreuse. Le reste de ses biens revint au roi.

Mme de Pompadour ne pouvait avoir sa fille auprès d'elle. Le nom d'Alexandrine Le Normant d'Etiolles ne rappelait que trop la situation fausse où était engagée sa mère. C'était, au dire de sa gouvernante, une enfant affectueuse et bien douée. Mme du Hausset, qui prenait soin d'elle dans les entresols de l'appartement la trouvait « belle comme un ange ». On la prépara doucement à l'idée d'entrer au couvent : elle aurait le plaisir d'être avec d'autres demoiselles de son âge, en particulier la petite princesse de Soubise. Alexandrine se réjouissait aussi d'apprendre à écrire pour correspondre avec son grand-père. Au début de juin 1750, elle devint pensionnaire à Paris chez les religieuses de l'Assomption-Notre-Dame et se montra bientôt « enchantée d'y être ».

Le couvent avait son entrée rue Saint-Honoré, non loin de la place Vendôme. Les jardins potagers, dont l'emplacement est occupé aujourd'hui par la Cour des Comptes et le côté pair de la rue Saint-Florentin, s'étendaient jusqu'à l'ancienne orangerie des Tuileries. Les plans de l'église avaient été expédiés de Rome aux sœurs par Charles Errard, alors qu'il dirigeait l'Académie de France dans la Ville Eternelle. Cette construction réalisée par correspondance ne fut pas très heureuse ; les sottes proportions du dôme ont toujours été blâmées par les gens de goût. C'est aujourd'hui l'église des Polonais de Paris. Les religieuses suivaient la règle de saint Augustin ; elles étaient habillées de noir, avaient un crucifix sur le cœur. Les enfants s'ébattaient dans le cloître, égayé d'un charmant jardin à la française. La maison était réputée pour ses traditions musicales ; les concerts spirituels y étaient aussi fréquentés que, sur l'autre rive de la Seine, ceux des Pères théatins. Dès le règne de Louis XIV, veuves et demoiselles de la noblesse venaient faire retraite à l'Assomption ou y finir leurs jours. Mme de Pompadour confia Alexandrine à la supérieure, Sœur Emilie Rolland de Saint-Jean-Chrysostome. Les arrangements financiers furent pris auprès de Sœur Madeleine de Nointel de Sainte-Dorothée, économe.

Alexandrine entrait au couvent avec sa gouvernante, Mme Dornoy, et sa sous-gouvernante particulière, Mlle de La Forge. Quand Mme Dornoy, atteinte de la même maladie que Mme Poisson, mourut pour le plus grand chagrin de la petite fille, Mlle de La Forge lui succéda et s'adjoignit sa propre sœur. Par snobisme, les dames de la Cour se disputaient à l'Assomption les appartements disponibles. Plusieurs institutrices revendiquèrent l'honneur d'apprendre à lire et à écrire à Mlle d'Etiolles. Le grand-père Poisson aurait aimé la voir entre les mains de Mlle de Saint-Lubin, qui avait si bien réussi avec la petite Parseval. Mme de Pompadour envisageait de confier plus tard l'éducation littéraire d'Alexandrine à Crébillon fils, qui lui a prêté ce mot très vraisemblable : « Nous ne sommes, à ce que dit Molière, que pour coudre et filer. Je ne suis pas de son avis, mais je trouve l'air savant et le ton décidé on ne peut pas plus ridicule. »

La présence d'Alexandrine à l'Assomption attirait Mme de Pompadour à Paris. Depuis 1748, le roi mettait à sa disposition une partie de l'hôtel de Pontchartrain, rue neuve des Petits-Champs. C'était l'ancien hôtel de Lionne construit par Le Vau ; il était contigu à un hôtel qu'ont habité Law et Montmartel ; ces deux maisons ont fait place à la salle Ventadour, qui est aujourd'hui une annexe de la Banque de France. L'hôtel avait un vaste jardin et des écuries pour cinquante chevaux. La marquise disposa de l'appartement principal du premier étage sur le jardin, augmenté de l'aile droite en retour sur la rue. La maison était ornée d'anciennes fresques qui furent alors restaurées par les Brunetti. Garnier d'Isle avait pris les ordres de Mme de Pompadour pour y faire placer des lambris, des trumeaux de glaces et des dessus-de-portes. Les travaux finis, elle invita le comte d'Argenson : « Mon superbe hôtel est en état de vous recevoir quand vous voudrez ; il n'y manque plus rien et je vous donnerai la plus ample mie-au-lait qu'il soit possible de manger, le jour que vous voudrez. » Seule servitude attachée à cette cession : Mme de Pompadour s'engageait à libérer temporairement le grand appartement quand le roi aurait à y héberger un ambassadeur extraordinaire. Elle en disposa jusqu'en 1754. Elle logeait à l'hôtel de Pontchartrain des proches ou des relations, Mme d'Estrades, le cousin Ferrand, les Frémin de Sy, M. Hénault de Montigny, le comte et la comtesse de L'Hôpital-Sainte-Mesme ; Collin y habita quand il eut remis son cabinet de la rue du Battoir pour se consacrer aux affaires de la marquise. Elle-même traça le plan d'un appartement dans les communs pour son intendant, M. de Nesmes.

En 1753, elle acheta des héritiers La Tour d'Auvergne l'hôtel d'Evreux, aujourd'hui l'Elysée. Ainsi, par ses deux résidences parisiennes, Jeanne-Antoinette embrassait le couvent où elle abritait l'enfance de sa fille : l'Assomption était à mi-chemin entre l'Elysée et l'hôtel de Pontchartrain.

Quand l'occasion s'en présentait, Mme de Pompadour faisait sortir sa fille pour de courts séjours à Marly ou à la Muette. En juin 1751, un carrosse de M. de Tournehem vint prendre l'enfant pour la conduire à Choisy. A Bellevue, Alexandrine s'attardait chez sa mère à la belle saison. Elle était accompagnée de ses animaux favoris ; l'un de ses chats, un magnifique angora blanc comme celui de Louis XV, a inspiré au peintre Bachelier un portrait aujourd'hui conservé à Paris dans une collection particulière. Dans ses lettres, Jeanne-Antoinette donnait des nouvelles d'Alexandrine à l'oncle Abel de Vandières et au grand-père Poisson, à qui elle reprochait de la gâter : « Je ferai chercher quelque chose pour votre Fanfan, que vous lui donnerez à votre arrivée ; mais surtout, pas d'argent, je vous prie. » L'enfant, dès qu'elle sut écrire, ajoutait quelques lignes de sa main.

Mme de Pompadour projetait sur sa fille l'achèvement de son destin. Sa propre mère avait rêvé pour elle l'élévation où elle était parvenue. Pour Alexandrine, la marquise ambitionnait un mariage qui l'intégrerait par des liens légitimes à la plus haute noblesse. Pour elle, les richesses n'étaient pas d'un grand prix, car elle les avait connues dès sa jeunesse. Son ambition était d'accéder pour toujours à un rang qu'elle occupait à titre essentiellement précaire et révocable : un seul mot du monarque pouvait l'anéantir. Elle-même sentait ce qu'avait de trop nouveau et de clinquant son milieu de financiers, qui savaient aussi bien vivre que les gentils-

hommes savaient mourir. Elle était arrivée au dernier degré de
l'élégance, non au premier de la noblesse. Il lui manquait la qualité
que donne seule la naissance ; elle s'efforçait d'y suppléer par le
goût et la générosité ; elle invitait son frère à se conduire en jeune
homme discret. Quand Vandières eut l'occasion d'assister à Turin
au mariage du duc de Savoie, elle lui demanda s'il avait des dentelles assez dignes pour un jour de fête et lui fit envoyer trois habits
« convenables, c'est-à-dire beaux sans ostentation » (lettre du
12 avril 1750).

Pour Alexandrine, elle échafauda successivement des projets
chimériques. Elle jeta d'abord les yeux sur le duc de Fronsac, fils
de Richelieu, qui fit répondre que la mère du jeune homme était
issue de la maison de Lorraine, ce qui obligeait à solliciter le
consentement de l'empereur ; la marquise n'insista pas. Ignorant
jusqu'où elle pouvait aller trop loin, elle osa prétendre pour sa fille
à un bâtard du roi, celui que lui avait donné Mme de Vintimille :
c'était le comte du Luc ; il était beau comme son père, on l'appelait le Demi-Louis. Jeanne-Antoinette réunit comme par hasard les
deux enfants dans la figuerie de Bellevue ; mais Louis XV ne le
trouva pas bon et ne donna pas suite. Enfin, en août 1752, elle
obtint promesse de mariage avec le fils du duc de Chaulnes, le duc
de Picquigny. Pour les séjours du jeune homme, on loua la maison
de M. de Gasville, mitoyenne de Bellevue.

A la fin d'une vie d'aventures, Poisson jouissait d'un repos
mérité. En échange de deux cent mille livres que lui devait le Trésor royal, Louis XV acquit à son intention la terre de Marigny-en-
Orxois, sise aux environs de Château-Thierry, et racheta les droits
seigneuriaux dont elle était redevable au duc de Gesvres. Cette terre
avait été léguée par M. de La Peyronnie à ses confrères du Collège
de chirurgie ; mais deux administrateurs y passaient leurs vacances
et mangeaient à eux seuls le tiers du revenu. Poisson, en qualité de
seigneur de Marigny, reprenait pied dans la région où il avait
acquis quarante ans plus tôt son premier fief. Il était haut justicier
et, par un piquant retour du sort, possédait des fourches patibu-
laires. Nouveau seigneur de village, il fit une entrée solennelle et
joyeuse au son de la fanfare, escorté de la maréchaussée et applaudi
de la population. Il demanda à Mignotel, contrôleur des Bâtiments
du roi à Compiègne, des plans pour le château et les jardins ;
l'architecte jugea bon d'en transmettre des doubles à Tournehem,

son supérieur hiérarchique, pour qu'ils parviennent sous les yeux de la marquise (13 novembre 1750). Jeanne-Antoinette fit envoyer à son père une table à écrire avec un gobelet de porcelaine et s'offrit à lui meubler ses appartements.

Poisson se concertait avec l'évêque de Soissons pour la nomination des curés. Il envoyait des bourriches de gibier à Trudaine, intendant des Ponts et chaussées, qui dirigeait près de chez lui des travaux routiers. Il demanda vainement trois cents ormes des pépinières de Varedde, mais obtint des haras un bon cheval de selle, dont il remercia M. de Béringhen. Ses vieux correspondants allemands et danois, Witterf, Wedderkop, Schulenburg le louaient de ne pas oublier ses amis du Nord et lui rappelaient discrètement ses promesses de leur expédier de temps à autre une demi-queue de vin de Bourgogne ; ils savaient que par son intermédiaire Mme de Pompadour pouvait recommander leurs enfants à de lointains margraves. Poisson adressait des vœux de nouvel an au contrôleur général des Finances, M. de Machault, rencontrait amicalement de grands robins, les Ormesson d'Amboile, les Gilbert de Voisins, et répondait aux messages affectueux de son bâtard, l'abbé de Löwendal. Il s'informait des progrès d'Alexandrine avec une telle sollicitude que Jeanne-Antoinette faisait mine d'être jalouse : « Je vois bien que la petite Alexandrine a chassé Reinette de votre cœur, cela n'est pas juste et il faut que je l'aime bien fort pour lui pardonner. »

Depuis la mort de sa femme, Poisson habitait à Paris l'hôtel de Conti, rue neuve Saint-Augustin. C'était la résidence parisienne de Tournehem, qui hébergeait également le frère et le mari de Mme de Pompadour. Après la mort de son hôte, en novembre 1751, Poisson partagea avec son fils l'hôtel où était morte Mme de Mailly, rue Saint-Thomas-du-Louvre, que le roi avait mis à la disposition du jeune Vandières.

Mme de Pompadour offrait à son père l'hospitalité de Crécy, mais le tenait éloigné de Versailles. Elle se souciait peu de voir se présenter à la Cour ce personnage haut en couleur qu'elle-même qualifiait de « corps étonnant ». Elle le savait capable d'esclandres dont un seul pouvait lui coûter sa position : « Votre présence à la Cour n'est d'aucune utilité, lui écrivait-elle, le roi érige tous les jours des terres en comtés, marquisats, dont les possesseurs ne paraissent jamais » ; d'ailleurs, Poisson était un homme simple, qui refusa d'être marquis. Le courrier qu'il recevait était adressé « à Monsieur François Poisson, à Nogent-l'Artaud, par Gandelu ».

Jeanne-Antoinette se défendait de toutes les démarches inconsidérées dont son père la priait. Parents et amis croyaient bon d'en passer par Poisson, qui se faisait fort de leur obtenir l'impossible. M. Petit sollicitait une croix de Saint-Louis en récompense de sa valeur militaire ; la marquise répondit qu'elle « en savait beaucoup d'autres promises ». M. de Jallais demanda la faveur d'un entretien à Bellevue ; elle lui fit dire qu'elle ne recevait aucune visite pendant les séjours du roi et ne pouvait prévoir quand elle y serait seule. Poisson s'employa surtout en faveur de ses neveux et petits-neveux. A son cousin, Jean-Baptiste Darnay, fils de Claudette Poisson, Mme de Pompadour fit donner la charge de receveur des tailles de Paris. Le jeune homme s'obligeait à épouser la fille de son défunt prédécesseur ; par chance, elle était jeune et jolie, il en devint follement épris ; pour faire plaisir à son père, la marquise offrit une somptueuse corbeille de bijoux.

Mais elle refusa d'intervenir pour ses trois petits-cousins Poisson de Malvoisin, Gabriel, Claire et Madeleine, qu'elle estimait déjà fort bien placés, et se déclara fâchée de leurs prétentions : Gabriel avait obtenu très jeune un brevet de cornette au Royal-Dragon ; l'époux de Claire, Claude Gaudart d'Aucourt, écrivain de talent, devait être fermier général ; il fut adjoint à Jean-Louis de La Motte, oncle de la marquise, ancien caissier des Fermes, admis lui-même dans la compagnie depuis 1748. François Bouret d'Erigny, qui s'était uni à Madeleine dans la chapelle de Bellevue, était entré dans la Ferme peu après son mariage. Il était le jeune frère d'Etienne Bouret, le fermier général bien connu qui avait l'art de mettre Louis XV à l'aise et eut l'honneur de le recevoir dans son pavillon de Croix-Fontaine, aménagé à la dernière mode, aux environs d'Etiolles. « Le ministre (Machault) ne veut rien donner de plus à M. Bouret, affirma Jeanne-Antoinette à son père, et vous savez mieux qu'un autre, puisque vous connaissez mon caractère, que je ne fais jamais violence aux gens que j'aime. M. Bouret a grand tort s'il ne trouve pas sa famille assez récompensée des services qu'il a rendus » (5 juillet 1753).

Surtout, elle détourna son père des projets extravagants qu'il faisait pour Vandières : il le voyait tantôt surintendant des Finances et des Bâtiments, titre que nul n'a porté depuis Colbert, tantôt prévôt de Paris : « Il n'a jamais été question de la Prévôté de Paris pour mon frère, cette charge est très chère, rapporte peu et ne le rendrait pas plus grand seigneur qu'il est » (1753).

L'ambition qu'elle-même avait pour son frère était d'une autre sorte : le jeune Vandières était déjà assuré de succéder à leur oncle dans la charge de directeur général des Bâtiments et travaillait sous sa direction. Après sa sortie du collège, il avait reçu à l'académie de La Guérinière les compléments d'éducation nécessaires à un gentilhomme. De jeunes seigneurs, qui l'avaient peut-être dédaigné au temps de leurs études, lui rappelaient leur ancienne camaraderie, certains même, comme Montejean, le tutoyaient ; le chevalier de Risaucourt le relançait, Chapt de Rastignac sollicitait l'appui de sa sœur pour un grade militaire. Vandières fut pourvu en 1747 de la capitainerie de la Varenne des Tuileries, juridiction préposée à la protection des forêts royales. Il soupait avec le roi, participait à ses chasses, montait dans ses carrosses.

Jeanne-Antoinette songeait à le marier dans la noblesse. Tandis qu'il se préparait à sa tâche future au cours d'un long voyage en Italie, elle écrivit : « Vous pouvez bien juger, mon cher père, que je suis très occupée de marier mon frère » et se déclarait « très certaine de faire un bon mariage pour lui » (1750). Mais Abel-François se montra récalcitrant : « Je suis bien fâchée qu'il ne veuille pas se marier, écrivit-elle ; il ne trouvera jamais un parti comme celui que j'espérais lui procurer » (1753). Elle envisagea tour à tour la fille du maréchal de Löwendal, mais qui n'avait plus de parenté à la Cour, la fille du duc de La Vallière, qui assurait du crédit pour l'avenir. La rumeur publique fiançait Vandières tantôt à Mlle Mahé de La Bourdonnais, tantôt à Mlle de Montmorency, tantôt à Mlle du Roure. La marquise s'engagea prématurément pour une princesse de Chimay, de la maison de Beauvau-Craon, et dut rompre. Vandières l'avait échappé belle, car la jeune personne était de ces pimbêches qui ne sortent de leur couvent que pour faire enrager leur mari.

Poisson aurait bien *délaissé* dès son vivant à son fils le titre de seigneur de Marigny, mais Mme de Pompadour avait tenu bon pour que leur père le gardât : « Marigny est à vous et non à mon frère », lui écrivit-elle, et à Vandières : « Quand vous vous marierez, vous prendrez le nom de votre terre, comme tant d'autres, mais jusque-là, je n'en sens pas la nécessité » (20 mai 1751).

Cependant, la santé de Poisson déclinait. Le 20 août 1753, en l'hôtel de la rue Saint-Thomas-du-Louvre, il dicta ses dernières volontés aux notaires Alléaume et Roger. Il instituait son fils exécuteur testamentaire et légataire universel, à charge de fournir à sa sœur sa part légitime. Il connaissait assez, disait-il, le bon cœur de Mme la marquise de Pompadour et l'amitié qu'elle avait pour son frère, pour croire qu'elle aurait les dispositions de ce testament pour agréables. Le lendemain matin, après avoir pris l'accord de Le Normant d'Etiolles, les hommes de loi allèrent à Choisy, où ils trouvèrent la marquise seule et prirent acte de son consentement. Au printemps de l'année suivante, Jeanne-Antoinette consacra de longs moments à son père, dont elle pressentait la fin prochaine.

Attentive à la peine d'autrui, accessible à la pitié, elle tenta de fléchir Louis XV en faveur de ceux qu'il avait exilés. Grâce à elle, le duc de Châtillon mourut en paix. Eloigné de la Cour depuis dix ans, il se tourmentait à la pensée que son maître lui tenait rigueur de sa conduite à Metz. A la prière de la duchesse, Mme de Pompadour obtint enfin du roi quelques mots de pardon.

Bienveillante, elle ne soupçonnait pas la haine. Elle fut d'autant plus surprise par la jalousie, blessée par la trahison, secouée par les ruptures. Elisabeth d'Estrades était sa plus ancienne et sa meilleure amie. Jeanne-Antoinette l'avait introduite à la Cour et fait accepter comme dame d'atours de Mesdames de France. Louis XV fut fort embarrassé d'annoncer à Madame Henriette son entrée en charge et Madame Adélaïde murmura : « En voilà assez de commun, quand nous donnera-t-on du distingué ? » Le lendemain, Jeanne-Antoinette et Elisabeth firent ensemble la tournée des remerciements ; la permission en avait été demandée par un billet à Mme de Luynes.

Elles étaient inséparables ; on les appelait « les deux cousines des Cabinets ». Elisabeth était de tous les soupers, de tous les voyages. Sa place était toujours de l'autre côté du roi. Les souhaits qu'elle exprimait pour ses appartements ou sa maison du Grand Montreuil étaient aussitôt exaucés. Petite, avec de grosses joues, elle était sans grande beauté et sur ce point ne pouvait porter ombrage à Mme de Pompadour ; mais elle n'était pas sans esprit et son crédit personnel grandissait de jour en jour. Entreprenante, elle fit nommer de son chef Mme de Clermont dame de Mesdames

et son propre frère, M. de Sémonville, conseiller d'honneur au
Parlement ; bientôt, elle s'arrogea la première place dans les carrosses de Madame Adélaïde et ne la céda aux dames titrées que sur
une décision du roi.

Pendant l'été 1750, les relations se refroidirent entre les deux
cousines, sans que rien ne parût changer à leur intimité. Elisabeth
prit ses distances : en septembre, sans renoncer au logis qu'elle
occupait en l'hôtel de Pontchartrain, elle en fit retirer tous les meubles et les transporta dans l'hôtel familial de la place Royale. La
cause profonde de cette évolution était d'ordre affectif et se dou-
blait de raisons politiques. Mme d'Estrades se liait amoureusement
au comte d'Argenson, ministre de la Guerre, ennemi déclaré du
contrôleur général Machault. En 1751, Jeanne-Antoinette les ménageait l'un et l'autre et ne les réunissait pas chez elle sans précautions. Elle invita M. d'Argenson en ces termes : « Il m'est arrivé un
panier de très bon poisson. M. le comte passe pour très gourmand,
surtout en maigre. Je lui propose donc de le venir manger demain
à dîner ; mais comme je ne veux jamais que rien le gêne chez moi,
je l'avertis que le *Contrôleur* y vient aussi ; ainsi, M. le comte me
mandera ce qui lui convient. » Dans le Cabinet du Conseil, en présence du roi, les deux ministres restaient à bonne distance l'un de
l'autre.

Lors du dîner auquel Argenson invita les deux cousines et le duc
de Biron, le 22 mai 1752, à sa campagne de Neuilly, les convives
s'observaient avec une courtoisie contrainte. Les nouveaux amants
intriguaient dès lors pour renverser Mme de Pompadour et mettre
à sa place une autre favorite. La nièce de Mme d'Estrades, la jeune
comtesse de Choiseul-Romanet, dont les noces avaient été célébrées
à Bellevue, amusait le roi et l'intéressait, bien qu'enceinte. Elle
avait dix-huit ans, était vive et bien faite, mais avait un visage
commun. Jeanne-Antoinette faisait semblant de ne s'apercevoir de
rien, mais pleurait en cachette. Certains pensaient qu'elle n'avait
pas lieu d'être jalouse ; d'autres prévoyaient sa chute prochaine.
Lors du voyage de Fontainebleau, à l'automne de 1752, l'intrigue
approchait de son dénouement. Les conspirateurs avaient l'accord
du mari, devenu complaisant après avoir voulu pour son honneur
incendier le château royal.

Il faut ici écouter Marmontel, à qui le secrétaire de la Guerre,
Dubois, raconta la scène dont il fut témoin : M. d'Argenson avait

dans son cabinet Mme d'Estrades, le Dr Quesnay et Dubois. Ils attendaient le retour de Mme de Choiseul-Romanet qui, après un échange de lettres et des promesses reçues dans le jardin de Diane, avait avec Louis XV un rendez-vous secret. Quesnay et Dubois ne disaient mot ; mais Argenson et Mme d'Estrades étaient anxieux de ce qui pouvait se passer. Après une assez longue attente, arriva Mme de Choiseul, échevelée et dans le désordre qui était le signe de son « triomphe ». Mme d'Estrades courut au devant d'elle, les bras ouverts, et lui demanda si c'en était fait... « Oui, répondit-elle, c'en est fait ; je suis aimée ; il est heureux ; elle va être renvoyée ; il m'en a donné sa parole. » A ces mots, ce fut un grand éclat de joie dans le cabinet. Quesnay seul restait impassible. « Docteur, lui dit M. d'Argenson, rien ne change pour vous et nous espérons bien que vous nous resterez — M. le comte, répondit froidement Quesnay en se levant, j'ai été attaché à Mme de Pompadour dans sa prospérité, je le resterai dans sa disgrâce » ; et il s'en alla. Les autres restèrent pétrifiés, mais ne conçurent nulle méfiance à l'égard du médecin. « Je le connais, dit Mme d'Estrades, il n'est pas homme à nous trahir. » En effet, ce ne fut pas par lui que Mme de Pompadour fut instruite du complot et délivrée de sa rivale.

Ce fut par le comte de Stainville, plus tard duc de Choiseul. Il exigea de sa jeune cousine que l'honneur familial ne fût pas compromis et la décida à quitter la Cour avec son mari. Elle mourut quelques mois plus tard des suites de ses couches.

Ce n'était pas le désir de plaire à Mme de Pompadour qui inspirait la conduite du comte de Stainville. Il poursuivait alors sa carrière militaire et ne venait à la Cour que pour s'y divertir. Il n'avait ni considération pour l'état de favorite royale, ni sympathie pour celle qui l'exerçait alors ; elle l'avait reçu froidement à Marly quelques années plus tôt, lorsqu'il était venu demander son appui en faveur du prince de Conti, qui briguait le commandement en chef des armées, en concurrence avec le maréchal de Saxe. Il n'avait donc aucune raison de lui rendre service ; le hasard lui en donnait les moyens ; il s'en vanta devant Gontaut, son beau-frère, et le président Ogier : il avait dans sa poche la dernière lettre du roi à la petite Choiseul, qui la lui avait confiée. Supplié par les fidèles amis de la marquise, il consentit à une entrevue destinée à la tranquilliser. Alors joua entre eux un charme mystérieux qui les dépassa l'un l'autre : bouleversé par ses larmes, il alla jusqu'à lui remettre le billet compromettant et elle fut conquise par cet homme petit, au nez retroussé, d'une laideur puissante et désinvolte. Elle se montra reconnaissante ; en novembre 1753, elle fit nommer Stainville ambassadeur à Rome, où il succédait à M. de Nivernais. Ce fut pour lui le début de la brillante carrière qu'il allait parcourir sous le nom de Choiseul.

La trahison d'Elisabeth d'Estrades trouva son épilogue trois ans plus tard. En l'occurrence, la dissimulation et la brutalité de Mme de Pompadour ne le cédèrent en rien à celles de Louis XV quand il se séparait d'un ministre. Mme d'Estrades restait ouvertement la maîtresse du comte d'Argenson, que la marquise haïssait, et lui servait d'espionne. A l'inimitié personnelle s'ajoutait le désaccord politique. Il s'appuyait sur le Parti de famille ; contre lui, elle soutenait Machault ; mais elle ne pouvait entamer son crédit auprès du roi. Mme d'Estrades et Argenson avaient beaucoup d'obligés à la Cour ; la tension augmentait de jour en jour.

Au début d'août 1755, lors d'un court séjour à La Muette, Elisabeth demanda à sa cousine si elle avait le temps de faire une course à Paris avant l'heure où elles devaient souper avec le roi chez le prince de Soubise à Saint-Ouen. Jeanne-Antoinette lui répondit qu'elle avait deux heures devant elle. A peine était-elle au bas de Chaillot qu'un courrier à cheval arrêta son postillon et lui remit une lettre dictée par M. de Saint-Florentin au nom du roi : elle était priée de se démettre de ses fonctions auprès de Mesdames et de ne plus paraître à la Cour ; ses appointements lui étaient maintenus. Mme de Duras la remplaça dans le rôle de dame d'honneur de Mme de Pompadour.

Depuis l'aventure de la petite Romanet, Mme de Pompadour pouvait espérer que le roi ne choisirait plus de favorite parmi la noblesse. Dans l'appartement du bas, à une date difficile à connaître, de maîtresse de Louis XV elle devint son amie. Il y eut une période de transition où leurs relations s'espacèrent. Pour dominer cette mutation douloureuse, elle l'exprima dans une allégorie artistique. Elle grava de ses mains un cachet d'après des dessins de Boucher ; c'est une intaille sur topaze de l'Inde à trois faces : l'Amitié est figurée sous les traits d'une jeune femme qui du pied foule un masque ; elle caresse le visage de l'Amour, enfant ailé qui a déposé son arc et son carquois. Autour d'un autel serpente une guirlande de lierre, de vigne et de grenadier, symboles de fidélité,

de vie et de sacrifice. Le fronton du temple de l'Amitié est timbré
aux armes de Pompadour. L'ordre dorique y signifie la solidité ; le
feuillage de chêne qui l'entoure indique la durée.

Jeanne-Antoinette savait que le temps de la passion était révolu.
Elle laissait derrière elle le mensonge, les ruses, les ardeurs et les
rêves, pour aborder à des rives plus sereines. Le rôle qu'elle ne
remplissait plus était obscurément délégué par elle à des subalternes. Il y avait dans l'entourage de Louis XV des pourvoyeurs
compétents. Le duc de Richelieu, vieux compagnon du roi, expert
en beautés fraîches et pulpeuses, furetait dans les ateliers des
peintres et les coulisses des théâtres. Le Bel prospectait dans Paris
et recrutait à un niveau plus modeste. Il existait un marché, des
parents accessibles à certaines offres, des filles consentantes. Alors
commença le temps des maîtresses passagères. L'appartement d'en
haut n'était plus disponible, car Jeanne-Antoinette l'avait fait attribuer au duc et à la duchesse d'Ayen, qui avaient sa confiance. Le
roi recevait sans attirer l'attention dans un entresol de son appartement intérieur, au-dessus de la petite salle des gardes. Les contemporains bien informés ont appelé cette pièce le *trébuchet*.

Plusieurs des « petites maîtresses » logèrent en ville dans le lotis-
sement du Parc-aux-Cerfs ; c'était une agglomération de pavillons
construits en même temps que l'église Saint-Louis, aujourd'hui
cathédrale. L'une de ces maisons fut acquise par le roi sous un
prête-nom. Petite et sans apparence, elle était bien modeste au
regard des *folies* luxueuses où quelques amis de Louis XV et de
Mme de Pompadour, seigneurs et fermiers généraux, abritaient leurs
amours. Un domestique ou deux assuraient le service. La femme
d'un commis de la Guerre venait tenir compagnie à la pensionnaire,
la conduisait en promenade, faisait avec elle de la broderie, des
nœuds, des *découpures*. L'une des premières fut Mlle Trusson, fille
de cette femme de chambre qui avait joué avec talent sur le théâtre de la marquise. Elle-même poussa dans les bras de Louis XV
cette petite à laquelle elle s'intéressait depuis longtemps. Lui succéda Marie-Louise O' Murphy, dite Morphise, issue d'une très
ancienne famille, quelque peu déchue, d'émigrés irlandais. Elle
avait quatre autres sœurs, dont l'une fut Mme Simon Bourlier, une
autre Mme de La Vabre. Marie-Louise était la plus jeune et ressemblait à l'une de ses aînées que Boucher a souvent peinte, presque toujours couchée sur le ventre, pour faire valoir des lignes

sinueuses et de fermes rotondités qui ont fait l'admiration de Casanova (musée de Munich, musée du Louvre, musée Nissim de Camondo). En avril 1753, le nom de Morphise était sur toutes les langues de la Cour, mais Louis XV ne la montra qu'au duc d'Ayen. A cause d'elle, il différa un séjour à Bellevue et Jeanne-Antoinette se retira en larmes dans son boudoir. Le jour de l'an suivant, le duc de Croy la vit à la messe de Saint-Louis, où il accompagnait Mme de Leyde, dame d'honneur de Madame Infante. Elle le frappa par sa beauté, la simplicité de sa mise et la réserve de son maintien.

Marie-Louise devint enceinte et mit au monde une fille qui, sous le nom de Mlle de Saint-André, fut élevée dans un couvent avec une rente viagère assurée par le roi. Mais Louis XV ne s'embarrassait guère de légitimer des bâtards : déjà la Cour regorgeait de princesses. Dès la fin de 1755, le prince de Soubise négocia le mariage de Marie-Louise avec Jacques de Beaufranchet, comte d'Ayat, capitaine au régiment de Beauvaisis, dont M. de Lugeac était colonel. Beaufranchet installa dans son manoir auvergnat sa jeune épouse pourvue d'une dot royale et d'un trousseau magnifique ; mais il devait tomber à Rossbach deux ans plus tard. Marie-Louise fut mariée trois autres fois. Mlle de Saint-André s'appelait Mme de La Tour du Pin à l'époque où Louis XV mourut.

Nicole du Hausset, efficace et discrète, était dans la confidence des accouchements clandestins, qui avaient lieu dans une maison de l'avenue de Saint-Cloud. Elle portait les cadeaux et les dragées aux jeunes mères et veillait au sort des enfants. La maison du Parc-aux-Cerfs fut parfois vacante pendant plusieurs mois. Au début de 1756, Mlle Fouquet, fille d'une coiffeuse, fut mariée dans une condition médiocre. Mlle Hénaut était peintre et fit le portrait du roi. Mlle Robert avait de l'éducation et de l'esprit. L'une venait au château, l'autre demeurait au Parc-aux-Cerfs.

Jeanne-Antoinette espérait qu'aucune de ces liaisons éphémères ne fixerait le cœur du roi ; elle restait en éveil. Jour après jour, elle lui offrait la lumière de son regard, la chaleur de son sourire, une tendresse attentive, complice et frémissante. Son rôle était de lui alléger le poids des affaires.

Louis XV était affronté à une situation difficile. Le déficit des finances publiques était de cent millions. L'économie agricole était fragile, les récoltes exposées aux caprices des saisons. Une disette avait sévi en 1747 et hâté la conclusion de la paix. Mme de Pompadour partageait avec le roi le souci des biens de la terre : « Ici, il pleut sans cesse, écrivit-elle à son frère le 15 juin 1750, ce qui nous donne de l'inquiétude pour les blés ; ils sont déjà renchéris. » Les populations mal informées étaient promptes à s'émouvoir et exposées à des psychoses qui dégénéraient en émeutes. En mai 1750, un soulèvement se produisit dans plusieurs quartiers de Paris et fut difficilement réprimé par la troupe et les archers du guet. A cette époque fut tracée la route dite de la Révolte, qui permit à la Cour d'aller de Versailles à Compiègne en contournant la capitale. Alors même que Louis XV essayait d'établir l'égalité de tous ses sujets devant l'impôt, il éprouvait avec tristesse l'incompréhension du menu peuple. Comme tout monarque, il se savait isolé par un entourage de flatteurs qui lui cachaient en partie la vérité. Il souffrait de se sentir coupé de la France profonde : « J'ai été le Bien-Aimé, dit-il alors, il me semble que je suis à présent le Bien-Haï. »

Mme de Pompadour elle-même fut victime du désordre, un jour où elle se rendit à Paris pour voir l'appartement de sa fille au couvent de l'Assomption. M. de Gontaut, chez qui elle devait dîner rue de Richelieu, vint au devant d'elle et lui conseilla de s'en retourner au plus vite : les émeutiers s'assemblaient sur le Boulevard, à proximité de son hôtel. La police de Berryer multipliait les rafles et emplissait les prisons. Les libellistes envenimaient l'animosité publique, orchestraient le mécontentement. Epigrammes et chansons continuaient de pleuvoir sur le roi et sa favorite.

La paix avait réveillé les vieilles querelles de religion. Le jansénisme qu'on croyait mort fut à nouveau pourchassé. Les protestants étaient persécutés avec rigueur. Comme Louis XV était énigmatique et qu'on le croyait irrésolu, la haute Eglise et la noblesse parlementaire, chacune pour leur compte, crurent le moment venu d'imposer une tutelle au pouvoir monarchique. Prélats et magistrats se raidirent dans la défense de leurs privilèges et s'opposèrent aux réformes ; ils préparaient le meurtre de l'Ancien Régime, car jamais les institutions n'ont été secouées plus brutalement qu'alors par ceux-là mêmes qu'elles favorisaient. L'intolérance religieuse, l'égoïsme politique et l'attachement à des conceptions surannées excitaient l'ironie des philosophes. Préjugés sociaux, subtilités théologiques et querelles dérisoires leur servaient à discréditer l'ordre établi, faisait le jeu de leur propagande, encore diffuse, mais cor-

rosive à long terme. Dans cette conjoncture, la principale ressource
de Louis XV et de ses ministres fut de s'appuyer tour à tour sur
des factions rivales.

Courageusement, avec l'aide morale de Mme de Pompadour, le
contrôleur général des Finances, Machault d'Arnouville, tenta la
réforme de l'impôt. L'organisation fiscale, depuis les temps lointains où l'avait établie Philippe le Bel, s'était progressivement affai-
blie. Presque jamais le niveau des ressources n'avait rejoint l'aug-
mentation des dépenses et des charges publiques. Si bien qu'en
1750, alors que l'activité des manufactures était aussi prospère que
le commerce intérieur et maritime, l'impôt n'était plus apte à saisir
la part qui revenait à l'Etat de la richesse nationale. Il frappait
avant tout les roturiers, pour la raison qu'ils étaient pratiquement
exempts d'obligations militaires. La noblesse, surtout celle d'épée,
avait traditionnellement des prétextes à s'y soustraire. Quant au
clergé, il était depuis longtemps admis que sa fortune échappait aux
prélèvements obligatoires. En mai 1749, Louis XV signa à Marly
un édit soigneusement préparé par Machault. Il promulguait le
Vingtième, impôt léger, mais jugé suffisant, à condition d'être levé
sans exception.

Mme de Pompadour avait plus d'une raison de seconder Machault. D'anciens auteurs ont cru qu'il l'avait accueillie dans son
intendance de Valenciennes, alors qu'elle accompagnait Louis XV
en Flandre au moment de Fontenoy ; mais on sait à présent qu'elle
resta à Etiolles cet été-là. Ce qui est vrai, c'est que son ami
Duverney, dès le ministère du duc de Bourbon, avait conseillé un
Cinquantième appliqué rigoureusement à tous les sujets du roi.
L'égalité devant l'impôt répondait à la pensée des économistes
qu'elle fréquentait. Les faveurs que sollicitaient ses protégés étaient
le plus souvent des pensions et ne pouvaient être accordées sans le
consentement du ministre. Il avait soldé les dettes de Mme de Pompadour. Chaque dépense de la favorite donnait lieu à un ordon-
nancement spécial ; car si elle avait disposé d'un fixe, elle en aurait
parfois demandé le relèvement, et toujours le nouveau chiffre aurait
inspiré des commentaires malveillants. Le 10 décembre 1750,
Machault, qui la servait si bien, fut fait garde des Sceaux, fonction
qu'il allait cumuler quatre ans avec celles de Contrôleur général.

Quand l'édit du *Vingtième* eut provoqué l'obstruction des Etats
du Languedoc, Mme de Pompadour fit nommer à l'intendance de

Toulouse, en remplacement de l'infirme Le Nain, son ami Guignard de Saint-Priest. Ce maître des requêtes souple et énergique sut obtenir des Etats l'acceptation de l'édit. Dans les mêmes circonstances, le duc de Chaulnes éprouva plus de résistance à Rennes et s'attira la haine des Bretons. L'édit avait en vue le soulagement des plus défavorisés, mais en un temps où l'information circulait mal, l'intention de Louis XV et de Machault ne fut pas comprise. Il fut facile aux privilégiés, utilisant de vieux réflexes populaires, de tromper sur ce point leurs vassaux et de les associer à leur résistance.

L'opposition du clergé fut irréductible. La considération qui lui était acquise et les ménagements qu'on lui réservait ne reposaient pas seulement sur le caractère sacré des fonctions sacerdotales ; du clergé dépendaient aussi dans le royaume l'assistance publique, l'enseignement et l'état civil. En matière fiscale, seule une contribution forfaitaire, le *don gratuit,* pouvait être consenti au roi par l'assemblée du clergé, notamment en cas de guerre, ou quand l'état du royaume exigeait un effort exceptionnel. Mais depuis quelque soixante ans, un courant de pensée critique, issu du *Dictionnaire* de Bayle, avait violemment attaqué les privilèges ecclésiastiques. Mme de Pompadour passait à juste titre pour encourager les idées nouvelles. Sa présence auprès du roi était insupportable à l'Eglise par les gages qu'elle semblait offrir à l'audace intellectuelle et à l'impiété, qu'on disait grandissante. Lors de l'assemblée qui se tint en 1750, les prélats protestèrent énergiquement contre l'édit du *Vingtième* et la politique de Machault. Ils se montrèrent aussi attentifs à défendre leurs immunités fiscales que l'intégrité du dogme. Inspirés de motifs trop humains, ils engagèrent l'autorité reçue du Christ au bénéfice d'intérêts temporels. Le sacré vint au secours du profane.

A la vérité, dans la France de ce temps, la foi était vivante, la libre pensée n'habitait encore que des esprits peu nombreux. En 1751, année où l'indulgence du Jubilé fut prêchée au son des cloches dans tout le royaume, la foule immense des fidèles prit part aux processions et aux offices. Cette mobilisation de la ferveur populaire fut utilisée à point contre le *Vingtième.* Si Machault était personnellement un homme pieux, qui se recueillait dans sa chapelle seigneuriale d'Arnouville, il avait malgré lui l'appui de Voltaire et de la secte philosophique. Le clergé eut beau jeu de dénoncer sa réforme comme une œuvre impie, un sacrilège et la conséquence des erreurs modernes.

Pour rappeler au roi très-chrétien ses devoirs envers elle, l'Eglise exploita sa disposition perpétuelle à se sentir coupable et la situation de faiblesse où le plaçait sa liaison adultère avec Mme de Pompadour. Pour lui représenter ses torts et l'ébranler profondément, elle se servit de Mesdames de France et du dauphin, qu'on savait pieux et dociles aux avis de leurs confesseurs. Le roi, au cours des longs moments qu'il passait avec ses enfants, était exposé à leurs reproches. Au cœur de l'intimité familiale, politique et religion entretenaient le trouble de la conscience royale, empoisonnaient le repos et faisaient fuir le réconfort des échanges affectueux. Le Père Griffet prêchait à la Cour, Louis XV s'entretenait avec le Père Pérusseau. Il craignit pour son salut. Il craignit aussi pour son peuple la colère du clergé et la grève du culte. De guerre lasse, il céda à l'offensive des dévots et du Parti de famille. Il désavoua Machàult, ce ministre qu'il avait pourtant en haute estime et même en affection. Comme l'année jubilaire touchait à sa fin, un arrêt du Conseil rendu la veille de Noël suspendit discrètement l'application du *Vingtième* aux revenus des biens d'Eglise. Le clergé était ménagé. Louis XV avait subi un chantage, comme sept ans plus tôt à Metz.

L'influence de Mme de Pompadour s'exerça généreusement quand les calvinistes du Midi furent à nouveau traqués. Deux ministres avaient été pendus ; mais en 1756, quand le duc de Mirepoix succéda à Richelieu comme commandant en Languedoc, il prit « les ordres de Mme de Pompadour » et suspendit les poursuites engagées contre Paul Rabaut, qui exhortait ses coréligionnaires.

Depuis le règne de Louis XIV, d'autres mesures avaient été prises : elles frappaient les jansénistes et blessaient profondément des consciences pour qui les rapports de la liberté humaine et de la grâce divine échappaient à la compétence des gouvernements. Au milieu du XVIIIe siècle, être janséniste consistait à observer les règles d'une morale sévère, mais surtout à contester la légitimité des autorités établies. L'esprit de Port-Royal avait été un levain spirituel, il devenait une arme politique. Le jansénisme était répandu dans la noblesse de robe, où il côtoyait le gallicanisme. Chez elle, des sentiments d'indépendance à l'égard de la papauté accompagnaient une antipathie certaine pour ses agents, les jésuites. Les

milieux cultivés de la Robe opposaient à la pensée de Bayle et de
Fontenelle une sorte de philosophie chrétienne. Il s'y glissait quelques tendances républicaines que l'esprit perspicace de Louis XV
avait su y déceler. Tous ces ressorts intellectuels et moraux ont
sous-tendu la rébellion progressive des Grandes Robes envers
l'autorité du roi.

Le rôle de Messieurs des cours souveraines était de rendre la
justice, mais ils avaient aussi l'avantage d'enregistrer les décisions
du gouvernement et de lui opposer leur droit de remontrances. Ils
prétendaient être en France une instance représentative et s'ériger
en corps de contrôle à l'exemple du Parlement d'Angleterre. Face à
l'arbitraire royal, ils se posaient comme les gardiens des lois fon-
damentales du royaume. Ils se faisaient passer pour les pères du
peuple et se donnaient pour ses défenseurs en repoussant les édits
fiscaux. Sous ce couvert, ils défendaient surtout les intérêts de leur
propre caste. Mme de Pompadour appelait le Parlement de Paris
« cette cour de France qui fait d'elle-même un éloge pompeux, dans
tous les édits, les remontrances ».

Tout conflit entre le roi et les parlements se déroulait suivant
un scénario devenu habituel à l'époque de sa faveur : les magistrats signifiaient au roi leurs remontrances. Louis XV, au cours d'un
lit de justice tenu à Versailles, leur enjoignait d'enregistrer ses volontés. Rentrés à Paris dans leur Palais, ils protestaient et suspen-
daient le cours de la vie judiciaire. Le roi les exilait à Pontoise ou
à Soissons. Après quelques mois de pénitence, comme les édits de
finance ne pouvaient être promulgués sans eux, un compromis était
négocié. Les robins rentraient à Paris aux applaudissements de la
population.

En 1751, l'affaire des refus de sacrements ouvrit entre les Parlements et l'Eglise une ère de violentes hostilités. Le provocateur
fut l'intransigeant Boyer, aumônier du dauphin et ministre de la
Feuille. Sur son avis, plusieurs prélats, parmi lesquels l'archevêque
de Paris, Christophe de Beaumont, interdirent au clergé paroissial
de porter l'eucharistie aux malades qui ne produiraient pas le certi-
ficat de confession d'un prêtre moliniste, c'est-à-dire non-janséniste.
Le Parlement de Paris prit parti contre l'archevêque, menaça de
saisir son temporel et d'emprisonner des curés. Il dépêcha des huissiers qui escortèrent les vicaires jansénistes au chevet des mourants.
Le conflit s'étendit en province, où plusieurs évêques furent dépo-

sés par les parlements, leur mobilier mis en vente. Cependant, la bulle *Unigenitus,* qui en 1713 avait condamné l'hérésie janséniste, était loi du royaume depuis 1730, ce qui obligeait Louis XV à la faire respecter. Cette affaire dura six ans, affaiblit le pouvoir royal et fit grand tort à l'Eglise.

Sur ces entrefaites, la situation de Machault d'Arnouville était devenue intenable. Son crédit s'épuisait dans la lutte inégale qu'il soutenait contre le premier ordre du royaume. Mme de Pompadour sut l'aider à trouver une position de repli. Par une transaction qu'elle négocia de connivence avec le prince de Soubise, il obtint le portefeuille de la Marine. Un ami du comte d'Argenson, Moreau de Séchelles, fut appelé au Contrôle général. M. de Rouillé passa de la Marine aux Affaires étrangères. Ce mouvement gouvernemental intervint pendant le séjour de la Cour à Compiègne, à la fin de juillet 1754. Mme de Pompadour et Machault eurent un rendez-vous près des « maisons de bois » du roi. Le ministre monta dans le carrosse de la marquise et tous deux s'entretinrent tête à tête pendant une promenade en forêt.

En un temps où les gens de robe et leurs épouses ne fréquentaient plus Versailles, le bruit des troubles parisiens y parvint d'abord assourdi. Le comte d'Argenson, intendant de Paris, cachait à Louis XV la violence des événements ; mais Jeanne-Antoinette partageait le souci quotidien du roi. Il descendait par l'escalier circulaire dans son boudoir de laque rouge ; parfois même, un Conseil des ministres se tint dans son grand cabinet, où Louis XV marchait de long en large. Force était de s'appuyer tantôt sur les parlements, tantôt sur le clergé et Mme de Pompadour suivait les oscillations de la conduite royale. De même que Messieurs du Parlement de Paris furent exilés à Soissons et les évêques priés de rester dans leur diocèse, Mgr de Beaumont fut assigné à résidence dans sa maison de Conflans. Mme de Pompadour se permit de lui écrire : « Vos billets de confession sont une chose excellente, mais la charité vaut mieux encore. » A plusieurs reprises, elle inclina Louis XV en faveur de la conciliation, tandis que le dauphin s'entêtait pour la cause moliniste. Pour ramener la paix dans les affaires de l'Eglise de France, elle faisait fond sur la hauteur d'esprit de Benoît XIV, reconnue par Voltaire lui-même, et soutenait les efforts de son ami Stainville, notre ambassadeur à Rome. Elle s'entremit, dit-on à Paris, entre le roi et le Parlement, représenté par les pré-

sidents d'Ormesson et Molé, qu'elle reçut à Crécy. L'opinion
publique, alors, lui en sut gré.

La relation qui a été conservée de ses entretiens avec le président Durey de Meinières donne une haute idée du jugement de
Mme de Pompadour sur les affaires politiques et de sa connaissance des hommes. Ce magistrat, connu comme auteur de recherches
historiques, avait collaboré à des remontrances ; il avait savam-
ment fondé sur des précédents médiévaux les prétentions actuelles
des cours de justice. L'obligeance d'un ami commun, l'abbé Baile,
lui permit d'être reçu par la marquise ; il venait un peu naïvement
solliciter pour son fils un brevet de cornette de cavalerie. Elle
l'accueillit dans son grand cabinet, adossée à la cheminée, avec une
majesté qui l'intimida ; sans faire de révérence, elle le mesura froidement de la tête aux pieds. Comme le valet de chambre Gourbillon se demandait quel siège avancer à cet homme respectable,
elle désigna une simple chaise et s'assit elle-même. En réponse à
son compliment et à sa requête, elle fit à ce juge son procès et
celui de ses collègues. Elle fit honte à seize d'entre eux d'avoir
donné leur démission, leur reprocha leur conduite aussi lâche
qu'irresponsable : « Vous aimez mieux voir périr le royaume, les
Finances, l'Etat entier... le roi est personnellement blessé et veut
être obéi. »

Pour mieux blâmer les égarements présents de la magistrature,
Mme de Pompadour revint sur le passé. Elle rappela que le Parlement n'avait jamais été aussi grand, aussi utile au pays, dévoué à la
monarchie et peuplé d'hommes remarquables que sous le règne de
Louis XIV, époque où lui fut temporairement retiré le droit de
remontrances. La réponse de la marquise à cet érudit abondait en
précisions inattendues. La noblesse et la fermeté du ton préfigu-
raient celles de Louis XV dans le discours prononcé lors du lit de
justice de 1766, qui est son testament politique. Pour le moment,
Mme de Pompadour savait que le roi n'accorderait pas au président de Meinières la faveur qu'il demandait ; l'entrevue était sans
issue. Elle le raccompagna doucement vers la seconde antichambre.
L'ayant congédié, elle courut vers sa chambre, où du monde l'attendait, puis se retourna un instant pour le voir s'éloigner dans
l'enfilade des portes. Il partait plein d'étonnement et d'admiration,
mais les mains vides. Elle le revit pourtant un mois plus tard, et

tous deux cherchèrent les moyens d'apaiser la sédition parlementaire.

Ainsi, Mme de Pompadour avait une conscience claire et forte du caractère sacré de la fonction royale. Les lits de justice en donnaient publiquement une image éclatante. Ils se tenaient dans la grande salle des gardes de la reine du côté du Midi. La salle était aménagée en hâte par les soins du Garde-meuble et des valets de chambre-tapissiers du roi. En août 1756, les ouvriers travaillèrent de nuit, ravitaillés en pain, vin et fromage par Thomas Gilbert, cabaretier à Versailles. Lors de la cérémonie du 20 septembre 1759, la suite des Gobelins représentant les *Actes des Apôtres* fut tendue sur les murs, complétée par quatre cents aunes de tissu à fleurs de lis aurore ; la niche où prirent place la reine et ses dames — au nombre desquelles était alors Mme de Pompadour — était garnie de damas cramoisi. Dominant l'assemblée des Grandes Robes, sa Majesté trônait sous un dais de velours violet brodé de fleurs de lis d'or, parsemé de plumes blanches et surmonté d'aigrettes. Ses pieds étaient posés sur un tapis de velours assorti.

Malgré cet apparat, Louis XV sentait son autorité menacée, mortellement peut-être. Il luttait pour sauvegarder la puissance souveraine qu'il tenait de Dieu seul ; sa mission était de transmettre la couronne intacte à son fils. Jeanne-Antoinette avait de la « gloire du roi » une vision assez proche de celle qu'il en avait lui-même. Elle savait l'écouter et, avec l'optimisme qui lui était naturel, entourait les soucis quotidiens d'un halo d'espérance. Les préoccupations le harcelaient sans répit, mais près d'elle, il reprenait courage et confiance. Selon le mot du marquis d'Argenson, tout lui était adouci par sa sirène.

7

Le tabouret de duchesse

La vie de Mme de Pompadour était consacrée à Louis XV et vouée aux intérêts de sa dynastie : « J'adore cet homme, je sacrifierais ma vie pour lui », dit-elle à Nicole du Hausset. Le sentiment qu'elle portait au roi unissait à la ferveur de l'amour le désintéressement de l'amitié. La distance qui désormais les séparait augmenta la confiance mutuelle, favorisa la clairvoyance, fit grandir l'admiration et le respect. Louis XV trouvait unis en Jeanne-Antoinette le charme, la douceur et l'esprit. Dès qu'il pouvait échapper aux obligations de son rôle officiel il descendait chez elle par l'escalier à vis et, selon le mot d'un diplomate, « déposait le caractère de roi ». Alors qu'il n'échangeait avec la reine que de rares paroles et de brefs billets, Louis XV s'est entretenu des milliers d'heures avec Mme de Pompadour. Rien de ce qu'ils se sont dit n'a filtré ; mais nous connaissons les joies et les peines qui ont tissé la trame de leurs jours.

En 1751, après plusieurs fausses couches et la naissance décevante d'une fille, la dauphine Marie-Josèphe de Saxe attendait à nouveau un enfant pour la fin de septembre. En janvier étaient nés deux petits princes de Bourbon, l'un à la Cour de Naples, l'autre à celle de Parme. Mme de Pompadour aurait donné six mois de sa vie, disait-elle, pour voir naître un garçon à Versailles.

Dans la nuit du dimanche 12 au lundi 13 septembre, la dauphine appela d'un coup de sonnette Mme Dufour, sa première femme de chambre ; les douleurs commençaient. Elle lui dit d'aller réveiller le dauphin et Jard, l'accoucheur, dont l'arrivée tarda, car le valet chargé de le quérir ne connaissait pas son appartement et

frappa vainement à plusieurs portes. Enfin, Jard arriva en pan-
toufles, à demi habillé, ainsi que Bouilhac, premier médecin. La
princesse venait de perdre les eaux ; il était trop tard pour apporter le lit de travail ; une dernière contraction douloureuse dura
huit à dix secondes. Jard savait que l'enfant allait naître et la
dauphine criait : « Le roi, le roi, des témoins ! », car la publicité
était indispensable pour authentifier une naissance aussi importante. Dans le passé avaient eu lieu des substitutions d'enfants
princiers : à Florence, un moine avait tenté d'apporter dans sa
manche un bébé à Bianca Capello, dont la grossesse et l'accouche-
ment étaient simulés.

Le dauphin accourut en robe de chambre, ressortit affolé, bous-
cula son menin, La Vauguyon, et fit entrer deux porteurs de chaise
qui sommeillaient sous l'escalier du roi, ainsi que six gardes du
corps ; prenant leur sentinelle par le bras, il lui dit : « Mon ami,
entrez vite ici voir accoucher ma femme ! » Mme de Tallard, gouvernante des Enfants de France, qui devait recevoir entre ses mains
le nouveau-né, venait de se précipiter auprès de la dauphine avec
ses dames, et la *remueuse*, chargée de changer le bébé. Monseigneur leur dit en les embrassant : « Ma femme est accouchée, mais
je ne sais pas de quoi. » Cependant, Jard, qui avait constaté que
c'était un garçon, le laissait sous les couvertures, entre les cuisses
de sa mère, attendant que la chambre soit remplie de témoins. « A
la bonne heure, soupira la dauphine, mais poussez-le un peu, il me
donne des coups de pied. »

La reine, cette nuit-là, s'attardait chez les Luynes. Le roi et
Mme de Pompadour étaient à Trianon, jouant au *piquet* après
souper ; un suisse essoufflé vint annoncer dans l'antichambre que
Mme la Dauphine était accouchée d'un garçon ; un valet de chambre vint le répéter tout bas à la marquise ; la nouvelle la laissa
d'abord incrédule, mais elle en fit part au roi pour lui éviter de
s'inquiéter. Il sortit pour en savoir davantage et rencontra M. de
Turenne qui lui confirma l'événement. Louis XV fut saisi au point
de se trouver mal ; on le porta dans le premier carrosse qui se
présenta, celui du prince de Conti. Quand il arriva dans la chambre
de la dauphine, l'enfant était né depuis une bonne demi-heure. Il
était posé nu sur un coussin. Le cardinal de Soubise, Grand aumônier, assisté de M. Jomard, curé de Notre-Dame de Versailles,
l'ondoya. Louis XV l'examina, le fit emmailloter. Le garde des

Sceaux lui passa le cordon bleu autour du cou, avec la petite croix qui, disait-on, avait servi pour Henri IV. Puis, Mme de Tallard, tenant l'enfant dans ses bras, partit en chaise et l'emporta dans l'appartement de l'aile du Midi. Ainsi naquit le duc de Bourgogne.

« Vous pouvez juger de ma joie, grand'femme, par mon attachement pour le roi, écrivit Mme de Pompadour à son amie alsacienne ; j'en ai été si saisie que je me suis évanouie dans l'antichambre de Madame la Dauphine. Heureusement, on m'a poussée derrière un rideau et je n'ai eu de témoins que Mme de Villars et Mme d'Estrades. Mme la Dauphine se porte à ravir, le duc de Bourgogne aussi ; je l'ai vu hier ; il a les yeux de son grand'père, ce n'est pas maladroit à lui » (29 septembre 1751).

Mme de Pompadour souhaitait assister au *Te Deum* à Notre-Dame de Paris ; mais elle n'aurait pu y figurer qu'à la suite de la reine, ce qui était impossible, car elle n'était pas dame du palais. Marie Lesczinska partit avec les princesses et les dames dans quatre carrosses à huit chevaux gris ; mousquetaires et chevau-légers précédaient le cortège. Pendant le relais à Rond-de-Cours, la reine nomma ses filles pour répondre à la curiosité des passants qui s'étaient attroupés. La marquise ne vit pas la cathédrale emplie des dignitaires en costume d'apparat, les deux rangées d'évêques en violet, tout le Parlement en robe rouge herminée, le chancelier et le garde des Sceaux revêtus de satin, le chapitre, les officiers, enfin les six hérauts d'armes dans leur antique et somptueux uniforme. Mais le soir, elle rejoignit la famille royale au château de la Muette pour souper.

A Versailles, ses gens lui apportèrent l'écho des manifestations populaires qui, selon la tradition, animèrent les cours du château. Chaque corporation offrit son présent symbolique : les tailleurs une veste, les cordonniers un soulier, les tapissiers un lit, les boulangers de la farine pour faire de la bouillie ; les bouchers voulaient tuer un bœuf dans la cour de marbre. Les gardes du corps donnèrent un bal dans le « magasin », les valets de chiens du petit équipage une mascarade sous les fenêtres de la dauphine, que vinrent complimenter les harengères, conduites par Mme Renard.

Les ambassadeurs fêtèrent l'événement dans les capitales où ils représentaient Louis XV. A Rome, M. de Nivernais, ami et correspondant de Mme de Pompadour, se fit prêter le palais Farnèse pour y recevoir pendant trois jours. A Versailles, le nonce Branciforte présenta une layette de merveilleuses dentelles offerte par Benoît XIV, qui avait prié la marquise Patrizzi de les choisir à Rome.

La naissance du duc de Bourgogne ne déchaîna pas en France la liesse populaire qu'on pouvait en espérer. A Paris, les illuminations eurent peu de succès ; les petits commerçants, astreints à fermer boutique pendant trois jours, maugréèrent. Le roi décida de consacrer l'argent des fêtes de la Ville à six cents mariages, qui revenaient à environ cent écus chacun et devaient être célébrés le même jour dans chaque paroisse. Mme de Pompadour, de son côté, maria et dota quatorze jeunes filles autour de Crécy : « Je marie les filles dans mes villages, j'en donne le divertissement au roi. Ils viennent le lendemain manger et danser dans la cour du château. Ceux que le roi a ordonnés à Paris sont dignes de sa bonté, mais en province ils feront encore plus de bien » (à Mme de Lutzelbourg, 29 octobre 1751). Son parrain Montmartel en fit autant sur ses terres, comme le remarqua le président de Lévi.

A Versailles, la joie fut troublée par un geste hostile et regrettable à l'égard du roi et de la favorite : un paquet contenant de la poudre et un message insolent fut trouvé dans le berceau princier. Il s'agissait du chantage d'une femme de chambre, protégée par M. d'Argenson, dont elle avait épousé un commis. La marquise minimisa l'incident ; elle écrivit : « La Sauvé n'est autre chose qu'une folle qui s'est imaginé qu'en mettant un paquet effrayant dans le lit de M. le duc de Bourgogne, elle aurait l'air, en avertissant, de lui avoir sauvé la vie, et que sa fortune et celle de sa famille serait faite... Elle est à la Bastille, où elle restera jusqu'à ce qu'elle dise ses motifs ; mais il n'y a pas la plus légère inquiétude pour le prince ; il se porte à ravir. »

Cet enfant qui représentait alors l'avenir de la dynastie devait mourir le 22 mars 1761 ; mais alors, la dauphine lui avait donné trois frères qui régnèrent sous les noms de Louis XVI, Louis XVIII et Charles X.

1752 fut une année sombre, où deux fois la Cour fut plongée dans l'angoisse, Mme de Pompadour dans l'inquiétude. Le roi vit mourir sa fille préférée et faillit perdre son seul fils. Dans le malheur, Jeanne-Antoinette fut pour lui le plus précieux secours. La mort, au lieu de les séparer, les rapprocha.

Lors de la joyeuse course en traîneaux qui s'acheva sous les fenêtres de Mme de Pompadour le 2 février, rien ne laissait présager la disparition brutale de Mme Henriette. Louis XV chérissait sa fille aînée et se reconnaissait en elle pour la douceur du caractère. Ce jour-là, menée par son père dans la somptueuse nacelle qui glissait sur la neige, la princesse frissonnait déjà sous sa fourrure. Sa sœur Adélaïde la savait malade, mais avait été priée de n'en rien dire. Mme Henriette était minée par la tuberculose intestinale et aussi, dit-on, par un amour impossible pour son cousin, le duc de Chartres. Le lendemain, elle accompagna la famille royale à Trianon, mais un fort mal de tête l'obligea de revenir au château. Une saignée au bras, la première de sa vie, fut sans effet. Les médecins consultants furent appelés de Paris : Dumoulin, Falconnet, Sénac, auxquels se joignirent Quesnay et les autres docteurs de la Cour. Le mardi 8 dans la soirée, la douleur se calma ; Madame Henriette put s'asseoir sur un lit, un éventail à la main. Le voyage prévu chez Mme de Pompadour à Bellevue était annulé. Bientôt, la fièvre redoubla ; le Père Pérusseau reçut la confession de la malade. Le lendemain, elle fut saignée au pied et demanda le saint Viatique ; il lui fut porté de la paroisse Notre-Dame ; le roi, la reine, le dauphin et Mesdames descendirent l'escalier de marbre et traversèrent la cour au devant de l'évêque de Meaux, premier aumônier de Madame Henriette, revêtu du rochet et du camail, accompagné de plusieurs prêtres en surplis et de l'abbé Jomard, curé de la paroisse. Le roi passa la nuit chez lui, tout habillé, étendu sur un canapé ; il était muet de douleur.

Le jeudi 10, Madame perdit connaissance. Le Père Pérusseau envoya chercher les saintes huiles à la paroisse et l'évêque de Meaux administra la princesse devant Louis XV atterré. Toute la Cour était réunie dans l'Œil-de-bœuf. A deux heures moins le quart, de sa chambre où il était retourné, le roi vit le Père Pérusseau traverser la cour et comprit que sa fille était morte. Elle avait vingt-quatre ans.

Dans l'heure de stupéfaction qui suivit, Mme de Pompadour s'interrogea. Pour le parti dévot, c'était à n'en pas douter la manifestation de la justice céleste et la sanction de l'inconduite royale. Pour Louis XV, les remords s'ajoutaient au chagrin. La dauphine, seule capable de décider dans ce moment, fit donner l'ordre d'aller à Trianon, car l'étiquette interdisait à la famille de rester au châ-

teau avec un mort. Mme de Pompadour était livrée à elle-même
et beaucoup la considéraient comme perdue. Ses amis n'osaient la
conseiller ; elle prit d'elle-même la décision la plus audacieuse :
elle partit de son côté occuper son appartement de Trianon. La
reine s'était retranchée à Trianon-sous-Bois. Chacun prit chez soi
un repas de fortune, sans sel ni vin. M. de Brézé, grand maître des
cérémonies, décida de porter le corps de Madame aux Tuileries. A
minuit, il fut descendu, enveloppé dans un linceul. Selon l'habitude,
on le plaça presque assis dans un carrosse. A Paris, le chirurgien
Loustonneau procéda à l'ouverture du corps et remit le cœur à
Mme de Beauvilliers sur un plat d'argent. Dans la chapelle ardente,
pour éviter aux ducs et pairs et aux princes du sang de se disputer
le goupillon, l'on renonça à jeter de l'eau bénite.

Le roi, enfermé dans sa douleur, chassait par habitude, mais ne
regardait rien. Le 18, Jeanne-Antoinette l'eut seul à souper dans
l'appartement d'en bas ; il reçut d'elle un réconfort dont il la savait
capable et qui resta leur secret.

Mme de Pompadour était tenue à l'écart des cérémonies funè-
bres. Elle ne vit pas le catafalque aux couleurs tendres, que Slodtz
avait dressé dans la nef de Saint-Denis, tendue de satin blanc. Elle
n'entendit pas non plus l'homélie prononcée par Mgr Poncet de
La Rivière, mais en connut le thème et put le méditer : « Toute
chair est comme l'herbe, toute sa grâce comme la fleur des
champs ; la fleur se fane, l'herbe se flétrit, mais la Parole de Dieu
demeure éternellement. »

Six mois plus tard, la famille royale était à Compiègne quand la
reine reçut une lettre fort gaie de son fils resté à Versailles ; mais
le *post-scriptum* ajouté par la dauphine avait de quoi inquiéter :
son époux avait la fièvre et des frissons ; sans doute avait-il pris
chaud et froid en faisant à pied le tour de la pièce d'eau des Suisses ; elle espérait qu'il s'agissait d'un rhume sans gravité. Néanmoins, le Dr Quesnay et Mme de Pompadour, prévenus les premiers, quittèrent Compiègne dans la nuit du 2 au 3 août à deux
heures du matin. A quatre heures, le roi fit atteler à son tour sans
avertir la reine. La variole était à craindre. Louis XV arriva à
Versailles en même temps que Sénac et La Martinière, Dumoulin et
Falconnet, médecins consultants de Paris, qu'on avait envoyé
prendre.

A trois heures de l'après-midi, le dauphin fut saigné au pied par

Dulatier, son premier chirurgien : il avait une fièvre ardente, s'en-
dormait, délirait, se mettait à chanter, demandait un confesseur,
alors qu'il venait de recevoir l'absolution de M. Rance, curé de
Saint-Louis, en l'absence du Père Pérusseau. Lorsque l'éruption se
déclara, indécise et d'autant plus redoutable, Sénac fit appeler ses
confrères Pousse et Vernage, spécialistes parisiens de la variole,
alors plus couramment désignée sous le nom de petite vérole. A la
reine, qui arriva le 4, à cinq heures du matin, le roi ne put cacher
la vérité ; seule Mme Adélaïde, à qui cette maladie inspirait la
terreur la plus vive, n'était pas encore informée.

Des lits de camp avaient été dressés pour les médecins dans la
seconde antichambre du dauphin ; le soin de leur table était confié
au service de la Bouche. Les nouvelles étaient données dans le
cabinet du premier valet de chambre, Binet, qui faisait informer
directement sa cousine, Mme de Pompadour. Le duc d'Orléans,
premier prince du sang, suivait assidûment l'évolution de la maladie,
non sans quelques motifs ; car le dauphin disparu, l'héritier du
trône était un bébé de onze mois, et un bébé était alors bien fragile ;
la couronne de France se rapprochait. Cependant, l'affluence devint
si grande chez Binet que le roi fit réserver l'entrée et l'interdit aux
princes du sang.

Au malade lui-même, on cachait son état. N'avait-il pas dit lors
de la naissance de son fils : « Maintenant, je ne suis plus si cher ! »
Les mensonges étaient accumulés pour lui expliquer l'absence de
plusieurs des siens : le roi avait un rhumatisme au genou qu'on
avait dû bander, Mesdames ses sœurs étaient restées à Compiègne.
Un numéro spécial de la *Gazette de France* fut imprimé à son
usage, publiant qu'il souffrait d'un simple refroidissement. Tout
miroir lui était refusé ; il n'aperçut que son reflet imprécis dans
une assiette de métal.

Cependant, le docteur Pousse admirait le dévouement et le
courage de deux femmes qu'il n'avait pas identifiées, la reine qui
venait si souvent dans la chambre, la dauphine, qui ne quittait pas
le chevet de son époux et laissait son fauteuil au médecin : le savant
distrait les prit l'une et l'autre pour des servantes. Dans la nuit du
4 au 5, le dauphin s'agita, on le fit boire, la suppuration espérée se
produisit, mais l'inquiétude persista plusieurs jours avec des alternances de fièvre et de répit. Le 8, l'archevêque de Paris rendit
visite au malade et le roi lui demanda d'ordonner des prières

publiques. Le 9, au retour d'une promenade à cheval qui avait permis à Louis XV de se détendre, Vernage et La Martinière le rassurèrent sur l'état de son fils ; les nuits suivantes, le dauphin n'eut que des bouffées de fièvre considérées comme des accidents nécessaires ; le docteur Pousse, qui ne s'était pas encore déshabillé, dit en plaisantant qu'il pourrait bientôt s'en aller. En effet, le 17, les médecins quittèrent Versailles, non sans avoir pris chez Binet un dîner arrosé de vin de Tokai. Le dimanche 20, Mme de Pompadour put assister au *Te Deum* d'action de grâces à la chapelle du château et, le soir, au feu d'artifice achevé par une somptueuse « girande ».

Cette maladie de l'héritier du trône avait été une affaire d'Etat, au point que l'on avait quelque peu négligé les précautions habituelles. De nouveau, la position de la marquise avait risqué d'être remise en question : la mort du dauphin aurait été décidément le signal de la colère divine et de sa propre chute.

L'alerte passée, la Faculté fut royalement récompensée. En octobre, Louis XV anoblit Pousse et Vernage. Quesnay, que la marquise avait mis à la disposition de la famille royale, ne fut pas oublié. Le roi, choisissant trois pensées dans un vase sur la cheminée de Jeanne-Antoinette, les tendit à celui qu'il appelait son Penseur en lui disant : « Je vous donne des armes parlantes. »

Quand le dauphin fut parti se reposer à Meudon, sa convalescence fut l'occasion d'une série de fêtes spontanées, à Montreuil chez Mme d'Estrades, à Saint-Ouen chez le prince de Soubise, à Montrouge chez le duc de La Vallière, à Saint-Cloud chez le duc d'Orléans, à Passy chez M. de La Pouplinière, dont Rameau était encore le chef d'orchestre personnel. Mme de Pompadour offrit à Bellevue le 30 août un feu d'artifice allégorique : un dauphin lumineux s'élevait au milieu d'une pièce d'eau entourée d'antres, d'où surgissaient des monstres vomissant des flammes. Apollon, dieu de la médecine, les foudroya du haut des airs ; lorsque la fumée se fut dissipée, apparut le palais éclatant du soleil, d'où le dauphin guéri s'élança sur les nuées dans toute sa splendeur. Cette féerie lumineuse fut suivie d'une autre sur la Seine devant Brimborion.

En arrivant à Crécy, le 9 septembre, les invités de la marquise crurent la maison touchée par une baguette magique : du côté de la cour, l'architecture était soulignée de mille points scintillants produits par des pots de suif que l'on rallumait au fur et à mesure que le vent les éteignait. Trois jours plus tard, un feu d'artifice fut tiré du vertugadin. Le lendemain, la dame des lieux fit chanter un *Te Deum* dans l'église de Couvé et célébrer huit mariages dotés par elle ; les repas furent servis sous des tentes.

Alors, pour reconnaître sa qualité d'amie nécessaire et de confidente irremplaçable, Louis XV lui accorda le *tabouret*, c'est-à-dire le privilège ducal d'être assise en présence des souverains. « J'ai eu la fièvre pendant dix jours, écrivit-elle à son père. Le roi m'a donné les honneurs de duchesse. » A cette étape, ce qui la comblait n'était pas de pouvoir ajouter le manteau à ses armes et la calotte de velours à son carrosse ; c'était plutôt une garantie de stabilité, un bouclier contre l'insolence, le repos après des années de lutte qui l'avaient épuisée. La cérémonie eut lieu le 17 octobre 1752 à six heures et quart dans le cabinet du roi. Elle s'assit avec la princesse de Conti à la gauche de la reine, qui avait Mme de Luynes à sa droite. Marie Lesczinska lui dit quelques mots de compliment. Dès lors, observa le prince de Croy, « avec quelle grâce elle passait sur le corps des premières duchesses, en leur faisant des politesses au grand couvert, pour s'y asseoir ! »

La même année, pour rallier l'estime générale et faire oublier le passé, elle tenta, d'accord avec Louis XV, une démarche auprès de la Sorbonne, qui était alors la faculté de théologie. Sa question fut la suivante : pouvait-elle rester à la Cour, amie du roi et réconciliée avec Dieu ? La réponse à cette consultation fut nette et négative, car elle avait un époux légitime et il était vivant.

A ce point de son ascension, elle se sentit autorisée à fiancer sa fille au duc de Picquigny. Alexandrine avait alors huit ans. Le duc en avait onze. Le mariage devait se faire un an et demi plus tard. Selon la coutume, la petite fille retournerait dans son couvent aussitôt après la cérémonie.

En attendant, Alexandrine eut l'occasion d'assister à des noces chaperonnées par sa mère et fut marraine dans le cercle de ses amis. Le 31 mai 1753, elle porta sur les fonts le petit-fils du Dr Quesnay, Louis Prudent Alexandre Hévin ; le parrain était le contrôleur général des Finances Machault d'Arnouville. L'année suivante, le 4 juin, la signature d'Alexandrine apparaît parmi les plus prestigieuses de la Cour dans le contrat de mariage d'Etiennette, fille de Mme du Hausset, et de Jean-Nicolas de Barrême, seigneur de Crémilles. Mlle du Hausset de Demaines venait de faire son entrée dans le monde après des années passées chez les Dames de Saint-Cyr.

Trois autres mariages étaient projetés le mercredi 19 juin 1754 et devaient réunir les invités dans une même réjouissance : les deux demoiselles de Baschi, nièces par alliance de la marquise, allaient épouser, l'aînée M. de Lugeac, la cadette M. d'Avaray. La troisième, Mlle de Quitry, parente des Le Normant, allait s'unir à M. d'Amblimont.

Mais le vendredi 14, Alexandrine tomba malade à l'Assomption. Elle fut purgée comme pour une simple indigestion ; le repas léger qu'elle absorba, potage et poulet, provoqua une colique et des vomissements qui parurent la soulager momentanément ; mais le lendemain, elle fut prise de fièvre et de convulsions de plus en plus violentes. Son père, appelé à son chevet, fut présent à ses derniers instants. La Cour était alors à Choisy. Les médecins Sénac et La Martinière, dépêchés en hâte, ne purent que constater le décès et pratiquer l'autopsie. L'enfant avait succombé à une appendicite aiguë ; tout soupçon d'empoisonnement fut écarté. La nouvelle parvint à la Cour le dimanche. Le lundi 17 à midi, Alexandrine fut enterrée dans le chœur des Dames de l'Assomption.

La douleur de Jeanne-Antoinette fut inexprimable. Ses règles s'arrêtèrent ; il fallut la saigner au pied. Elle se retira à Bellevue, où Louis XV la rejoignit après une chasse à Rambouillet. Il y revint tous les jours, aussi longtemps que la vie de son amie parut en danger. Le 19, la reine chargea l'un de ses pages de porter à la marquise son message de compassion. La santé de Mme de Pompadour resta définitivement ébranlée : elle fut dès lors sujette à des palpitations, à des vertiges.

Poisson ne survécut pas à sa petite-fille. Il s'éteignit à son tour le 25 juin. On l'enterra dans le chœur de l'église de Marigny, près de l'autel dédié par lui à saint François, son patron. Son fils fit graver une inscription « à la mémoire du meilleur des pères » et fit peindre des poissons dos à dos sur un des piliers du chœur.

La terre de Marigny fut érigée en marquisat par lettres patentes du 14 septembre 1754. M. de Vandières, que les mauvaises langues appelaient M. d'*Avant-hier,* devint marquis de Marigny et fut présenté en cette qualité à Leurs Majestés. En juin 1756, il fut fait greffier de l'ordre du Saint-Esprit et reçut lui-même le cordon bleu. Le bruit courait que des feudistes travaillaient à une généalogie des

Poisson : la famille se rattachait à une branche cadette de la maison de Bar, mais ses armes avaient été usurpées par la branche aînée. Un *Radulphus Piscis miles* figurait dans une charte du XIIe siècle. Le nouveau projet de mariage caressé par Jeanne-Antoinette entre son frère et Mlle Berryer, la fille du lieutenant de police, fut sans lendemain. Ce refus persévérant que Marigny opposait aux démarches matrimoniales de sa sœur fut entre eux un fréquent sujet de disputes.

Mme de Pompadour se préoccupa pour les siens d'une sépulture digne de son rang. Grâce à l'influence de Mgr de Chauvelin elle se fit céder aux Capucines de la place Vendôme, sur l'emplacement de l'actuelle rue de la Paix, la moitié d'une chapelle placée sous l'invocation de Notre-Dame de Tongres ; elle provenait de la famille de Créqui et appartenait alors au duc de La Trémoïlle, qui conserva l'autre moitié, consacrée à saint Ovide. Le samedi 19 octobre, le cercueil d'Alexandrine fut exhumé de l'Assomption par l'abbé Cathlin, curé de la Madeleine de la Ville-l'Evêque, et parvint aux Capucines après une station dans Saint-Roch. Mme de Pompadour avait dû réunir les consentements du cardinal de Soubise, grand aumônier de France, de Mgr de Beaumont, archevêque de Paris, et de l'abbé Jean-Baptiste Marduel, curé de Saint-Roch. Par la suite, les cendres de Mme Poisson furent transférées près de celles d'Alexandrine, sous la chapelle Notre-Dame de Tongres. Jeanne-Antoinette vint fréquemment se recueillir aux Capucines, quand Soufflot y eut aménagé pour elle un pied-à-terre.

A ses yeux, les vanités de ce monde n'avaient plus d'éclat. Ces temps de retraite lui faisaient trouver en elle-même des ressources extraordinaires. Quinze jours après la mort de sa fille, elle offrit à dîner lors des mariages que le deuil avait différés, et le 11 août fit la présentation de Mme d'Amblimont au couple royal. Le prince de Croy, qui la vit alors et la savait brisée, s'étonna de la trouver aussi accueillante et gaie qu'à l'habitude. La vie à la Cour n'autorisait aucune défaillance, n'accordait aucune rémission.

Il était alors plus recherché de souper chez elle que chez le roi. Les vieux courtisans lui reprochaient de bousculer l'ordre des grâces et de tordre le col au mérite en le récompensant selon ses caprices. Elle recevait sur le même pied seigneurs et gens de finance. Depuis mai 1749, à la demande du roi, elle avait cessé de distribuer des places de sous-fermiers, mais en accord avec les doyens de la Ferme et ses amis Pâris, elle continua de nommer aux plus hauts postes de la compagnie, qui reçut d'elle un appui constant. Promue par les gens de finance, elle les poussait à son tour et les rapprochait de la noblesse d'épée, leur procurant de hautes charges de Cour, les encourageant à racheter des fiefs en déshérence et leur ménageant des alliances avantageuses pour les uns et pour les autres.

Pour son ami Ange-Laurent La Live de Jully, elle obtint l'agrément d'une charge d'introducteur des ambassadeurs, alors délaissée par M. Chassepoux de Verneuil. Ses collections d'art valaient à La Live de Jully d'être associé comme membre honoraire à l'Académie de peinture et de sculpture. Grimm dit de lui qu'il était « un peu dévot, un peu musicien, un peu graveur » et qu'il n'en fallait pas davantage pour être à la mode à Paris et à la Cour.

Les Bouret, les Ferrand, les La Borde, les Savalette, les Parseval, les Thoynard, les Brissart, les Chicoyneau de La Valette, les Jogues de Martainville, les Dupleix de Bacquencourt, les Darnay, les Pignon, les Fontaine de Cramayel, les Lallemant de Betz constituaient un réseau dans lequel Mme de Pompadour apparaît constamment comme parente, alliée, amie ou marraine.

Ce groupe social fut d'autant mieux accepté par Louis XV qu'il ne ménageait pas ses secours et renfloua puissamment les caisses du Contrôle général en des temps difficiles. L'institution de la Ferme appartenait elle-même à un système fiscal irrationnel et condamné, mais elle restait comme une cheville résistante au centre d'une charpente vermoulue et la monarchie lui dut peut-être vingt ans de survie. Nécessaires, les fermiers généraux étaient admirés pour leur faste, leurs demeures, leurs collections et parfois leurs talents. Seules quelques familles ducales tiraient encore de leurs immenses possessions de quoi les égaler sur ce plan.

Les réunions mondaines ne furent jamais aussi brillantes qu'en ces années de paix. Accompagnant le roi chez les courtisans qu'il daignait honorer de sa visite, Mme de Pompadour était la divinité de ces fêtes estivales. Le 6 août 1749, ils soupèrent chez Richelieu, dans sa *folie* des Porcherons. C'était l'une de ces habitations dissimulées dans la verdure, où grands seigneurs et financiers abritaient leurs bonnes fortunes aux abords de Paris. Richelieu en eut trois autres, à Vaugirard, sur le Boulevard et à Gennevilliers. De l'une à l'autre, il transporta deux chefs-d'œuvre qui étaient passés de la maison de Montmorency dans la sienne, les *Captifs* sculptés par Michel-Ange pour le mausolée de Jules II. Le rapport illustré d'un architecte-expert nous a transmis l'image et la description de la maison des Porcherons. Elle était décorée à l'étage de fresques érotiques ; le duc les commentait aux dames, un bougeoir à la main.

Louis XV était intrigué par ces maisons galantes que Jeanne-Antoinette ne fréquentait plus qu'en visiteuse. Elle avait connu à Bercy celle de son parrain Montmartel. C'était un pavillon bâti sous la Régence, où l'on admirait dans la salle à manger des natures mortes d'Oudry et dans le grand salon des mythologies de Coypel. Ces maisons, en forme de coquilles, associaient des pièces rondes et octogonales, séparées par un labyrinthe de réduits, d'escaliers dérobés et de corridors secrets. Tout y favorisait les rencontres furtives, l'échange des confidences, les replis stratégiques. Dans *La petite maison*, le romancier Jean-François de Bastide, en marge d'un épisode amoureux, nomme les artistes à la mode qui construisaient et décoraient ces luxueux repaires. L'architecte est Le Carpentier, qui avait en effet la clientèle des fermiers généraux. C'est à son élève, Guillaume Martin Couture, que devait s'adresser Le Normant d'Etiolles pour sa pimpante habitation de la rue du Sentier.

Le 11 août 1750, on alla chez le prince de Soubise à Saint-Ouen, après une chasse aux perdreaux dans la plaine de Saint-Denis. Les jardins, que le prince ouvrait volontiers aux promeneurs parisiens du dimanche, s'étendaient jusqu'à la Seine. Ce soir-là, il avait fait placer des lampions dans tous les arbres. Le pavillon central, édifié par Boffrand pour son père, était une sorte de Trianon précédé d'un élégant péristyle. Soubise fit ajouter une magnifique volière. Seules Mesdames de Clermont et d'Estrades accompagnaient Mme de Pompadour : le prince avait évité toute autre présence féminine pour ne pas porter ombrage à la marquise.

Le 17 février suivant, Soubise donna un bal masqué dans son palais parisien de la rue de Paradis (aujourd'hui les Archives nationales). Les dames, très parées, descendaient de voiture à couvert sous les arcades entre la cour d'honneur et celle de Clisson, qui était plus grande qu'à présent et se prêtait à la manœuvre des carrosses. Douze gendarmes de haute taille leur donnaient la main. Ils introduisirent les trois cents invités dans les appartements. L'escalier, aujourd'hui disparu, avait été décoré par les mêmes artistes que celui de Bellevue. Quand le roi et Jeanne-Antoinette, tard dans la nuit, arrivèrent masqués, l'on attaqua la pièce montée posée sur une table en fer à cheval. Dans le salon ovale du premier étage, Soubise put montrer à la marquise les panaches peints par Natoire pour Sophie de Courcillon, seconde femme de son grand-père, qui vivait alors dans la retraite au couvent du Précieux-Sang. Elle admira cette nuit-là, dans leur fraîcheur première, les scènes inspirées d'Apulée : *le Sommeil de Psyché, Psyché montrant à ses sœurs les présents de l'Amour, Psyché levant sa lampe pour contempler son époux endormi, Psyché enlevée au ciel,* épisodes dont la signification symbolique ne pouvait lui échapper.

Dans ce quartier désert et démodé du Marais, habité surtout par la robe, un autre familier de Louis XV, M. d'Ecquevilly, avait son hôtel rue Saint-Louis, aujourd'hui rue de Turenne. La rampe de l'escalier, ornée de hures et d'épieux, y rappelle encore que sa lignée occupa durant un siècle et demi la charge de capitaine du *vautrait,* c'est-à-dire de l'équipage pour le loup et le sanglier. C'est cependant dans son domaine d'Ecquevilly, proche de Meulan, qu'il préféra accueillir Mme de Pompadour. Elle s'y rendit pour y déjeuner le 15 septembre 1755 en compagnie de Mmes de Brancas et de Châteaurenault.

Jeanne-Antoinette, qui aimait les belles maisons, souhaita connaître celle du Contrôleur général Moreau de Séchelles. Elle y alla un matin pendant le même été sans y accepter de repas. La modeste installation du ministre la déçut, car elle l'imaginait aussi belle que celle de Machault à Arnouville. Le roi plaisanta Séchelles, qui menait à peine le train d'un intendant.

Alors que Louis XV évitait les visages inconnus et se renfermait devant eux, Mme de Pompadour était impatiente de rencontrer les nouveaux venus. Il n'était pas un aventurier, un homme de talent qu'elle ne se fît présenter : les frères Calzabigi ; Casanova fraîchement évadé des Plombs de Venise ; Caffarelli, castrat vaniteux et brillant qui se produisit à Versailles et à Bellevue ; le comte d'Osmont, original et fantasque, dont le fils épousa une jeune amie de la marquise, Mlle de Briges ; le comte de Saint-Germain, violoniste, qui prétendait avoir vécu au temps des Césars et à qui Louis XV prêta pour ses expériences d'alchimie un appartement à Chambord.

Dès son arrivée à la Cour, Mme de Pompadour manifesta son intérêt aux sociétés savantes et littéraires : « Je suis fort aise, écrivit-elle à M. d'Orbessan, d'avoir contribué à la satisfaction de Messieurs de la Société des Sciences de Toulouse et de leur avoir donné une preuve de l'estime et du cas que je fais des Sciences et des Beaux-Arts » (Choisy, 9 mai 1746). A la mort du cardinal de Rohan, elle sollicita pour son ami l'abbé Le Blanc les suffrages de l'Académie française ; les autres concurrents étaient Mgrs Poncet de La Rivière, évêque de Troyes, et de Vauréal, évêque de Rennes. Apprenant que son candidat ne serait élu que par considération pour elle, Mme de Pompadour s'inclina élégamment devant l'illustre compagnie ; lors d'une séance houleuse où le doyen Fontenelle, âgé de quatre-vingt-dix ans, dut agiter la sonnette pour obtenir le silence, Mgr de Vauréal fut élu. A la mort de l'abbé Terrasson, la marquise souhaita faire élire son ami Piron, mais se retira de bonne grâce devant la candidature du comte de Bissy, qui fut reçu le 29 décembre 1750 par le maréchal de Belle-Isle.

Sous les ombrages d'Etiolles, l'abbé de Bernis avait conseillé à Jeanne-Antoinette de protéger les écrivains, car c'étaient eux qui avaient donné à Louis XIV le nom de Grand. Mme de Pompadour savait que Louis XV n'aimait pas les vers et se méfiait des littérateurs. Il préférait admirer en silence une aurore boréale ou une éclipse de soleil et jugeait plus utile à sa gloire de lancer des explorateurs dans les Montagnes Rocheuses, des astronomes-géographes en Laponie ou au Pérou pour mesurer le méridien terrestre. Il dédaigna d'assumer la protection des lettres. Autant qu'elle le put, Mme de Pompadour s'en chargea pour lui.

Elle avait trop fréquenté les salons parisiens pour n'être pas charmée par l'esprit qui pétillait dans les mots, séduite par les pensées et les sentiments nouveaux dont ils étaient chargés. Mais sa position à la Cour ne lui permettait pas d'accueillir sans discernement les écrits insidieux qui distillaient à long terme un venin mortel pour les croyances chrétiennes et l'institution monarchique. Lorsque Rousseau intercéda pour son ami Diderot, détenu au donjon de Vincennes pour sa *Lettre sur les aveugles*, elle évita de répondre. Quand Voltaire et Duclos s'employèrent à faire entrer le « frère Diderot » à l'Académie française, en juin 1760, ils sollicitèrent son intervention, la sachant « très capable de cette belle action » ; mais Louis XV déclara tout net qu'il ne sanctionnerait point cette élection, parce que Diderot avait trop d'enne-

mis. Voltaire se méfia des indiscrétions de la poste et n'en parla
plus. Il le savait : Jeanne-Antoinette avait les mains liées, mais
elle était des leurs et « pensait comme il faut » (lettre à Damila-
ville). Ne pouvant faire descendre dans son salon les amis de
Quesnay, Dalembert, Diderot, Duclos, Helvetius, Turgot, Buffon,
elle montait dans l'entresol du docteur et se mêlait à la conversation philosophique, mais elle accueillit chez elle un élève de
Quesnay, le jeune Samuel Dupont de Nemours, qui lui faisait la
lecture.

« Elle aimait, dit encore Voltaire, à rendre service ». Il se fit
appuyer auprès de Tournehem pour obtenir des travaux dans le
logement qu'il occupait à Versailles au titre d'historiographe de
France : « Une fenêtre et un volet, une porte et une cloison, un
tambour à la cheminée qui fume, une couche de blanc sur les
murs ; un chambranle de cheminée de pierre pour du feu et douze
pieds en carré de parquet. Demande aussi qu'on fasse une porte
à des privés publics (sic) qui sont au pied de l'escalier et qu'on
détourne s'il se peut la rigole de la gouttière voisine pour les la-
ver ». Telle est la teneur de sa requête (14 juin 1746). Il écrivit
à propos de la marquise à leur ami commun d'Argental, neveu de
Mme de Tencin : « Il faut en être protégé, ou du moins souffert ».
Le 28 février 1750, Jeanne-Antoinette le fit inviter au théâtre des
Petits cabinets, à la représentation de sa tragédie *Alzire*, où elle
tenait le principal rôle. Mais Louis XV manifesta tout haut sa
préférence pour son rival, le vieux Crébillon, dont le *Catilina*
l'avait intéressé.

La marquise elle-même témoignait sa sollicitude aux deux Crébillon. Elle fit donner au fils du dramaturge un brevet de censeur
royal et 2 000 livres sur sa cassette particulière. Le père, qui était
pauvre et recueillait les chats perdus, obtint une pension de cent
louis et l'impression de ses œuvres complètes par l'Imprimerie
royale. Il vint remercier la marquise et, la trouvant au lit légèrement souffrante, lui baisa les mains. Le roi parut alors : « Ah
Madame, le roi nous a surpris, je suis perdu ! ». Le mot plut à
Louis XV : l'écrivain avait quatre-vingt-quatre ans.

Quand Voltaire dépité opta pour la protection de Frédéric II,
Louis XV ne le retint pas. Mme de Pompadour écrivit à son
frère : « Le sieur de Voltaire étant devenu chambellan du roi de
Prusse, n'a pu rester historiographe du roi de France ; en consé-

quence, j'ai demandé la charge pour Duclos, qui, comme vous savez, est le plus honnête homme du monde » (Fontainebleau, 1750). L'année suivante, à la demande de Duclos, elle fit nommer Baculard d'Arnaud conseiller de légation du roi de Pologne.

Tous les dimanches, l'abbé de Bernis et Duclos venaient lui rendre visite. Marmontel se joignit à eux. Elle les accueillait d'un bref « Bonjour Duclos », d'un amical « Bonjour l'abbé » et plus sérieusement et plus bas d'un « Bonjour Marmontel ». Bernis avait alors un petit logis dans les combles des Tuileries et cinquante louis de pension sur la cassette royale. Marmontel sollicita un poste qui lui permît de poursuivre une carrière littéraire, bien compromise par l'échec retentissant de ses *Héraclides*. Au début de mars 1753, Mme de Pompadour soupait à Bellevue avec le roi, quand on lui remit une lettre de l'écrivain, que Louis XV lui permit de lire. Marigny, qui était avec eux, disposait d'une place de secrétaire dans les Bâtiments, et aussitôt la lui réserva. Plus tard la marquise obtint pour Marmontel une part dans le privilège du *Mercure*. « J'aime les talents et les lettres, écrit-elle à M. de Malesherbes, et ce sera toujours pour moi un grand plaisir que de contribuer au bonheur de ceux qui les cultivent ».

Curieuse des êtres, Mme de Pompadour était accueillante, ouverte, attentive. Elle était, dit Casanova, « la dame la plus avenante du royaume ». Il fallait être un très vieil officier de marine, ayant passé plus de temps sur mer que dans le monde, pour ne pas la connaître. Le jour de Noël 1755, apercevant dans la Galerie des glaces l'amiral du Barailh, commandant de Dunkerque, elle lui dit que le roi était extrêmement content des nouvelles preuves qu'il venait de donner de son attachement. Le vieil homme faisait sa cour à la reine, mais ne connaissait pas la marquise et demanda quelle était cette dame qui lui avait parlé.

Le roi souffrait d'un trouble intermittent et inexplicable de la communication. Parfois, il s'exprimait avec à propos et pertinence, et contait agréablement, servi par son excellente mémoire ; il attachait un regard bienveillant sur celui auquel il s'adressait et dans les entretiens privés semblait solliciter l'affection ; il savait alors faire valoir un charme dont il était très conscient. Mais le plus souvent, il ne pouvait se résoudre à prononcer quelques paroles obligeantes pour remercier ceux qui l'avaient bien servi : on devinait qu'il eût voulu parler, mais les mots se refusaient à lui et il n'offrait qu'un visage aimable ; ou si quelque propos sortait de sa bouche, c'était une question indifférente sur l'âge de son interlocuteur ou celui de ses enfants, le temps qu'il faisait, le calendrier liturgique ; de même qu'il avait interrogé machinalement, il n'écoutait pas la réponse. Il était incapable de consoler, car le malheur d'autrui le frappait de mutisme. S'adresser aux ambassadeurs, ou répondre aux compliments lui était un effort presque impossible ; lors des révérences de présentation, il ne trouvait pas les termes qui convenaient ; aussi était-il fort aise d'être suppléé par Mme de Pompadour, qui était merveilleusement douée pour cette tâche et s'en acquittait avec grâce et gaîté.

D'abord à titre privé, puis de plus en plus officiellement et par la volonté du roi, elle assista aux audiences du mardi dans le salon d'Apollon et fit les honneurs de Bellevue, dont la réputation parcourait l'Europe. Tous les représentants des cours étrangères, sauf le nonce, étaient assidus à sa toilette ou aux rendez-vous qu'elle voulait bien leur donner. Ces personnages importants occupaient le plus souvent à Paris leur dernier poste diplomatique, avant d'accéder chez eux à des fonctions ministérielles. Dans la capitale où la vie mondaine battait son plein, ils fréquentaient les cénacles littéraires, les théâtres, les concerts de salon, tels qu'il s'en donnait chez le comte de Clermont, le duc de Gramont, le prince de Conti au Temple, M. de La Pouplinière à Passy : tout ce dont s'ennuyait un peu Mme de Pompadour. Les introducteurs successifs des ambassadeurs, Chassepoux de Verneuil, Dufort de Cheverny et La Live de Jully se prêtèrent à ces entrevues.

Elle invita au théâtre des Petits cabinets le prince de Würtemberg et M. de Bernstorff, qui fut au Danemark un ministre éminent, à la comédie de Bellevue le duc de Deux-Ponts. Elle eut avec les deux princes Borghèse, qui ne parlaient pas le français, une conversation difficile, bien qu'elle entendît un peu l'italien. A l'occasion de la naissance du duc de Bourgogne, elle convia M. de Saint-Vital, chevalier d'honneur de Madame Infante, à visiter Bellevue avant de se rendre à Lunéville chez le roi Stanislas. Elle reçut à Versailles les cinq princes de Nassau, dansa avec l'ambassadeur d'Espagne, Sotomayor, au bal qu'il donna en l'hôtel de Broglie, rue Saint-Dominique. Elle fut présente à l'audience d'arrivée du baron de Scheffer, ministre de Suède, à celle du baron de Wedel-Fries, envoyé extraordinaire de Frédéric de Danemark, à celle de M. de Vitzthum, ministre du roi de Pologne. Elle servit d'intermédiaire à l'électeur de Cologne, Clément-Auguste de Bavière, quand il sollicita de Louis XV le rappel de son ambassadeur, l'abbé de Guébriant.

Lorsque le comte de Kaunitz-Rietberg, ministre de l'impératrice-reine Marie-Thérèse, remit ses lettres de créance, elle fit dire à M. Dufort qu'elle désirait le rencontrer. L'introducteur vint chez elle avec l'ambassadeur, qui laissa ses cavaliers à la porte. « Il y avait trois sièges ; elle s'assit et nous nous assîmes. Après une conversation qui eut l'air d'une visite amicale, il se leva et pria Mme la marquise de lui permettre de lui présenter les cavaliers. Ils entrèrent, on se tint debout ; la conversation devint générale, et après un quart d'heure, nous partîmes pour nous rendre à la salle. » Elle écrivit ses impressions à son frère : « On le dit aimable, il m'a paru très poli ». Il n'avait pas manqué, dès son arrivée, d'avoir des attentions pour elle ; le roi lui en avait su gré et elle y avait été sensible (novembre 1750). Bientôt, ce personnage fastueux, qui avait fait à Paris une entrée fracassante, devait la conquérir, car il pressentait la nécessité de son appui : il la savait capable d'accueillir les projets, encore secrets, que méditait son gouvernement, et disposée à entrer dans le dessein diplomatique qui allait mûrir les années suivantes.

Longtemps toute puissante pour ce qui concernait les grâces et les bienfaits, les nominations dans la robe, l'armée et la diplomatie, Mme de Pompadour s'était tenue à l'écart des affaires extérieures. Au printemps de l'année jubilaire, le ministre, M. de Puisieulx, jugea utile de l'associer aux entretiens qu'il avait avec le roi. Les observateurs étrangers ne manquèrent pas de signaler à leurs gouvernements cette évolution. Le huguenot Le Chambrier écrivit à son maître, Frédéric de Prusse : « C'est une affaire à ménager avec dextérité, suivant que le nouveau rôle qu'elle vient de commencer se soutiendra à son avantage et qu'on verra le parti qu'elle saura en tirer pour sa faveur et son influence » (15 mars 1751). Quelques mois avant son audience de congé, Kaunitz écrivit à l'impératrice : « J'ai eu l'occasion de causer fort longtemps dans la même matinée avec Mme la marquise de Pompadour et lui ai dit beaucoup de choses que je suis bien aise qu'elle redise au roi » (23 juin 1752). Elle reçut favorablement son successeur à Paris, le comte de Stahrenberg.

Mme de Pompadour avait part au choix des présents que
Louis XV destinait aux souverains étrangers : un surtout d'argent
de Roettiers pour l'électeur de Saxe ; pour Frédéric II des sculp-
tures : un *Mercure* et une *Vénus* de Pigalle, une *Pêche* et une
Chasse d'Adam ; un calice d'or, œuvre de Germain, pour l'arche-
vêque-électeur de Cologne. Elle-même offrait aux diplomates de
minuscules flacons d'essence de rose distillée par Louis XV dans
ses Petits cabinets ; Mocenigo, représentant de Venise à Paris, en
reçut, ainsi que l'abbé de Bernis, qui l'offrit à son amie vénitienne,
une religieuse de Murano.

Ceux qui n'aimaient pas la marquise jugeaient qu'elle outre-
passait ses fonctions et se considérait comme souveraine. « Elle
a rêvé une nuit qu'elle était reine », écrivit le marquis d'Argenson.
A la fois impérieuse et charmante, elle allait en effet déployer
une envergure européenne.

8

Les présents de l'Amour

Auprès de Louis XV, Mme de Pompadour exerça sur les arts un pouvoir souverain. Elle s'y consacra pour la gloire du roi avec esprit, allégresse, émerveillement, telle Psyché découvrant les présents de l'Amour. Au moment où elle arrivait à Versailles, les amateurs éclairés aspiraient à un renouveau du goût et à la restauration du mécénat monarchique. Pendant la Régence et le ministère de Fleury, l'art officiel s'était reposé, mais avait laissé s'épanouir la floraison radieuse et frivole du rococo, ou si l'on préfère, de la rocaille. Les gens cultivés croyaient traverser un temps de décadence et rêvaient avec nostalgie au règne de Louis XIV : les arts et les lettres avaient exprimé alors la puissance lucide et majestueuse de la monarchie. En 1745, le moment était venu d'une reprise en main, qui fut laissée à l'initiative de Mme de Pompadour.

La grâce mystérieuse de Watteau, l'humble poésie de Chardin, la séduction voluptueuse de Boucher, dans leur tonalité mineure, n'auraient pu se hausser au niveau prestigieux d'un art royal. Devenu directeur des Bâtiments, c'est-à-dire ministre des Beaux-Arts, l'oncle de la marquise envisagea de remettre en honneur la grande peinture d'histoire, telle que l'avait illustrée Le Brun dans la Galerie des glaces, l'escalier des Ambassadeurs et les grands appartements. La charge de Premier peintre du roi était vacante depuis la mort volontaire de François Lemoine. Le Normant de Tournehem la pourvut en faveur de Charles Antoine Coypel. Il modifia aussi les tarifs, décida que les peintres seraient payés davantage pour les cartons de tapisseries que pour les portraits officiels. Une partie des collections de la Couronne fut exposée temporairement au Luxembourg, offrant aux artistes et au grand public un premier musée qui fut la préfiguration lointaine de celui du Louvre.

Le Normant était entouré de conseillers avisés. C'étaient l'abbé Le Blanc, critique d'art, admirateur de l'Angleterre, et Charles Nicolas Cochin, écrivain et graveur, qui devait multiplier les allégories flatteuses pour la favorite. En architecture, le directeur des Bâtiments était embarrassé par la présence d'Ange Jacques Gabriel, héritier d'une dynastie déjà fameuse. Intimidée, Mme de Pompadour fit appel à un architecte bourguignon établi à Lyon, Jacques Germain Soufflot. Il travaillait pour les Tencin, amis de la marquise ; il fut soutenu à Paris par le duc de Villeroy, gouverneur de Lyon et suzerain du fief d'Etiolles. Le Blanc, Cochin et Soufflot devinrent les précepteurs artistiques d'Abel François Poisson de Vandières, déjà destiné par sa sœur à la succession de Tournehem.

Délaissée depuis quelques décennies par les artistes, l'Italie s'imposait à nouveau comme la source de toute inspiration. Un voyage au-delà des Alpes parut une initiation indispensable à un jeune homme de vingt-quatre ans, qui aurait perdu son temps en restant à la Cour. Jeanne-Antoinette fit alors pour son frère ce que Colbert avait fait pour son fils Seignelay.

Vandières, Cochin et Le Blanc prirent la route le 20 décembre 1749 pour une randonnée qui devait durer près de deux ans. Jeanne-Antoinette évita une scène d'adieu qui l'aurait bouleversée. Elle avait tout mis en œuvre pour rendre ce périple agréable et fructueux. Elle-même voyageait pour ainsi dire par procuration, feuilletait les recueils d'estampes conservés dans les petits cabinets du roi, lisait les meilleurs guides d'Italie, qui étaient alors ceux de Misson et de Spon. Son ami M. de Puisieulx, ministre des Affaires étrangères, mobilisa dans toute la péninsule le corps diplomatique et consulaire pour ménager à la petite troupe un accueil chaleureux.

A Lyon, Soufflot fut pris au passage et entraîna son ami, l'amateur Joachim Gras, qui souhaitait visiter l'Italie du Nord et revint de Venise par ses propres moyens. A chacune des principales étapes, une lettre de la marquise renouvelait à son frère ses recommandations de réserve et de circonspection. Comme il était

entouré d'égards flatteurs, elle l'exhortait à ne pas se croire « plus
grand pour des honneurs que l'on rend à la place et non à la
personne ». Le jeune Vandières menait de front études et plaisirs :
« Vous faites fort bien, mon cher Bonhomme, lui écrivait-elle encore, de voir tout ce qu'il y a de curieux sur votre route. Vous
ne sauriez trop vous instruire pour mériter les bontés du roi ». A
Turin, Vandières regarda Soufflot lever les plans du théâtre pour
documenter Gabriel, car Louis XV souhaitait reprendre dans l'aile
du Nord la construction d'une « salle des ballets » que Louis XIV
avait laissée en suspens. Les compagnons visitèrent aussi dans la
même intention les salles de Milan, de Parme et de Modène.

Après un premier et bref passage à Venise, la compagnie parvint à Rome le 17 mars 1750. Mais Vandières reprit bientôt le
chemin du nord, pour assister à Turin au mariage de Victor Amédée de Savoie et de Marie-Antoinette Ferdinande d'Espagne, célébré le 31 mai. Sur le conseil de M. de La Chétardie, il apporta
des vues de Rome qu'il offrit à son arrivée. Mme de Pompadour
lui avait envoyé pour les cérémonies des habits agréables, mais
« sans trop de magnificence ». A Gênes, il fut accueilli l'été par
M. de Chauvelin et embarqua pour Naples, où l'attendaient
MM. de l'Hôpital et d'Arthenay. Dans les états de Don Carlos de
Bourbon, la ville romaine d'Herculanum, récemment dégagée des
cendres du Vésuve, était le but d'un pèlerinage passionnant. Le
gros temps et la menace des pirates barbaresques empêchèrent les
voyageurs de cingler vers la Sicile et jusqu'à Malte. A l'occasion
de ce voyage, Soufflot fut le premier Français qui dessina les
temples de Paestum. Il donna aussi à la reine de Naples, qui était
sœur de la dauphine, des projets pour ses appartements particuliers.

Les méandres de leur pérégrination fantasque ramenèrent Vandières et ses compagnons à Rome à la fin de 1750 et au carnaval
de 1751. Ils repartirent le 3 mars en direction de Venise et voyagèrent par petites étapes. Une de leurs voitures se rompit sur une
route de Toscane. Ils étaient à Bologne à Pâques et parvinrent
en mai sur la lagune. Soufflot, malade, était rentré seul à Lyon,
mais s'était fait remplacer par son élève, Jérôme Bellicard. A
Vicence, ce jeune architecte fit les honneurs des constructions de
Palladio, un maître cher aux Britanniques et que les Français
commençaient à redécouvrir.

Le voyage fut riche d'imprévus, de rencontres, d'aventures et d'intrigues. A Parme, Vandières apprécia l'hospitalité de Madame Infante, la fille aînée de Louis XV, qui cherchait dès lors à se concilier la marquise. Elle se proposait d'offrir à son père deux colosses de marbre gris trouvés dans les fondations du palais Farnèse et qui ornaient la villa ducale de Colorno. A vrai dire, Cochin et le jeune homme jugèrent qu'ils ne méritaient ni les honneurs de Versailles, ni le prix du transport. A cette occasion, Vandières se montra diplomate et Louis XV, pour ne pas froisser son gendre, lui fit envoyer son portrait, des chevaux et des chiens.

A Bologne, Vandières acheta des tableaux et fit expédier à la marquise mortadelles et saucissons : « Je ne connais point, lui écrivait-elle de Marly, toutes les bonnes choses que vous m'envoyez de Bologne ; je boirai à votre santé en les mangeant »... Près de Naples, dans la résidence de Leurs Majestés à Portici, cinq cents fragments de peintures antiques exhumées à Herculanum intéressèrent les voyageurs. Vandières fêta joyeusement la Saint-Charles, fête du souverain, qui le traitait comme un parent du roi de France, son cousin. Il l'invita à chasser avec lui le gibier d'eau sur les lacs de Ligola et de Patria, fit conduire pour lui son éléphant dans la cour de l'ambassade de France. Vandières dîna chez la duchesse de Castropignano, chez le duc de Miranda, chez don Miguel Rezzio et chez le nonce Gualterio.

A Rome, le duc de Nivernais, ami de la marquise, le reçut dans sa résidence, le palais Cesarini et le présenta à Benoît XIV, qui l'associa sans prévention à un joyeux festin de quarante-cinq couverts. Mme de Pompadour écrivit à son frère : « Je suis fort aise de la réception que le Saint Père vous a faite. La considération que l'on a pour moi ne m'étonnait pas dans ce pays-ci, où l'on peut avoir besoin de mes services, mais j'ai été étonnée qu'elle fût jusqu'à Rome. Malgré cet agrément, dont il faut jouir puisqu'il existe, la tête ne m'en tourne pas ».

En été, Vandières put se reposer et prendre le frais chez Nivernais, sur les hauteurs de Frascati. Le reste du temps, il résidait au palais Mancini, situé sur le Corso à proximité du Capitole. C'était le siège de l'Académie de France, dont l'administration relevait de Tournehem, et qui avait alors pour directeur le vieux peintre Jean-François de Troy. Cette institution due à Colbert permettait aux jeunes artistes français de se perfectionner dans la fréquentation des chefs-d'œuvre de l'Antiquité et de l'Italie

moderne. Vandières rendit visite aux Minimes français de la Trinité-des-Monts, dont l'un était le Père Jacquier, cousin de Mme du
Hausset. L'escalier monumental qui conduit au couvent était une
réalisation récente, sur laquelle le savant religieux donna d'utiles
précisions. Cochin grimpa dans l'un des campaniles d'où il dessina
un panorama de Rome pour Mme de Pompadour. Elle suivait
étape par étape le périple fraternel : « Ce que j'ai lu et entendu
dire de Rome m'avait préparée à l'admiration où vous êtes et je
crois à présent que vous me rendez grâces souvent de vous avoir
engagé à ce voyage ». Deux longs dessins de Cochin, gravés plus
tard par Mme Desmaisons, sont aujourd'hui conservés à l'Ecole
polytechnique : dans l'un, Rome est vue de la Trinité et dans
l'autre du Vatican.

Vandières demanda au peintre Jean Barbault, pensionnaire de
France, de composer pour Mme de Pompadour une suite de figures de modes ; l'une d'elles est cette *Dame romaine en habit à
la dragonne* qui a été gravée par Gaucherel. Elle lui avait envoyé
les mesures de deux tableaux que Claude Joseph Vernet devait
peindre à Rome pour l'antichambre du roi à Bellevue. Pour ne
pas encombrer ses voitures de son butin artistique et des présents
destinés à sa sœur, Vandières les confia à un agent français de
Florence et au capitaine Cavillon, dont la tartane assurait un
courrier entre Cività Vecchia et Marseille. Dans ce port, ballots
et caisses furent adressés à Madame la marquise de Pompadour,
aux bons soins de Fabron frères et Cie, chez qui Vandières devait
les prendre sur le chemin du retour.

Il avait reçu, pour le montrer, un portrait de sa sœur par Boucher, que le mosaïste Alessandro Cocchi, attaché à la fabrique de
Saint-Pierre, copia en commençant par la bouche. Au palais
Mancini, Jean-François de Troy se réserva d'exécuter lui-même le
portrait de son hôte. Ce tableau, qui fixa les traits juvéniles et la
pose avantageuse du parvenu, est conservé au musée de Versailles.
L'un des pensionnaires, qui tous étaient déjà flatteurs, en fit une
copie pour l'Académie.

En l'honneur de leur futur ministre, de Troy et les jeunes artistes avaient envisagé une mascarade, comme celle qu'ils avaient
organisée avec tant de succès trois ans plus tôt. Des balcons de
l'Académie de France, les prélats venaient admirer les cavalcades
qui se déployaient sur le Corso. Mais on se décida pour un bal,

offert à la noblesse romaine le 21 février 1751. Par malheur, Jean-François de Troy était épris d'une jeune femme ravissante, mariée au médecin du palais de Venise. Le vieil artiste entra en rivalité amoureuse avec celui qui allait être son supérieur. Un éclat fut inévitable. Vandières obtint de Tournehem le rappel de ce directeur jugé trop débonnaire, et son remplacement par Natoire. L'hiver suivant, De Troy tomba malade et mourut à Rome au moment où il allait rentrer en France avec le duc de Nivernais.

Pour Vandières, ce n'avait été qu'une passade parmi d'autres, que Mme de Pompadour jugeait avec indulgence : « Prenons toujours ceci, puisque Dieu nous l'envoie », lui accordait-elle. A Gênes, il fut question d'une Signora Vittorina, à Turin d'une marquise Gabrieli. A Venise, le consul Le Blond avait quatre filles fort belles. Jean-Jacques Rousseau, secrétaire d'ambassade, les avait admirées quelques années plus tôt et elles charmèrent aussi le séjour de Joachim Gras ; mais elles étaient inaccessibles.

Vandières, qui progressait dans la connaissance de l'italien, fit commander des livres chez Pasquali : ce libraire vénitien du campo San Bartolomeo proposa des éditions de Boccace, de Machiavel et de l'Arétin. Mme de Pompadour parle avec amusement de deux grosses poires en verre de Murano que son frère avait achetées pour elle et pour le roi. Comme les soieries somptueuses de Venise n'étaient pas moins renommées, le voyageur se fit conduire dans une maison de haute couture, où il donna les mesures de sa sœur. Plusieurs mois furent nécessaires à l'achèvement d'une robe, qui n'était pas prête quand Vandières quitta Venise : en novembre 1751, le chevalier Giovanni Alvise Mocenigo voulut bien s'en charger lorsqu'il rejoignit son poste d'ambassadeur de la Sérénissime à Versailles.

Vandières était revenu pour voir mourir Tournehem et recueillir de lui la charge ministérielle qu'avaient exercée Colbert et le duc d'Antin. A vingt-six ans, il eut sous son autorité les académies artistiques, les manufactures et les maisons royales. Mme de Pompadour, ange tutélaire, le secondait de son expérience. « Ne croyez pas, lui dit-elle, que parce que je suis jeune, je ne puisse donner de bons avis. J'ai vu tant de choses depuis que je suis ici que j'en sais plus qu'une femme de quarante ans. » L'esprit de Vandières était prompt comme celui de sa sœur. Il était laborieux, mais susceptible, versatile, brusque et inutilement tracassier. Les crédits lui étaient mesurés par le contrôle des Finances et il devait faire preuve de discernement. Ange Jacques Gabriel, apparenté aux deux grands Mansart, avait alors cinquante-trois ans. Ses rapports avec Tournehem avaient été tendus. Il ignora quelque temps Vandières et devint son collaborateur distant sous le couvert de Louis XV. Cependant, Mme de Pompadour et Gabriel se rendirent mutuellement service.

D'autres subordonnés de Vandières, blessés par ses procédés méprisants, lui rappelèrent avec précaution l'humble origine des Poisson ; ainsi, le contrôleur de Fontainebleau, Thouroux de Moranzel, seigneur de Verneuil, lui écrivit : « Les gens nés, ce que je suis, Monsieur, servent par devoir et non en subalternes gagés... C'est s'honorer soi-même que de traiter bien les gens qui ont l'honneur d'être immédiatement sous vos ordres ».

Vandières, devenu marquis de Marigny à la mort de son père, eut peine à s'orienter sur le plan esthétique. Un désir de nouveauté, une lente et difficile mutation allaient transformer l'architecture et les arts décoratifs. Fallait-il renouer avec le *grand goût* du règne de Louis XIV ou remonter à des sources plus lointaines ? En Italie, la Renaissance avait été proposée à l'admiration du futur ministre ; le XVIᵉ siècle français éveillait l'intérêt personnel de Mme de Pompadour. Les fouilles d'Herculanum révélaient les usages et les goûts d'une Antiquité familière. Bientôt, la connaissance du vieux monde méditerranéen s'élargit quand les archéologues explorèrent la Sicile, la Dalmatie, la Grèce et le Proche-Orient. En décoration, Marigny hésita longtemps. Il écrivit à Soufflot : « Je ne veux ni de l'austère antique, ni de la chicorée moderne, *mezzo l'uno, mezzo l'altro.* » Et plus tard, quand le néo-classicisme eut triomphé, ceux qui avaient éprouvé le mauvais caractère du frère de Mme de Pompadour eurent beau jeu de lui reprocher les incertitudes de sa démarche. Cheverny, qui fut son voisin de campagne dans le Blésois, est de ceux qui l'ont jugé le plus sévèrement. Il estimait que les réunions artistiques tenues chez Mme Geoffrin avaient contribué à élargir son jugement et à réformer son goût : « Que de peines toutes ces habiles gens que j'ai connues m'ont dit avoir eues à lui inculquer le goût du vrai beau ! ». Des lignes plus flatteuses lui ont été consacrées par Marmontel, qui fut secrétaire des Bâtiments. En vérité, la rigueur de sa gestion et les brillantes réalisations de son ministère justifièrent Mme de Pompadour de lui avoir confié si jeune des fonctions aussi délicates.

Du traité d'Aix-la-Chapelle à l'ouverture de la guerre de Sept Ans, huit années de paix favorisèrent les lettres et les arts. En Parisienne, Mme de Pompadour fit comprendre à Louis XV la nécessité de reprendre pied dans la capitale et d'en diriger les embellissements.

Depuis le règne de Louis XIV, le Louvre avait été délaissé par la royauté au profit de Versailles ; il était resté sans entretien et menaçait ruine. Seuls s'y maintenaient les académies, les archives des Affaires étrangères et le tribunal de la Varenne. L'aile du bord de l'eau était morcelée en logements et ateliers d'artistes. La Cour carrée était encombrée de maisons particulières. Plusieurs ailes restaient sans toiture, béantes aux intempéries. Le vieux palais était étouffé de tous côtés par une agglomération où les hôtels seigneuriaux voisinaient avec des masures et des échoppes de limonadiers. Dans l'entablement de la colonnade, les armatures avaient rouillé et fait éclater les claveaux. Cet abandon indignait l'opinion publique. La Font de Saint-Yenne, l'un des critiques d'art qui inspiraient Tournehem, évoquait l'ombre du grand Colbert errante autour du palais déshonoré. Voltaire suggérait de redresser le tracé tortueux des rues anciennes et d'ouvrir des voies nouvelles.

C'était pourtant dans le Salon carré du Louvre qu'un public de plus en plus nombreux, connaisseur et frémissant se pressait aux expositions périodiques de l'Académie de peinture et sculpture, les *Salons* que Diderot a commentés. Insensiblement, tandis que périclitaient les finances publiques, princes, grands seigneurs, fermiers généraux, souverains étrangers avaient relayé le mécénat de la monarchie française. Jamais à Paris les collections particulières ne furent plus nombreuses, plus riches et plus accessibles que dans la seconde moitié du XVIIIᵉ siècle. Les œuvres d'art passaient de mains en mains. Les ventes aux enchères et leurs savants catalogues tenaient les amateurs en haleine. Les étrangers affluaient. Paris devenaient avec Rome l'une des capitales de l'art européen.

Dans le domaine de l'architecture et de l'urbanisme, les villes de province avaient pris les devants. Rennes, Bordeaux, Reims, Nancy avaient édifié des places qui encadraient la statue de

Louis XV. Mme de Pompadour complimenta son ami Duclos, à qui la ville de Rennes avait confié la rédaction d'une inscription commémorative : « Je suis bien aise que vous soyez chargé de faire faire la statue du roi et de faire l'inscription. Je suis bien sûre que vous vous en acquitterez avec autant de zèle que d'attachement pour un maître aussi généralement admiré et adoré qui est le nôtre » (5 novembre 1746). Paris attendait à son tour les initiatives du gouvernement. Alors ont été projetés la place de Louis XV, aujourd'hui place de la Concorde, l'église Sainte-Geneviève, devenue le Panthéon, l'Ecole Militaire, le dégagement et la restauration du Louvre, où l'administration des Bâtiments allait préparer de longue main la présentation au peuple des collections royales.

Mme de Pompadour fut au centre de l'intrigue et de la spéculation foncière qui précédèrent la construction de la place de Louis XV. Il avait été question de situer cette création monumentale en un lieu ou un autre de la ville ancienne ; mais comme la municipalité n'avait les moyens de financer ni les expropriations, ni les relogements, il revint à Louis XV d'offrir un terrain prélevé sur le domaine royal. C'était un marécage entre le jardin des Tuileries et l'entrée des Champs-Elysées. Vers le faubourg Saint-Honoré, il fallut le compléter de plusieurs parcelles ayant appartenu à Law et restées en déshérence depuis sa fuite. Pâris de Montmartel, qui avait liquidé trente ans plus tôt la faillite du Système, donna le signal de la curée. Il y appela MM. de Béthune et de Belle-Isle, ces deux grands seigneurs qui étaient devenus ses beaux-frères par la grâce de Mme de Pompadour. La compagnie qu'ils formèrent se fit adjuger dans des conditions avantageuses les terrains à bâtir de la succession Law. L'ouverture de plusieurs rues entre la place et le quartier de la nouvelle Madeleine offrait les chances d'une belle opération immobilière. Par une indiscrétion d'Elisabeth d'Estrades, les frères d'Argenson en furent informés et proposèrent des plans. De son côté, la marquise poussait son architecte, Lassurance, mais il mourut en 1755, à temps pour s'effacer devant son supérieur, Ange Gabriel.

La création de la place de Louis XV touchait personnellement Mme de Pompadour, qui voyait s'étendre et s'ennoblir le quartier des financiers, celui de son adolescence. Elle suivait et commentait à ses amis l'évolution du projet. Il fut d'abord question de dresser face à la Seine un seul palais, encadré de deux rues dédiées l'une au roi, l'autre au dauphin. L'idée d'une rue centrale fut acquise en 1756 ; en fond de perspective, la nouvelle Madeleine de la Ville-l'Evêque devait être une église à péristyle et coupole évoquant Saint-Pierre de Rome.

Non loin de là, Mme de Pompadour avait acquis l'hôtel d'Evreux, l'actuel Elysée, pour lequel elle offrit généreusement au prince de Turenne une somme supérieure à l'estimation qu'avait donnée de la propriété l'expert Desmaisons. Elle agrandit le jardin d'un potager et fit abattre les arbres des Champs-Elysées qui offusquaient sa vue : le déboisement du Carré Marigny provoqua la colère des Parisiens. Sur le faubourg Saint-Honoré, Mme de Pompadour acquit, à gauche de la cour d'honneur, un terrain de cent vingt toises. Ce fut le *jardin de la Goulette*, où elle édifia et meubla un pavillon. Elle avait pour jardinier Crosnier et pour treillageur Langelin, qui entretenait l'oisellerie, pendant que Lassurance aménageait quelques pièces de cet hôtel, qui n'avait pas alors de grand escalier ; mais comme il convenait dans une maison ducale, il existait une salle du dais. Dans le salon central du rez-de-chaussée, orné sous la Régence de beaux trophées par Lange, elle fit tendre une tapisserie des Gobelins et disposa un ensemble de sièges, le meuble des *Enfants,* composé sur les dessins de Boucher. Sa chambre de parade fut pourvue d'une alcôve en demi-lune, en sorte que la pièce a été connue plus tard sous le nom de salon de l'Hémicycle. Mme de Pompadour eut un oratoire à l'entresol et des pièces de commodité que le duc de Luynes énumère complaisamment. Au premier étage, elle fit des réparations, posa des cheminées et aménagea sa bibliothèque. L'abbé de La Garde réunit les quelque trois mille cinq cents volumes habillés pour elle par les relieurs Padeloup, Douceur, Bisiaux, Dubuisson, Vente et les Derôme. La pièce fut animée d'objets d'art, parmi lesquels un rhinocéros en mosaïque de Florence. Dans les communs, les remises abritaient une chaise de poste, un fourgon à bagages, une *guinguette* et un *cul de singe.*

Plus libre que les princesses royales, Mme de Pompadour fréquentait pour son plaisir le commerce parisien du luxe et de la curiosité. Gersaint vendait encore tableaux et coquillages « à la Pagode » sur le pont Notre-Dame. Boileau restaurait les tableaux quai de la Mégisserie. Les bordures, c'est-à-dire les encadrements, se trouvaient chez Launay, quai de Gesvres, « à l'Etoile ». Le trafic des tableaux, des meubles et de la céramique se concentrait dans le quartier Saint-Honoré, chez Poirier, Bazin, Le Brun, Bailly et Dulac. Delarue était spécialisé dans les miroirs et les chandeliers. Lazare Duvaux tenait boutique « au Chagrin de Turquie », rue Saint-Honoré. Quand M. de Cury, intendant des Menus Plaisirs, l'eut présenté à Mme de Pompadour il devint son fournisseur attitré et bientôt son ami. Il s'était fait connaître à la Cour en contribuant à la corbeille de mariage offerte à Marie-Josèphe de Saxe. Il était à la fois marchand-orfèvre, joaillier, fondeur et ciseleur, jouant un rôle d'intermédiaire entre les artistes, les artisans d'art et les amateurs.

Duvaux avait pour clients les princes étrangers, le personnel gouvernemental et diplomatique. Mme de Pompadour rencontrait chez lui les femmes de la finance, Mmes de Montmartel, de Magnanville, d'Epinay. Venaient aussi le président Hénault, les ducs de Richelieu, d'Antin et de La Vallière, Savalette de Buchelay, Grimod de La Reynière, Gaignat, Blondel de Gagny. Mme de Pompadour pouvait apercevoir aussi Jélyotte, la Clairon ou Tribou, son maître de chant. Elle faisait chez Duvaux des achats pour le roi en même temps que pour elle. Le marchand se chargeait d'expédier les cadeaux qu'elle avait choisis chez lui pour les cours étrangères. Un personnel spécialisé livrait les objets emballés dans de la gaze, de la flanelle ou de la toile cirée. Un meuble pouvait être pris à domicile pour une durée probatoire et renvoyé au marchand s'il ne convenait pas.

Les objets précieux voyageaient d'une résidence à l'autre de la marquise au gré de ses caprices. Duvaux échangeait, nettoyait, transformait. Il pouvait remonter la serrure d'un cabinet de la Chine, redresser une chocolatière, réparer une boîte d'écaille, de nacre ou de porcelaine, poser sur les murs des panneaux de papier des Indes, monter en lyre des lustres de cristal, redorer des bras de lumière ou en mettre les bronzes à neuf, gainer de maroquin le plateau d'une table, doubler de soie les tiroirs d'un secrétaire, refixer la marqueterie d'une commode, armorier des couverts. Il faisait broder les armes des ministres sur les portefeuilles de velours que la marquise aimait leur offrir. Il lui procura une cage de dix-huit pouces pour deux perroquets, des colliers de velours vert à grelots d'or et des jattes blanches pour ses chiens : Inès, Mimi, Milady, qui étaient des *King-Charles*, et la barbette Bébé, présent du prince de Soubise.

Duvaux recevait régulièrement des mandats tirés par Collin sur le compte de Montmartel et en donnait quittance. Mme de Pompadour soutenait elle-même l'activité coûteuse de certains spécialistes, achetait du bois satiné « en grume », c'est-à-dire en troncs à débiter, stockait de précieux papiers de la Chine, des damas veloutés et ciselés d'Angleterre.

Certaines de ses maisons, qu'elle habitait peu, lui servaient de garde-meuble où engranger ses trésors. C'était à Versailles l'hôtel des Réservoirs. A Paris, l'hôtel d'Evreux occupait une position prestigieuse, mais tel qu'il était aménagé, ne se prêtait ni à des réceptions ni à de longs séjours. C'était un relais qui permettait à Jeanne-Antoinette de circuler dans la ville et même de reprendre son anonymat et sa liberté d'allure, comme au temps où elle était Mademoiselle Poisson. Arrivée de Versailles dans un carrosse armorié, elle pouvait sortir de l'hôtel dans une voiture ordinaire et passer inaperçue dans les rues du faubourg Saint-Honoré. Après la mort d'Alexandrine, elle se posait à l'Elysée pour aller se recueillir à l'Assomption et aux Capucines. Elle faisait dans le quartier des visites charitables en compagnie de Nicole du Hausset.

Un jour, les deux amies consultèrent une sorcière qui lisait l'avenir dans le marc de café. Elle était la femme de François Deshayes, dit Bontemps, officier de police, et avait une fille, Marie-Anne, dite Rosalie. Toute la famille était au service de la duchesse de Ruffec, qui la logeait au second étage d'un immeuble, au coin de la rue de Beaune et de l'actuelle rue de Lille. Cette noble dame assurait l'existence des Bontemps dans l'espoir que lui serait rendue, à force de philtres magiques, sa beauté d'autrefois. Jeanne-Antoinette et Mme du Hausset se firent prudemment escorter de deux hommes, dont l'un était un serviteur, l'autre M. de Gontaut, beau-frère de Mme de Ruffec. Affublées de faux nez et de perruques, elles rencontrèrent la voyante dans un local discret, aux abords de l'hôtel de Gontaut, dans le quartier encore peu construit du boulevard des Italiens. Elles avaient pris ces précautions, car la Cour riait encore de l'aventure survenue aux marquises de l'Hôpital et de La Force, qu'une autre sorcière avait attirées dans une maison écartée, avait dépouillées de leurs vêtements, de leur argent et de leurs bijoux ; les ayant enfermées, elle avait disparu. Le commissaire du quartier, alerté par les appels de ces deux belles toutes nues, les avait prises pour des drôlesses.

Ce qu'aperçut la voyante dans le passé proche et lointain de ses deux clientes leur parut convaincant. A présent, Mme de Pompadour naviguait en pleine mer et arrivait dans un pays superbe dont elle devenait la reine. Mais pour l'avenir, la Bontemps refusa de révéler à Mme de Pompadour quelles seraient la date de sa mort et la nature de sa dernière maladie. Elle lui dit seulement : « Vous aurez le temps de vous reconnaître ».

La rencontre de la sorcière fut l'une des escapades parisiennes de la marquise, en marge du « shopping » élégant et des emplettes artistiques. Toutes sortes de curiosités la conduisaient à travers la ville : « Je vais demain courir Paris, écrivit-elle au comte d'Argenson, pour voir deux escaliers peints par Brunetti, à qui je fais peindre celui de Bellevue ; avouez qu'on est bien fou quand on aime une maison ». Ce jour-là, elle alla d'une rive à l'autre, chez les Luynes rue Saint-Dominique et chez les Soubise au Marais. Seules subsistent les peintures du palier haut de l'escalier de Luynes, remontées de nos jours au musée Carnavalet.

Longtemps, Mme de Pompadour s'abandonna sans trouble ni remords aux douces séductions du rococo qui avaient charmé le temps de sa vie parisienne. Le trafic de la Compagnie des Indes et le voyage des missionnaires avaient laissé s'infiltrer l'exotisme du Japon et de la Chine. Dans les appartements s'accumulaient les écrans et les paravents de laque, les jaspes et les céladons. D'Extrême-Orient venaient aussi les magots ventrus et les pagodes branlantes, comme Bernis en signale des quantités chez Mme du Châtelet. Le 16 mai 1750, Jeanne-Antoinette acquit de Lazare Duvaux deux singes de porcelaine à têtes mobiles pour 960 livres.

Elle choisissait les objets pour leur beauté, leur nouveauté ou leur résonance sentimentale. Un vaisseau à pont percé de dix-huit pièces de canon, garni de troupes et de tous ses agrès, lui rappelait son voyage au Havre. Ses tabatières qui représentaient le plan de Crécy et le kiosque des jardins de Bellevue lui devinrent précieuses quand elle se fut séparée de ces domaines. Elle était charmée par les cygnes et les cigognes, fascinée par les poissons. Seule, elle possédait des poissons-télescopes, qui se déplaçaient dans un bassin au moyen d'un aimant comme de vrais poissons. Son ami Bouret les fit copier pour une jolie femme, qui avait mis ce prix à ses faveurs.

Plus de deux mille pièces de porcelaine anciennes et modernes ont appartenu à Mme de Pompadour. Les anciennes étaient de Chine, les modernes de Saxe et de Saint-Cloud, jusqu'au jour où elle-même soutint la manufacture de Vincennes et créa celle de Sèvres. Son nom reste ainsi associé à la production des pâtes tendres ; le kaolin, qui permit en France la fabrication moins périlleuse des pâtes dures, ne fut découvert à Saint-Yrieix qu'en 1768. Sous la direction d'Orry de Fulvy, frère du Contrôleur général, Vincennes produisait de la porcelaine depuis 1738 et fut surtout renommé pour ses fleurs qui paraissaient naturelles. La chronique reprochait à la marquise d'en posséder à Bellevue des parterres entiers, sur lesquels étaient vaporisées des essences rares, le tout pour des prix fabuleux. En fait, le 19 août 1750, elle reçut pour la somme totale de 3 302 livres, 9 sols, vingt-quatre vases de différentes grandeurs et quatre-vingt-huit plantes.

La création de la « porcelaine de France » par Mme de Pompadour fut un acte politique autant qu'une manifestation du génie féminin. Le royaume se libéra de la concurrence étrangère, élimina en particulier la production saxonne de Meissen. La marquise fixa la manufacture à Sèvres, au pied de sa maison de Bellevue. Sans attendre l'arrêt de 1753, elle fit acheter, sous le nom de M. de Verdun, le château de La Guyard et déplaça une fabrique de bouteilles. Le projet du vaste bâtiment fut étudié par l'architecte Laurent Lindet, sous la haute direction du Premier ingénieur des Ponts, Rodolphe Perronet. Lindet présenta ses dessins sous la forme expressive de montages dépliants, dont deux exemplaires nous sont parvenus. Vandières en montra un au prince de Croy dans la chambre de Mme de Pompadour, le 7 mars 1754.

Quand les ouvriers de Vincennes se furent transportés à Sèvres, l'expérience acquise y éleva rapidement la production à un niveau artistique inégalable. La qualité de la porcelaine de Sèvres résidait dans la douceur de la pâte onctueuse et l'éclat du blanc, la fixité de l'or, la palette variée des bleus et des verts et la beauté des motifs peints en miniature : enfants d'après Boucher, paysages, fleurs, oiseaux, papillons.

Louis XV, Mme de Pompadour et leurs convives furent émer-
veillés par le service bleu, blanc et or qui fut déballé sous leurs
yeux le 11 février 1754 : c'était l'un des premiers chefs-d'œuvre
de la porcelaine de France. D'autres ensembles, destinés à des
souverains étrangers, furent exposés à Versailles avant leur départ. Le marquis de l'Hôpital, nommé à Saint-Petersbourg, y apporta un assortiment de vases et de déjeuners bleu céleste et
pourpre. Le président Ogier, notre envoyé à Copenhague, remit à
Frédéric V un service vert et or qui comprenait huit douzaines
d'assiettes. Un pot-pourri en forme de gondole fut confié à l'abbé
de Bernis pour la princesse de Zerbst, mère de Catherine II.
Jeanne-Antoinette garda pour elle le pendant ; les deux pièces
sont actuellement conservées l'une à la Wallace Collection, l'autre au musée de Philadelphie. A Paris, un dépôt de Sèvres fut
ouvert rue de la Monnaie, dans le quartier du commerce d'art.

Vincennes et Sèvres éclipsèrent aussi Meissen dans la fabrication des figurines. Le sculpteur Falconet, dont la manière puissante et virile avait évolué sous l'influence de Mme de Pompadour, créa des types d'enfants et de jeunes filles qui se prêtèrent
à des réductions exquises. Elle lui confia l'atelier de modelage de
Sèvres et la production des biscuits. Jusqu'à son départ pour la
Russie, en 1766, il édita en miniature une centaine de sujets
d'après les modèles de Boucher ou selon sa propre inspiration.
Ce fut d'abord *l'Amitié* sous les traits de Mme de Pompadour
offrant son cœur à Louis XV. La marquise en reçut pour ses
présents vingt tirages (musée de Sèvres, collection Pierpont-
Morgan). Suivirent bientôt *La Petite Faucheuse*, la *Balançoire*, le
Baiser donné, le *Baiser rendu*, *Pygmalion*. A cette époque, le modèle de Falconet était Mlle Mistouflet, mais la marquise reconnut
peut-être son visage dans celui de la *Baigneuse*.

Mme de Pompadour entretenait autour d'elle une incitation à
créer. « Elle avait à ses ordres tous les artistes du royaume », écrivit Dufort de Cheverny. Il n'était pas un bijou parfait, une bonne
estampe, une montre ingénieuse qu'on ne vînt lui montrer. Sans
poursuivre aucune collection particulière, ni constituer des séries,
elle posséda au fil des années un nombre incalculable de meubles
et d'objets d'art parmi les plus beaux. Les arts décoratifs parvenaient autour d'elle à un degré de splendeur qu'ils n'avaient pas
encore atteint et n'ont jamais dépassé.

Elle était curieuse de toute nouveauté et attentive aux efforts des créateurs pour sortir des chemins battus. Le fermier général La Live de Jully, dont elle avait fait un introducteur des ambassadeurs, prit vers 1756 une initiative importante. Congédiant le rococo, il fit composer le décor mural et le mobilier de son cabinet par des novateurs qui instaurèrent un style original. Le décor comprenait des grecques, des ondes, des rosaces, des pommes de pin, des guirlandes de laurier, des mufles de lion. Ce premier essai, dans sa volonté de renouer avec le style Louis XIV, était à vrai dire lourd et pédant. Ainsi créé, le *style à la grecque* se répandit comme une traînée de poudre, envahissant jusqu'aux bijoux, aux almanachs, aux coiffures et aux enseignes. Mme de Pompadour assistait sans le savoir à l'adolescence du style Louis XVI.

Ses ébénistes préférés, sinon Migeon, du moins Oeben, s'inspirèrent de cette mode passagère. Dans plusieurs de ses portraits apparaissent des meubles créés ou projetés pour elle et qui ne nous sont pas parvenus. Un portrait de Boucher la représente devant une bibliothèque d'un style curieusement hybride, où le rococo est contaminé par le genre à la grecque. Le meuble, armorié, est surmonté d'une pendule en forme de lyre et de chérubins sculptés d'après Boucher. Mme de Pompadour posséda dans ses diverses maisons jusqu'à seize commodes à la grecque.

Oeben, qui était un peu mécanicien, conçut et réalisa pour elle des meubles où se dissimulaient d'ingénieux dispositifs. L'un de ses portraits par Drouais, conservé naguère à Mentmore (Bucks) montre la marquise assise à son métier à broder. A sa gauche apparaît un guéridon à trois pieds, rotatif à sa partie supérieure, où huit tiroirs portent chacun le nom d'une couleur. Elle y rangeait ses écheveaux. Deux poignées de bronze ciselé entraînaient avec légèreté le mouvement giratoire, de sorte qu'à tout instant arrivait à portée de sa main la nuance désirée. Plus bas, deux plateaux circulaires ajoutaient à la commodité du guéridon. Les pieds en étaient encore sinueux comme au temps du rococo, mais déjà des têtes de béliers et des frises de « postes » annonçaient le nouveau répertoire décoratif. Ce meuble est à rapprocher d'une table à thé en forme de trépied tournant dont se servit la marquise, modèle de ce qui a reçu quelques années plus tard le nom d'*athénienne*. Le musée Camondo possède une paire de chandeliers de vermeil timbrés des tours de Pompadour et signés de Thomas François Germain, en 1762 : c'est un prototype de l'orfèvrerie Louis XVI.

Peintres et sculpteurs se devaient de rendre hommage à Mme de Pompadour ; ses portraitistes se sont surpassés. Nattier, qui la connut dans sa vingt-cinquième année, la représenta sous un travesti mythologique, ce qu'il avait fait parfois pour les sœurs de Nesle. Son grand portrait de *Mme de Pompadour en Diane* n'a pas été conservé, mais plusieurs de ses répliques partielles montrent le visage de face, éclatant de fraîcheur, et les épaules nues (musées de Saint-Omer et de Versailles). Nattier, qui était empressé à servir la Cour, vint peindre la marquise à Fontainebleau, comme il avait peint Mesdames à Fontevrault.

Son confrère, le lunatique et insolent Quentin de La Tour, se déplaça de plus mauvaise grâce. Le roi, curieux de toute technique, avait déjà vu ce maître du pastel exécuter sous ses yeux les portraits du duc d'Ayen, du comte de Sassenage et du chevalier de Montaigu. Jeanne-Antoinette attendait que La Tour fît d'elle une image pour ainsi dire officielle. Il vint esquisser plusieurs *préparations* d'après le visage, mais ne mit aucune hâte à composer le portrait en pied. Au début de 1752, comme l'entreprise était au point mort et laissait Jeanne-Antoinette anxieuse, Vandières engagea prudemment le poids de son autorité ministérielle. Un brouillon de lettre, chargé de ratures, témoigne de ses efforts pour atténuer ce que son ton habituel avait d'autoritaire à l'égard même des académiciens, ses subordonnés : « Ma sœur voudrait savoir, Monsieur, dans quel temps vous comptez faire son portrait ; vous me ferez plaisir de me le mander par votre réponse, que j'attendrai demain et que je pourrai recevoir de bonne heure, si vous voulez bien me la faire tenir par la voie des voitures de Versailles » (26 février). La Tour simulait alors une crise de dépression nerveuse ; il était abattu, souffrait d'un anéantissement, se sentait la tête vide et le corps brisé. Au dire de Jeanne-Antoinette, la folie du peintre augmentait à chaque instant. Ange Gabriel, dont La Tour peignait la fille, fut prié de s'entremettre. L'été suivant, Vandières dut écrire de Compiègne une lettre plus longue et plus onctueuse : « Ma sœur peut-elle compter d'être peinte par vous ? Elle est impatiente de vous voir finir son portrait ; j'attends votre réponse ».

Le pastel, enfin achevé, parut au Salon de 1755, derrière une balustrade, en bonne lumière, mais sous une vitre dont le miroitement empêchait de le bien voir. A cette exposition, il était plus digne de s'émouvoir devant le portrait par Nattier de Madame Henriette, la princesse disparue trois ans plus tôt, jouant de la basse de viole. Celui de Mme de Pompadour est une œuvre de propagande, où le pastel s'est haussé avec effort au niveau de la peinture historique, pour montrer la favorite telle qu'elle voulait paraître aux yeux de ses contemporains et de la postérité. Elle est assise, un peu raide, vêtue d'une robe de damas ramagé de fleurs, où le bleu pervenche domine sur un fond crème. Elle feuillette distraitement les pages d'un cahier de musique, les yeux fixés sur les ifs du parterre du nord. Aucun bijou ne la pare. A ses pieds, des estampes dépassent d'un portefeuille à ses armes. Sur la console, une mappemonde voisine avec quelques volumes reliés, où l'on distingue *l'Esprit des lois* et l'*Histoire naturelle*. L'un des tomes *in-folio* de l'*Encyclopédie* est ouvert de manière à montrer une planche illustrant l'art du menuisier (musée du Louvre, cabinet des Dessins).

Plus émouvante et sans doute plus juste est la meilleure des préparations pour ce portrait conservées au musée de Saint-Quentin. Le trait, habituellement aigu, s'est fait soudain allusif et doucement estompé, pour saisir une beauté fragile, sensible et déjà menacée. Les yeux sont d'une couleur indéterminée, comme les a vus et décrits le lieutenant des chasses Leroy ; mais ils conservent « le feu, le spirituel et le brillant » que Cheverny n'avait connus qu'à eux. L'artiste, qui a si souvent surpris les philosophes dans l'ardeur de leurs débats passionnés, a subi malgré lui le charme de leur protectrice.

Mais le peintre favori et le décorateur attitré de Mme de Pompadour fut François Boucher ; leur histoire est celle d'une longue amitié. Jeanne-Antoinette se sentait à l'aise avec ce Parisien modeste, heureux de son sort, qui ne chercha jamais à s'élever au-dessus de sa condition. Elle pria un jour le comte d'Argenson de rétablir à Boucher ses entrées à l'Opéra, où il recrutait ses modèles, pour lui conserver sa bonne humeur. « Jugez du désespoir de cet Appelle qui n'a plus, à ce qu'il dit, que ce plaisir-là ». Elle envisagea pour les filles du peintre de riches mariages avec des sous-fermiers, mais Boucher l'en remercia en ces termes simples :

« Elles épouseront deux de mes élèves, bons enfants, beaux garçons et pleins de talent. » Ce furent Baudouin et Deshays de Colleville.

Vers 1758, bien qu'elle fût dans le déclin de sa beauté, Jeanne-Antoinette a posé souvent devant Boucher, en plein air ou dans son arrière-cabinet, sans contrainte ni raideur, dans les poses naturelles et abandonnées des Vénus du peintre, qui sont comme l'image même de la relaxation. Le portrait qui parut au Salon de 1757 montre Mme de Pompadour vêtue d'une robe en damas de soie bleue, festonnée et surchargée de roses. Elle tient un livre qu'elle ne lit plus. Ici, les attributs sont ceux de la vie quotidienne, une bougie, une plume blanche, une lettre décachetée, à ses pieds la chienne Mimi. (Vienne, collection Rothschild).

Au Victoria and Albert Museum, Mme de Pompadour apparaît dans la même pose alanguie, mais sous l'ombrage mystérieux et printanier d'une forêt peuplée d'oiseaux. La lumière glisse doucement sur le satin argenté de la robe unie et montante. Au Louvre, dans le petit tableau de la collection Schlichting, Jeanne-Antoinette est debout devant une bibliothèque néo-classique, les doigts posés sur un clavecin de Taskin. Des fleurs ornent la coiffure, le tour du cou et le décolleté. Les couleurs dominantes vont du vert émeraude au vert olive. La robe aux plis dorés est drapée à l'espagnole. Nul n'a mieux saisi que Boucher la légèreté de la taille et le volume du buste, réduit mais gracieux.

Pour leur part, les *King Charles* familiers ont rencontré leur peintre en J.-B. Huet et leur graveur en Fessard, Inès sous le titre de la *Fidélité* et Mimi sous celui de la *Constance*. De Milady existe un portrait de J.-J. Bachelier (Paris, collection particulière).

La compagnie des artistes était d'autant plus agréable à Mme de Pompadour qu'elle-même était douée pour le dessin. Peu après son installation dans l'appartement d'en bas, elle apprit à graver les pierres précieuses, sachant Louis XV passionné par la glyptique. Son maître dans cet art fut Jacques Guay, le plus habile de l'époque. Sous sa direction, elle fixa sur des agathes-onyx, des sardoines et des cornalines, tantôt les traits du roi, tantôt des sujets allégoriques : le *Génie militaire*, le *Génie de la musique*, la *Fidèle Amitié*. Elle put aussi mettre la main au cachet de Louis XV, où l'enfant ailé qui offre un lys et une rose est surmonté de l'inscription *l'Amour les assemble*.

Avec l'aide de Boucher, de Cochin et de Vien, elle transposa en estampes ces intailles, et quelques autres compositions de Guay, qui représentaient les grands événements du règne ; mais lorsqu'elle maniait sur cuivre le burin de graveur à l'eau-forte, sa préférence allait aux scènes enfantines comme on les aimait alors : les *Buveurs de lait*, le *Faiseur de bulles de savon*, le *Petit Montreur de marmotte*. Deux recueils plus un supplément constituent son œuvre entier de graveur, qui s'élève à soixante-neuf numéros.

Elle eut la curiosité de s'initier à l'imprimerie et d'en distraire Louis XV, déjà fort exercé dans l'art du tour. On fit venir de l'imprimerie royale une imprimerie en miniature qui comprenait des formes de fer-blanc poli, des composteurs d'or de beaux caractères fondus par Fournier, une presse en bois précieux de Mohogany, des casses en bois de rose et de palissandre à l'odeur agréable. A la fin de l'année 1758, Louis XV composa la moitié du *Tableau économique* du Dr Quesnay. Jeanne-Antoinette souhaita manier à son tour ce jouet de luxe qui fut descendu dans son appartement. Elle fit imprimer sous ses yeux le *Cantique des Cantiques* et le *Précis de l'Ecclésiaste* paraphrasés par Voltaire, et composa elle-même *Rodogune, princesse des Parthes,* en 1760. Avec l'aide de Cochin, elle en grava le frontispice à l'eau-forte d'après le dessin de Boucher. Il en fut tiré vingt exemplaires. Elle en fit envoyer un à la Bibliothèque royale ; une note manuscrite du conservateur Jean Capperonnier atteste qu'elle « a pris la peine de l'imprimer elle-même ». Le lieu d'impression indiqué, *Au Nord,* se rapporte à l'appartement d'en bas.

Depuis sa première représentation, en 1644, à l'Hôtel de Bourgogne, la pièce préférée de Corneille était jouée avec un constant succès ; c'est elle que les comédiens du roi représentèrent le 10 janvier 1750 au bénéfice des neveux de Corneille, tombés dans l'indigence. Le fameux acte V montre, en un *crescendo* d'horreur, Cléopâtre, reine de Syrie, obligée de boire le poison qu'elle avait préparé pour une autre. Il inspira au Premier peintre Charles Antoine Coypel le carton de la tapisserie des Gobelins que Marigny présenta au roi le 23 août 1752. L'intérêt porté par Mme de Pompadour à la reine de Syrie, véritable héroïne de la pièce, trahit une tentation : Cléopâtre est l'image monstrueuse et stylisée d'un pouvoir féminin où la vengeance est poussée jusqu'au crime.

Sous le couvert de l'allégorie, la sculpture a pu montrer Mme de

Pompadour dévêtue et dans des poses audacieuses. Elle est la Pomone de Lemoyne, courtisée par Vertumne sous l'apparence de Louis XV. Il faut la reconnaître dans l'*Amitié* de Pigalle, la *Musique* de Falconet, l'*Abondance* d'Adam et la *Diane* de Tassaert. Dans le domaine artistique, les amours royales continuaient d'être célébrées comme celles de Jupiter. Boucher put ainsi donner à la manufacture de Beauvais les cartons des *Amours des dieux*. L'*Amour* de Bouchardon, statue commandée avant l'avènement de la favorite et placée en 1754 devant l'orangerie de Choisy, prit la valeur d'un symbole : pour Diderot, il devait survivre à Mme de Pompadour dans l'admiration des hommes et rappeler son destin.

La tentative de relever la peinture d'histoire éveilla peu d'échos. La peinture vivante était représentée surtout par le portrait et déjà par le paysage. Claude Joseph Vernet peignit avec succès la suite des *Ports de France* (musée de la Marine), dont les estampes sont dédiées à Marigny et figuraient dans les collections de la marquise. Ce fut dans l'architecture que le classicisme, sous l'impulsion de Mme de Pompadour et l'administration de son frère, trouva un nouveau souffle. Fontainebleau fut encore amplifié, un nouveau Compiègne mis en chantier. Choisy reçut son église paroissiale. La construction de l'éphémère château de Saint-Hubert en forêt des Yvelines fut rapidement menée à bien. Le dégagement du Louvre fut entrepris, la Colonnade reconstruite. Les palais de l'actuelle place de la Concorde s'édifièrent à partir de 1756. Le projet de Soufflot pour Sainte-Geneviève — une église lumineuse, virginale et joyeuse que les assemblées révolutionnaires ont dénaturée en la détournant de sa destination — fut connu par la gravure l'année suivante ; mais il fallut de longues années pour en assurer les fondations. Les piliers trapus de la crypte rappellent que Soufflot avait étudié l'art de Paestum. L'église elle-même montre qu'il fut impressionné par les monuments de Baalbek et de Palmyre, quand les publications de Robert Wood les eurent fait connaître. Soufflot, hissé au premier rang des architectes royaux par la faveur de Mme de Pompadour et des siens, encourut la jalousie de ses confrères. Il ne devint jamais Premier architecte, comme il l'avait espéré.

Mme de Pompadour s'engagea personnellement dans la fondation de l'Ecole militaire. Ce collège était destiné à cinq cents cadets sans fortune, dont il fallait « former le tempérament en même temps que l'esprit et le cœur ». La marquise souhaita faire pour les jeunes gens de la noblesse ce que Mme de Maintenon avait fait pour les filles à Saint-Cyr. Louis XV voulait aussi récompenser la bravoure héréditaire de ceux qui avaient été ses compagnons d'armes. Tous deux confièrent la rédaction du programme à Pâris-Duverney, qui restait officieusement le premier intendant militaire du royaume. Mme de Pompadour lui écrivit le 10 novembre 1750 : « J'ai été dans l'enchantement de voir le roi entrer dans le détail tantôt ; je brûle de voir la chose publique, parce qu'après il ne sera plus possible de la rompre. Je compte sur votre éloquence pour séduire M. de Machaut ; je compte sur votre vigilance pour que l'univers en soit bientôt instruit ».

Le premier projet de Gabriel situait l'entrée de l'école sur le Champ de Mars et donnait à la chapelle une position axiale, comme dans le plan de l'Escorial et celui des Invalides. Le 3 janvier 1751, Mme de Pompadour écrivit à Mme de Lutzelbourg : « Cet établissement est d'autant plus beau que Sa Majesté y travaille depuis un an et que ses ministres n'y ont nulle part et ne l'ont su que lorsqu'il a eu arrangé tout à sa fantaisie, ce qui a été fait à la fin du voyage de Fontainebleau ». Le seul regret de la marquise fut de n'être pas nommée dans l'édit de fondation. Quand les fonds manquèrent, elle assura le salaire des ouvriers sur sa propre cassette. De la terrasse de Bellevue, elle apercevait la plaine de Grenelle, où les premières constructions de Gabriel sortaient lentement du sol ; la chapelle des Infirmeries, aujourd'hui vestibule du *mess*, fut édifiée en 1755.

Il est une autre création du même artiste qui lui était destinée, mais dont elle ne devait pas voir l'achèvement : c'est le palais connu sous le nom du Petit Trianon. Il allait s'élever au point de rencontre de trois jardins. Louis XV en envisagea la construction pour elle dès 1758. Marigny et Gabriel menaient alors une enquête active pour tirer le meilleur parti des exemples italiens et surpasser les réalisations britanniques. Ils étaient même attentifs aux idées des étudiants et recueillaient dans leurs cartons les esquisses des jeunes lauréats de l'Académie d'architecture. Les études pour le Petit Trianon, conservées dans les archives des Bâtiments du roi, jalonnent les étapes de leur recherche et offrent l'exemple d'une perfection acquise à force de renoncements. Avant d'arrêter un projet aussi harmonieux qu'équilibré, Gabriel eut avec Louis XV, Mme de Pompadour et son frère des entretiens qu'il nous serait précieux de pouvoir évoquer.

Depuis Catherine et Marie de Médicis, nulle femme n'avait exercé en France le gouvernement des arts.

9

La treizième dame du palais

La mort d'Alexandrine provoqua chez Mme de Pompadour un retour en soi-même. Sa conception de la vie n'avait jamais été superficielle. Si douée pour goûter les joies du cœur et les grandeurs de ce monde, elle en mesurait la fragilité et parcourait l'existence en perpétuelle voyageuse. Dépourvue d'avidité, elle savait « ne jamais désirer les choses impossibles » et cueillait avec sagesse les fruits qui s'offraient : « Que les richesses ne puissent jamais altérer notre bonheur », écrivit-elle. A présent, la terre se dérobait sous ses pas et avait englouti ses espoirs. Elle se tourna vers Dieu.

Après le 17 juin 1754, Jeanne-Antoinette vint souvent s'agenouiller sous la coupole de l'Assomption, puis en octobre dans l'église aussi lumineuse, mais plus humide, des Capucines. Ici, les religieuses, filles de la Passion, obéissaient à une règle austère. En prenant le voile, elles renonçaient à porter leur nom de famille ; elles vivaient d'aumônes, marchaient pieds nus et observaient une abstinence totale. La crypte, qui s'étendait sous toute leur église, était remplie de sépulcres. Dans le chœur des moniales, une simple épitaphe gravée sur le sol rappelait les fondatrices, Louise de Lorraine, veuve du roi Henri III, et sa sœur, la duchesse de Mercœur. De part et d'autre de la nef deux chapelles abritaient des monuments de marbre polychrome, celui de Louvois par Girardon, aujourd'hui à l'hôpital de Tonnerre, et celui du maréchal de Créqui, aujourd'hui à Saint-Roch. C'est cette chapelle qui appartenait à Mme de Pompadour en commun avec les La Trémoïlle. Le cercueil d'Alexandrine reposait dans la crypte à cet endroit.

Les rapports de la marquise avec les supérieures, Sœurs Françoise de La Croix et Marie de l'Enfant Jésus, étaient fréquents et personnels. Dès 1755, elle fit une fondation de messes, à raison de deux par mois, pour sa famille et pour elle-même pendant soixante ans. Comme les bâtiments conventuels et l'église reposaient sur le terrain marécageux de la Grange-Batelière, le salpêtre avait attaqué les voûtes de la crypte et détérioré tous les tableaux de l'église. Mme de Pompadour fit déléguer par M. de Machault des crédits importants pour l'assainissement de l'édifice et la restauration des œuvres d'art. Sur l'avis de M. de Marigny, la *Descente de croix* de Jouvenet, qui ornait le maître-autel, fut confiée aux soins de la veuve Godefroy, et comme il arrive parfois après un « rentoilage », réapparut éclatante et transfigurée. Les peintres de l'Académie royale demandèrent à conserver dans leurs salles du Vieux Louvre ce chef-d'œuvre de l'école française, d'ailleurs inspiré de Rubens, en échange d'une copie fidèle qui serait confiée à Jean Restout, le meilleur élève de Jouvenet. L'archevêque Christophe de Beaumont, consulté par les sœurs, souleva des difficultés dont les bureaux de Versailles firent peu de cas. Pour sa part, Mme de Pompadour sut décider les supérieures en leur inspirant la vénération qu'elle-même éprouvait pour le roi. Elles acceptèrent d'abandonner le tableau et, par la plume de Sœur Françoise de La Croix, le firent savoir à Marigny : « Si c'est le souhait de Sa Majesté, tout est dédié à son auguste personne, nos cœurs, nos vies et ce que nous avons ; ce sera nous combler de bonheur pour jamais si elle admet notre pieuse offrande. »

Le désarroi de Mme de Pompadour égalait le dégoût que lui inspirait la Cour. Depuis longtemps, elle n'y trouvait qu'un « tissu de méchancetés et de platitudes », et même « le bonheur d'être avec le roi » n'était pas sans mélange. L'inquiétude et la jalousie étaient des tourments quotidiens qui lui causaient bien des larmes. A ce moment de son existence, elle avait épuisé, croyait-elle, toutes les douleurs, tous les plaisirs de sa condition. Pour mettre en paix sa conscience, elle voulut faire sanctionner par l'Eglise la pureté de sa vie et manifester aux yeux du monde la droiture de sa conduite.

Trois éventualités s'offraient plus ou moins clairement à son esprit : ou quitter l'inconstant souverain et se retirer dans ses propriétés, alors que le déclin de sa santé l'invitait au repos ; ou reprendre la vie commune avec son époux, s'il y consentait ; ou enfin rester à Versailles avec l'absolution de l'Eglise et une position officielle de dame du palais de la reine ; elle aurait alors été comblée par le pardon de Dieu et la considération des hommes.

A l'automne de 1755, Jeanne-Antoinette eut de longues conversations avec le R.P. de Sacy, S.J., chapelain de la maison de Soubise, que son ami Machault lui avait fait connaître. Sous sa dictée, elle écrivit à Le Normant d'Etiolles une lettre que le ministre se chargea de transmettre. Elle lui proposait de reprendre la vie commune, espérant qu'il allait refuser. Elle lui demandait aussi d'agréer sa nomination auprès de la reine.

L'époux délaissé avait péniblement surmonté le choc d'avril 1745. Après les dames d'Arcambal et de Bellevaux, quelques jolies figurantes ou ballerines des théâtres parisiens lui avaient rendu le goût de vivre. En compagnie de Mlle Deschamps, de l'Opéra, il fréquentait ce que l'on a appelé des séances de « secourisme ». Elles avaient lieu secrètement rue Saint-Martin, dans ce quartier où se cachèrent un peu plus tard des loges maçonniques. Une femme y était crucifiée dans une atmosphère de sadisme et d'exaltation collective, phénomène qui faisait suite aux fameuses convulsions du cimetière Saint-Médard. A deux reprises, Mme de Pompadour tenta d'imposer à son ex-époux un exil honorable. Par l'intermédiaire de leur ami Darboulin, administrateur des Postes, oncle du navigateur Bougainville, elle lui proposa l'ambassade de France à Constantinople. Or il venait de s'engager dans une liaison durable avec Mlle Raime, jeune danseuse de l'Opéra qui lui donna un premier enfant en juin 1755.

Le Normant d'Etiolles répondit à la lettre dictée par le Père de Sacy : « Je reçois, Madame, la lettre par laquelle vous m'annoncez le retour que vous avez fait sur vous-même et le dessein que vous avez eu de vous donner à Dieu. Je ne puis qu'être édifié d'une pareille résolution... Je voudrais pouvoir oublier l'offense que vous m'avez faite. Votre présence ne pourrait que m'en rappeler plus vivement le souvenir ; ainsi, le seul parti que nous ayons à prendre l'un et l'autre est de vivre séparément » (6 février 1756).

Ainsi, son époux ne voulait ni ne pouvait la reprendre. Et le roi se montra incapable de la laisser partir. Le 7 février, elle remit à Mme de Villars pour la reine un billet de Louis XV annonçant sa nomination de dame du palais. L'après-midi, elle rendit deux visites. Elle s'attarda chez la pieuse Mme de Villars, qui cherchait depuis longtemps à ramener son âme à Dieu. A Mme de Luynes, elle dit qu'elle n'avait ni désiré ni demandé cette nouvelle dignité et ne l'acceptait que sur le conseil du Père de Sacy. En fait, cette nomination avait été précédée d'une intense préparation psychologique. Pour la troisième fois depuis trente et un ans, Louis XV venait de solder les dettes de la reine, qui s'élevaient à cent vingt mille livres. Lors de la dernière cérémonie du Saint-Esprit, Mme de Pompadour avait fait donner le cordon bleu à deux bien jeunes seigneurs, les ducs de Fitz-James et d'Aiguillon, dont les épouses, dames de la reine, allaient être ses compagnes.

Le dimanche 8, la présentation eut lieu après vêpres. Dans une robe éblouissante, magnifiquement parée et fardée par Nicole du Hausset, Jeanne-Antoinette fut présentée à la reine par la duchesse de Luynes et assista au souper du grand couvert. Les autres dames du palais étaient la maréchale de Mirepoix, les duchesses d'Antin, de Boufflers, de Fitz-James, de Fleury et d'Aiguillon, la princesse de Montauban, les marquises de Bouzols, de Flavacourt et de Talleyrand, les comtesses de Gramont et de Périgord. La reine n'en retenait auprès d'elle que quatre à la fois, de sorte que le tour de chacune ne revenait que toutes les trois semaines. Dès le lundi 9, Mme de Pompadour prit son service, accompagna la reine à la chapelle et l'assista pendant six heures.

Elle était nommée surnuméraire, sa fonction allait être de doubler les dames empêchées ou absentes. Sa santé ne lui en aurait par permis davantage : monter l'escalier de la reine lui causait des palpitations qui l'obligeaient à s'arrêter à chaque marche ; les marbres rose et vert se brouillaient à ses yeux. Néanmoins, elle entourait Marie Lesczinska de menues prévenances et continuait à la combler de fleurs ; au point que la reine, qui l'avait acceptée avec bonne grâce, estima ces assiduités superflues ; mais nul n'osait le faire comprendre à la marquise, tant elle était ménagée par le parti dévot.

Le 12, après avoir entendu la messe à Versailles, Mme de Pompadour prit la route de Paris et s'arrêta chez elle à l'hôtel d'Evreux. Un carrosse aux armes de Montmorency-Luxembourg l'y attendait. Elle y monta voilée et parvint incognito chez les Capucines. Là, elle se recueillit un moment dans sa chapelle ;

mais importunée par le bruit des ouvriers qui travaillaient aux réparations, elle se rendit au parloir où l'attendaient l'abbesse Françoise de La Croix, le père confesseur des religieuses et l'intendant Collin, qui portait ce jour-là son cordon de Saint-Louis. Collin fit aumône au couvent, auquel une rente de six cents livres allait être annuellement versée de la part de la marquise par l'agence générale du clergé. Mme de Pompadour prit des arrangements pour se ménager dans l'enclos monastique un appartement qui ouvrirait sur l'église par une tribune.

Pour le parti dévot, elle était un enjeu inestimable. Sa conversion déclarée aurait été le triomphe que l'Eglise espérait en ces temps troublés. Mgr de Tavannes, grand aumônier de la reine, qui avait décliné sa visite à Gaillon mais attendait maintenant le chapeau de cardinal, l'entourait de sollicitude. Les aumôniers de Cour observaient une prudente réserve ; à travers elle, ils espéraient gagner la conversion du roi. La foi de Louis XV était profonde. Il respectait les rites, les pratiques de la religion, était pénétré du caractère sacré de ses ministres, mais la force lui manquait pour accorder sa conduite privée à ses convictions. Pour être en état de grâce, il lui aurait fallu vivre à la Cour comme un moine, or les maîtresses se succédaient au Parc-aux-Cerfs. Ce drame, auquel Jeanne-Antoinette était liée, les tenait éloignés tous deux de la table sainte.

Depuis la fin du XVIIe siècle, la spiritualité catholique, surtout celle de la Compagnie de Jésus, avait tendu à concilier dans l'âme des fidèles la présence attentive à ce monde et l'espérance de la vie à venir. Mais en ce temps où la propagande philosophique blessait profondément le sentiment chrétien, les jésuites exerçaient une rigueur nouvelle dans la direction des consciences. Mme de Pompadour était une pénitente exceptionnelle. Dans son cas, aux yeux de l'Europe entière, l'exemple de la conversion eût été aussi éclatant que l'avait été le scandale.

Le Père de Sacy fut alors tolérant, au risque d'encourir le blâme de ses confrères : Mme de Pompadour put garder son rouge, ses toilettes profanes et le luxe de ses parures. Elle continua de souper à côté du roi. Lors d'un repas d'huîtres en carême, où elle brilla autant par son esprit que par ses pierres précieuses, le prince de Croy s'étonna de l'entendre soutenir avec énergie et

compétence saint Augustin, dont un convive avait parlé légèrement ; elle avait en effet les *Soliloques* dans sa bibliothèque.

Cependant, le jésuite obtint d'elle qu'elle renonçât momentanément aux spectacles. Elle fit maigre les jours d'obligation, ce
qu'elle n'avait jamais fait, et même les dimanches et les fêtes.
Elle entendait la messe quotidienne à la chapelle royale, non plus
dans la tribune qui lui était réservée au-dessus du passage de la
sacristie, mais en bas parmi tous ses gens, et s'attardait dans la
prière, toutes coiffes baissées, après l'*Ite missa est*. Elle cessa de
recevoir les ambassadeurs à sa toilette mais les reçut près de son
métier à tapisserie ; comme il convenait aux dévotes de son rang,
elle occupait ses doigts pendant de longs moments, semblable en
cela à la dauphine, qui tout en tapissant dans son grand cabinet,
surveillait discrètement les fréquentations féminines de son époux.

Depuis son adolescence, Jeanne-Antoinette avait jugé avec assez
de détachement le conformisme, les rites extérieurs, les pratiques
superstitieuses, le culte des reliques, les indulgences ; recevoir des
masques blancs de Venise lui importait plus que des chapelets
bénits par le pape. Pourtant, à l'époque de sa « conversion », entre janvier et mars 1756, en plus des crucifix d'ébène, elle acheta
chez son ami Lazare Duvaux plusieurs bénitiers précieux, dont
l'un en cristal de roche garni d'or, un autre entouré d'une « gloire » de chérubins.

Mme de Pompadour laissait entendre que la piété lui demandait de grands efforts et elle priait avec ferveur pour qu'elle lui
devînt naturelle. Sa conduite avait toutes les apparences de la
vraie dévotion. Selon le mot du président Hénault, elle donnait
à toutes ses démarches un « grand air de réforme » ; et puisque
l'on cherchait toujours des modèles tutélaires, certains évoquaient
le souvenir de Mme de Maintenon. L'une des premières, elle
souscrivit aux *Mémoires sur la vie de Madame de Maintenon*,
publiés par La Beaumelle.

Cette métamorphose, qui coïncidait avec sa nouvelle dignité
de dame du palais, provoqua les commentaires de la Ville et de
la Cour. Une fois encore, par la volonté du roi, la hiérarchie sociale était bousculée. Louis XV imposait à la reine, si pointilleuse
dans le choix de ses suivantes, la fille d'un ancien laquais qui
avait failli être pendu. Etait-ce pour accéder à cette distinction
suprême qu'elle avait simulé l'engagement religieux ? Cette femme

qui avait si bien joué dans *Tartuffe,* quel accommodement cherchait-elle avec le Ciel ? Quel confort dérisoire pour son cœur blessé ? N'ayant pas trouvé le bonheur dans le péché, allait-elle le chercher dans la pénitence ? Irait-elle jusqu'au bout de sa conversion ? Allait-elle se retirer, comme cette autre dame du palais, Mme de Rupelmonde qui, devenue veuve, avait pris le voile chez les Carmélites de la rue de Grenelle, sous le nom de Sœur Thaïs Félicité de la Miséricorde ? Allait-elle continuer à diriger les divertissements du roi et de la Cour ? Etait-il vrai que la communication avait été murée entre l'appartement du roi et le sien ?

Les croyants les plus incontestables, parmi ceux qui l'ont approchée, n'ont pas mis en doute sa sincérité. Le prince de Croy, qui la connaissait bien, la jugeait « vraie » en toutes choses ; le duc de Luynes parle à plusieurs reprises de sa « bonne foi ». Le jour même où elle prit son service auprès de la reine, elle écrivit au comte de Stainville, alors à Rome : « On m'accuse de finesse, d'habileté, de prévoyance et même de fausseté. Je ne suis pourtant qu'une pauvre femme qui cherche depuis vingt ans le bonheur et qui croit l'avoir trouvé ». Sa conversion, lui confiait-elle, n'était survenue qu' « après de très mûres et longues réflexions ».

Le choix que lui proposait l'Eglise était simple : quitter la Cour réconciliée avec Dieu ou y demeurer sans l'absolution. Mme de Pompadour envisagea un moment de partir, d'abandonner ses amis, ses obligés, tous ceux qui vivaient dans son sillage et auraient beaucoup à perdre de son éloignement. Peut-être devait-elle désormais se consacrer à son propre salut, renoncer à son amer bonheur, cesser de se battre et goûter dans la retraite une paix déjà proche de la mort.

Cependant, une évidence lumineuse s'imposait à son esprit et à son cœur : elle ne pouvait quitter le roi. Sans doute, le Père de Sacy lui peignit-il la passion qui l'avait poussée vers Louis XV comme une de ces mauvaises joies dont parle déjà Virgile ; mais elle ne pouvait le croire : pendant des années, cet amour avait été source d'énergie, de réconfort et de sacrifice. Louis XV était son maître sur la terre, elle ne saurait l'affliger ni le mécontenter : « Il serait difficile de trouver un pareil maître dans tout l'univers », écrivit-elle. Aussi longtemps qu'il avait besoin d'elle, elle n'était pas disposée à le quitter. Elle comprit qu'elle s'était engagée dans une impasse et jouait un jeu périlleux : tant de rivales étaient prêtes à prendre sa place !

Elle choisit de rester auprès du roi, éloignée comme lui des sacrements. Le Père de Sacy dut se retirer et le Père Onuphre Desmarets, sollicité de prendre sa suite, se déroba. Les conférences du carême furent assurées par l'abbé de Boismont, moraliste indulgent. A Paris, l'archevêque Christophe de Beaumont refusa de laisser célébrer dans l'oratoire de l'hôtel d'Evreux, sous prétexte que la marquise n'était pas parisienne, et invita ses gens à fréquenter les paroisses voisines.

Elle garda donc pour elle-même ses élans, ses angoisses, comme aussi quelques habitudes de piété et elle multiplia ses œuvres de bienfaisance. Mais peu à peu, puisqu'il fallait bien vivre, les vanités du monde, les conversations vives et brillantes, le luxe et les divertissements, tous ces péchés fort gais dont elle avait la charge, prirent le pas sur les austérités de la vie pénitente. Elle avait échoué dans son effort pathétique pour concilier le bonheur et l'innocence.

Quand Marie Lesczinska fit ses Pâques à la paroisse Notre-Dame le 19 avril 1756, Mme de Pompadour se crut autorisée à se trouver près d'elle parmi huit autres dames du palais ; cette conduite parut audacieuse et déplacée. Dans les mois qui suivirent, l'un de ses gestes les plus remarqués fut la fondation à Crécy de l'hôpital Saint-Jean. Elle vendit un nœud de diamants pour financer la construction, dont le coût s'éleva à 600 000 livres. La chapelle fut bénite par l'abbé Nicolas Châtel, curé d'Aulnay. Le 30 septembre, avec le marquis de Gontaut, elle servit à leur dîner les deux premiers pensionnaires, Catherine Barbé et François Voxeur. L'hôpital pouvait accueillir trente-deux hommes et seize femmes, malades ou en couches, soignés par des sœurs grises de saint Vincent de Paul. C'était un établissement modèle, doté d'une salle d'opération et d'une pharmacie bien montée. La marquise fit à Paris quelques achats destinés à en compléter l'équipement médical et religieux : six crucifix sur des croix noires, six biberons d'étain, six urinaux de verre. De telles manifestations de la bienfaisance privée étaient habituelles en des temps où la collectivité publique n'avait pas pris le relais de la charité chrétienne.

Mme de Pompadour parvenait alors au sommet de son crédit.

Les dernières réticences tombaient autour d'elle. La duchesse de Luynes et toutes les pieuses amies de la reine venaient chez elle sans se cacher. Les dames lui présentaient leurs filles à marier, les militaires leurs fils à promouvoir ; et les jeunes couples lui faisaient des visites de noces. Mme du Hausset, avec le bons sens paysan qu'elle partageait avec le docteur Quesnay, s'indignait de voir des seigneurs, qui pouvaient être rois sur leurs grands domaines, valeter dans les antichambres de la marquise.

En janvier 1756, tous les ducs et pairs et les princes du sang s'agitaient autour d'elle et recherchaient son arbitrage. Les visites du jour de l'an venaient de ranimer les rivalités ancestrales que Louis XIV n'avait jamais daigné régler entre les branches de la maison de Bourbon. Disputes de préséance et d'attributions, jalousies provoquées par les alliances matrimoniales, querelles de braconnage opposaient alors Charolais à Conti, Condé à Conti, Conti à Soubise. Le mince conflit d'étiquette du 1ᵉʳ janvier reçut une solution provisoire chez Mme de Pompadour, qui s'était entremise de bonne grâce et présida un souper de réconciliation. Mais lorsque le Parlement tenta d'aigrir contre le roi l'animosité latente des ducs et des princes, et de les inciter à la désobéissance, elle se montra inflexible : à son instigation, Louis XV jeta au feu dans la cheminée de la marquise une requête collective que venait de lui présenter le duc d'Orléans. Au milieu de ces querelles, Jeanne-Antoinette ne pouvait pas être impartiale : elle aimait beaucoup le prince de Soubise et ne pouvait souffrir le prince de Conti. Le jour de la Chandeleur, le roi la réconcilia avec le duc d'Orléans et le comte de Clermont, qui lui reprochaient d'avoir favorisé le mariage de Mlle de Soubise avec le prince de Condé.

L'amitié l'entraînait à épouser des inimitiés, à consommer des injustices. Après la disgrâce de Mme d'Estrades, elle subit le charme de Mme de Mirepoix, précieuse amie qu'elle disputait à la reine. Cette aimable et discrète personne possédait le don de plaire aux hommes sans éveiller la jalousie des femmes : « Elle avait, a écrit le prince de Ligne, cet esprit enchanteur qui fournit de quoi plaire à chacun. Vous auriez juré qu'elle n'avait pensé qu'à vous toute sa vie ». Cette amitié privilégiée inspira des mesures arbitraires à Mme de Pompadour. La charge de capitaine des chasses que Mme de Duras demandait instamment pour son fils fut attribuée au maréchal de Mirepoix, et dès la mort du

maréchal à son beau-frère, le prince de Beauvau. Mme de Mirepoix reçut alors une pension de 20 000 livres. Par amies interpo-
sées, Mme de Pompadour dicta au roi d'autres décisions surpre-
nantes. Une survivance de dame d'atours de Mesdames, promise
par Mme Victoire à la très méritante Mme de Rochechouart-
Charleval, échut à Mme de Durfort, soutenue par sa belle-mère,
la maréchale de Duras.

Toutes ces affaires lui valaient une activité fiévreuse. Un jour,
par exemple, heureuse de rencontrer dans le château le duc de
Gesvres, elle le pria de descendre dans son appartement. Ils y
trouvèrent deux ministres qui attendaient la marquise dans l'antichambre. Elle s'excusa auprès d'eux, reçut très longuement M. de
Gesvres, écrivit plusieurs lettres en sa présence. Il était, avec le
duc de Luynes, le seigneur qui connaissait le mieux l'étiquette
et la Cour. Quand il fut prêt de sortir, elle se rappela un rendez-
vous qu'elle avait donné à son petit ermitage et fit patienter à
nouveau les ministres : grâce à sa *vinaigrette*, elle serait bientôt
de retour.

L'empire qu'elle exerçait autour d'elle, et qui déjà s'étendait
hors des frontières, fit grandir son goût du pouvoir et de la domination. « Jamais son crédit n'a été plus grand, écrivait alors le
baron de Knyphausen à son maître, le roi de Prusse ; on ne prend
dans le Conseil aucune résolution d'une certaine importance, ni
pour les affaires du dehors ni pour celles de l'intérieur dont elle
ne soit instruite ou prévenue » (17 novembre 1755). Elle acquit
sur le roi par les affaires un ascendant qu'elle n'avait pas obtenu
par les voluptés. Elle connaissait Louis XV mieux que personne :
fort discret, il était réservé sur les grands problèmes et demandait
à être décidé, car il envisageait dans leur complexité les réalités
issues de l'histoire, avec une acuité qui risquait de le paralyser.
Par la qualité de son écoute, par une réflexion complémentaire
de la sienne, elle l'acheminait doucement vers les solutions, en lui
laissant le sentiment qu'il choisissait lui-même. Ce rôle subtil,
aucun Premier ministre n'aurait pu le jouer. Depuis la mort du
vieux cardinal de Fleury, Louis XV gouvernait seul. Il n'avait
délégué à personne un pouvoir prépondérant, travaillait en particulier avec chacun de ses ministres, prenait leurs avis en ses
Conseils et maintenait entre leurs influences respectives un fragile
équilibre. Mme de Pompadour leur offrait volontiers sa médiation

auprès du mystérieux monarque. Elle acclimatait à la Cour le
règne féminin qu'elle avait vu Mme de Tencin et Mme Geoffrin
exercer dans leurs salons littéraires et philosophiques. Il émanait d'elle
une chaleur communicative, une énergie généreuse. Tout ce qui
l'entourait respirait la dignité et la gaieté ; elle séduisait par un
charme que Louis XV possédait aussi mais ne laissait rayonner
que par instants. Mme de Pompadour était entourée d'égards, de
flatteries et d'hommages déposés à ses pieds comme des gerbes
de fleurs. Elle s'en laissa griser. Comment n'aurait-elle pas cru
à son pouvoir magique, à sa mission providentielle ? Tranquille,
justifiée à ses propres yeux et libre de bien des scrupules, elle
œuvrait pour la gloire de son maître. Mais pendant qu'elle se
berçait d'illusions, l'heure approchait où les épreuves de l'Europe
allaient être aussi les siennes. Survinrent en effet des accidents
qu'aucune sagesse n'avait su prévoir, des malheurs qu'aucune
puissance ne put conjurer.

Le 18 novembre 1755 parvint à Versailles la nouvelle du trem-
blement de terre de Lisbonne. L'ambassadeur de Louis XV dans
cette capitale était M. de Baschi, marié à la sœur aînée de
Le Normant d'Etiolles. La lettre que Mme de Pompadour reçut
le 2 décembre, écrite sous le coup de la catastrophe, contenait
encore peu de détails. De courrier en courrier, des précisions nouvelles révélèrent l'étendue et l'horreur du sinistre. Le tiers de la
ville s'était effondré sur ses habitants, un raz de marée avait sub-
mergé la région côtière, l'incendie s'était déclaré, complétant le
désastre. Le nombre des victimes fut évalué plus tard à 30 000, les
pertes matérielles étaient incalculables. La secousse sismique ra-
vagea le Maroc, éprouva Cadix et Séville, se fit sentir à Bayonne,
à Bordeaux, jusqu'en Val de Loire et en Bourgogne. La famille
royale de Portugal échappa par chance à la mort, mais l'ambassadeur d'Espagne, M. de Perealda, fut écrasé par l'effondrement
de son palais, laissant un orphelin que recueillit M. de Baschi.
Le nonce apostolique data sa lettre au Saint Père « de l'endroit
où fut Lisbonne ». Au moment où se déchaînaient les forces cos-
miques, déjà s'annonçait un conflit armé qui allait s'étendre sur
trois continents. « Dès ce temps-là même, a écrit Voltaire, on
prenait des mesures pour ensanglanter cette terre qui s'écroulait
sous nos pieds. »

Une évolution imperceptible des rapports de force modifiait

l'équilibre international. Depuis le ministère de Fleury, la richesse et la prospérité de la France portaient ombrage à l'Angleterre. Entre ces deux nations, les premières étincelles du conflit jaillirent aux confins mal délimités des colonies d'Amérique. Le petit état prussien, dont Frédéric II accroissait prodigieusement la puissance militaire, menaçait ses voisins d'Europe centrale. Hors de France, la maison de Bourbon était établie à Madrid, à Naples et à Parme ; Louis XV devait assurer des trônes aux héritiers de cette nombreuse dynastie.

Jusqu'alors, une rivalité séculaire entre l'Autriche et la France avait déterminé la politique européenne et les relations diplomatiques. La dernière guerre avait encore opposé violemment les deux couronnes. Mais dès la paix de 1748, l'impératrice Marie-Thérèse d'Autriche, dépossédée de la Silésie, s'inquiétait des ambitions prussiennes et recherchait un rapprochement avec la France. Son ambassadeur, Kaunitz, lors d'un bref et fastueux séjour à Paris, avait gagné la sympathie de Louis XV et celle de Mme de Pompadour. Avec une grande perspicacité, dès 1751, il avait écrit : « A juger du futur par le présent, il semble que la faveur de Mme de Pompadour soit au-dessus des événements. Seule la religion du roi pourrait lui ôter son cœur ; aussi lui a-t-elle déjà causé des frayeurs mortelles. » Devenu chancelier à Vienne, il transmit son poste de Paris à M. de Stahrenberg.

L'alliance de la France et de l'Autriche, qui renversait le système séculaire, fut négocié chez Mme de Pompadour à l'insu des ministres et de la diplomatie officielle. Louis XV était personnellement disposé à écouter des propositions qui conciliaient l'intérêt national et celui de sa dynastie. Il laissa croire à Mme de Pompadour qu'elle jouait un rôle important ; elle n'était en réalité qu'une médiatrice utile et agréable aux deux parties.

Le 30 octobre 1755, une collation intime eut lieu dans les dépendances discrètes de Bellevue, à Brimborion ou à Babiole. En présence de la marquise et de l'abbé de Bernis, Stahrenberg y lut un mémoire de Kaunitz. Pour la seconde fois, Bernis jouait auprès de Jeanne-Antoinette un rôle de conseiller confidentiel. Resté longtemps dans l'ombre, il venait de se distinguer au cours d'une brève mais brillante ambassade à Venise. Bien que nommé à Madrid, il fut retenu par le roi pour cette négociation, qui n'était secrète qu'à Versailles, car les principaux ministres autrichiens en étaient informés. « Mme de Pompadour est enchantée de la conclusion de ce qu'elle regarde comme son ouvrage, écrivit alors Stahrenberg à Kaunitz ; elle m'a fait assurer qu'elle ferait de son mieux pour que nous ne restions pas en si bon chemin. » (2 mai 1756) ; et le 13 mai : « Il est certain que c'est à elle que nous devons tout et que c'est d'elle que nous devrons tout attendre pour l'avenir. Elle veut qu'on l'estime et elle le mérite en effet. Je la verrai plus souvent et plus particulièrement lorsque notre alliance ne sera plus un mystère. »

Pour surprenant qu'il fût, ce revirement diplomatique était justifié par les événements. Les Anglais insultaient la France aux colonies et sur mer, où trois vaisseaux de guerre et trois cents bâtiments de commerce tombèrent entre leurs mains. Frédéric de Prusse, bien informé sur les dispositions de Louis XV et celles de Mme de Pompadour par son envoyé, Knyphausen, s'allia secrètement à George II de Hanovre, roi d'Angleterre, et envahit brutalement la Saxe. La diplomatie officielle de Rouillé, comme les agents du *Secret du roi*, reconnurent l'urgence d'une transaction devenue inévitable. Deux traités entre la France et l'Autriche sanctionnèrent ce qu'on a appelé le renversement des alliances.

Tandis qu'un premier contingent de 24 000 hommes gagnait la frontière du Rhin, Mme de Pompadour écrivit à Kaunitz : « C'est avec une grande satisfaction, Monsieur, que je vous fais mes compliments sur la réussite des traités conclus entre l'impératrice-reine et le roi. Je suis sensiblement touchée de la justice que Leurs Majestés impériales veulent bien me rendre et des bontés dont elles daignent m'honorer. Mon zèle en augmenterait s'il était possible, mais les preuves que j'en ai données vous ont appris, Monsieur, qu'il ne s'y peut rien ajouter » (7 septembre 1756).

Mme de Pompadour passe pour avoir été séduite par des lettres flatteuses et des présents de l'impératrice ; mais c'est là une légende forgée par Frédéric II et répandue par les gazettes européennes dont il achetait les rédacteurs. En vérité, la marquise reçut, assez tard, une somptueuse écritoire qui l'embarrassa ; elle en remercia la souveraine par une lettre cérémonieuse et grandiloquente dont les termes furent soumis à l'approbation du ministère.

Pendant que les hostilités s'engageaient sur terre et en Allemagne, à l'intérieur les partis continuaient de s'agiter. Le Parlement de Paris était paralysé et l'archevêque en exil. Une large partie de l'opinion, surprise par le renversement des alliances, restait favorable à la Prusse.

Le 5 janvier 1757, Mme de Pompadour séjournait à Trianon avec la Cour, qui se disposait à tirer les rois. Dans l'après-midi, Louis XV fit un saut à Versailles, où Mme Victoire était retenue par un rhume. A l'instant où, dans la Cour royale, il allait remonter en voiture avec le dauphin, il se sentit frappé par un inconnu. Il porta la main à son côté et la retira pleine de sang, mais eut la force de remonter dans son appartement intérieur, pendant que l'agresseur était appréhendé. C'était un Artésien nommé Damiens. Il disposait d'un couteau à deux lames dont il avait employé la plus courte. Ses premières déclarations donnèrent à croire qu'il avait des complices et qu'une conjuration menaçait le dauphin.

Dans le château, alors qu'on ignorait si la blessure était mortelle et la lame empoisonnée, il y eut un moment de stupeur, d'effroi et d'extrême confusion. Dans l'éventualité d'une issue fatale, le dauphin se tenait prêt à assumer son rôle. Beaucoup se tournaient déjà vers lui. L'heure était à la famille, aux chirurgiens et aux prêtres. Hévin, gendre du Dr Quesnay, avait posé un premier pansement. La Martinière, accouru de Trianon, sonda la plaie qu'il jugea superficielle et sans danger. Les abbés de Raigecourt, Soldini et Desmarets se relayèrent pendant la nuit auprès du blessé, qui se confessa trois fois. Comme à Metz, Louis XV fit une sorte d'amende honorable, demanda pardon à la reine de ses torts, à ses enfants de l'exemple scandaleux qu'il leur avait donné.

Mme de Pompadour s'enferma dans l'appartement d'en bas. Tant qu'elle fut sous le choc et crut la vie du roi en danger, elle perdit connaissance à plusieurs reprises, fut saignée et ne revenait à elle que pour fondre en larmes. Bernis l'assista la première nuit. Quesnay et Nicole du Hausset ne quittaient pas son chevet. Dès le lendemain de l'attentat, la nouvelle en fut publiée, en même temps qu'un bulletin rassurant, par le duc de Gesvres, gouverneur de Paris. Des attroupements se formèrent dans les cours du château et jusque sous les fenêtres de Mme de Pompadour ; des cris qu'elle pouvait croire menaçants parvenaient dans sa chambre. Elle pouvait craindre alors le sort de Mme de Châteauroux.

A cinq heures du soir, elle écrivit au comte de Stainville un billet aussitôt confié au courrier qui partait pour Rome : « Le roi est bien, très bien ; à peine a-t-il un peu de fièvre. Quel monstre abominable l'enfer a vomi hier à six heures du soir pour donner au meilleur de tous les rois un gros coup de canif dans le dos, comme il allait monter en carrosse pour revenir à Trianon ! Il n'est entré que dans les chairs. Vous ne pouvez vous imaginer à quel excès le roi a porté le courage et la présence d'esprit. Il a fait arrêter le scélérat et ordonné qu'on ne lui fît pas de mal. Il est remonté sans secours dans son appartement, a demandé un chirurgien et un prêtre, se croyant blessé dangereusement, consolant sa famille, ses sujets réduits au dernier désespoir. Avant-hier, les parlementaires disaient des horreurs de lui ; aujourd'hui, ce n'est que cris, que prières, à la Ville, à la Cour. Tout le monde l'adore. Je ne vous parle pas de moi, vous pouvez juger de ma situation, puisque vous connaissez mon attachement pour le roi. Je me porte bien. Bonsoir. »

Il n'était ni permis ni possible à Mme de Pompadour de s'approcher du roi, chez qui le dauphin faisait bonne garde. Par l'intermédiaire du duc de Richelieu et de l'huissier Caterby, il refoulait les curieux et les indésirables : Marigny, que sa sœur envoyait aux nouvelles, obéit à l'ordre de s'éclipser. Jeanne-Antoinette ne recevait pas même un billet du roi, qui la laissait dans le silence et l'angoisse. Elle envisageait le moment, proche peut-être, où elle allait partir. Aucun supplice ne pouvait être plus affreux ; la vie sans lui allait être un désert plus cruel que la mort.

En effet, la famille et les confesseurs cherchaient à l'éloigner. Mais qui se chargerait de l'avenir ? Bernis, pressenti par la comtesse de Toulouse, se déroba adroitement. Le comte d'Argenson — à qui Louis XV venait de confier la clé de son armoire secrète — persuada son collègue Machault de faire la démarche à sa place.

Dans le grand cabinet de la marquise, sa visite dura une demi-heure. Quand il se fut retiré, Mme de Pompadour sonna Mme du Hausset qui la trouva en larmes. Ses dents claquaient. Nicole lui donna de la fleur d'oranger dans un gobelet d'argent. Mme de

Pompadour fit appeler son écuyer, lui donna des ordres de départ. Cependant, Bernis, Gontaut et Soubise, indignés de la conduite de Machault, la conjuraient d'attendre. Mme de Mirepoix, survenue au milieu du remue-ménage, trouva Jeanne-Antoinette environnée de bagages :

« Qu'est-ce donc, Madame, que toutes ces malles ? Vos gens disent que vous partez.

— Hélas, ma chère amie, le maître le veut, à ce que m'a dit M. de Machault ».

Tandis que Nicole déshabillait la marquise et l'étendait sur une ottomane, la maréchale fit comprendre à son amie l'erreur du ministre : victime d'un isolement qui l'aveuglait, il jouait une mauvaise carte. Mme de Pompadour resta et retrouva son calme. Ses amis particuliers, Mme de Brancas, Bernis, Saint-Florentin, Rouillé la tenaient au courant de la situation, mais le roi la laissait toujours sans nouvelles.

Louis XV, assiégé par les siens, était en proie à une crise de neurasthénie profonde. Pour ne voir personne, il demeurait dans l'obscurité de son lit, dont il maintenait fermés les doubles rideaux. A peine les entrouvrait-il toutes les trois heures, quand son bouillon lui était apporté en cérémonie, pour saisir l'écuelle d'argent. Il s'abandonnait à des réflexions amères, entretenues par son entourage, qui infusait en lui des sentiments coupables. Cependant, dès le surlendemain de l'attentat, ceux qui l'approchaient familièrement le persuadèrent qu'il était rétabli et pourrait se lever. Le piqueur Lansmatte, avec son franc-parler habituel, l'invitait à forcer un cerf. Quesnay lui déclarait qu'il était bon pour aller au bal. Hévin assurait qu'un simple particulier serait déjà retourné à ses affaires.

Au bout d'une semaine, Louis XV se leva et reprit progressivement ses allées et venues dans son appartement ; il restait en robe de chambre et s'appuyait légèrement sur une canne. Les siens se succédaient auprès de lui, avant et après la messe ; graves et cérémonieux, ils lui baisaient les mains et faisaient des révérences en se retirant avec leur suite. Le dauphin, obséquieux, suivait son père pas à pas, cherchait à s'emparer de son esprit affaibli et observait tous ses mouvements. Un jour où le cabinet était presque vide, le roi vit passer la grande Mme de Brancas, amie intime de Mme de Pompadour ; il la retint près de lui et lui demanda son mantelet, qu'il mit sur ses épaules. Ainsi affublé, il interdit au dauphin de le suivre, s'achemina vers l'escalier en colimaçon et descendit chez la marquise.

Jeanne-Antoinette lui tint un langage raisonnable. Alors que son entourage entretenait Louis XV dans l'idée d'une conspiration générale, elle lui montra en Damiens un fou qui avait agi seul et sans complices. Son geste avait plongé le royaume dans la consternation. Les Français de toutes conditions s'étaient sentis touchés dans la personne sacrée de leur souverain. Sa guérison était alors célébrée dans tout le pays, y compris par les minorités tolérées, protestants et juifs, qui rendaient grâces à Dieu dans les temples et les synagogues. Jeanne-Antoinette sut le persuader que la fidélité à la monarchie était ancrée dans la conscience de ses sujets à de grandes profondeurs. Elle le sécurisa en lui démontrant que cet acte criminel ne se reproduirait pas, car il excluait sa récidive et immunisait le roi pour l'avenir.

Quand Louis XV remonta chez lui, MM. de Champcenetz, de Fontanieu, Dufort et de Maillebois le trouvèrent calme et souriant. C'était un tout autre homme ; il plaisanta sur le mantelet qu'il portait encore. Le soir même, il s'habilla, le lendemain, il reprit la chasse et les petits soupers. Mme de Pompadour avait guéri son esprit, plus malade que son corps ; elle lui avait rendu la vie.

Quelques jours plus tard, elle écrivit au comte de Stainville : « Je ne vous dirai qu'un mot de toutes les horreurs qui se sont passées dans la chambre du roi. Représentez-vous le second tome de Metz, à l'exception des sacrements, qu'il n'a pas été dans le cas de recevoir. Ajoutez à l'indignité des procédés que c'est tous gens qui me doivent leur existence... Il vit, tout le reste m'est égal. Cabales, indignités, écrits, rien ne m'effraiera et je le servirai, quoi qu'il m'en doive arriver, tant que je serai en position de le pouvoir. »

Après des années d'agitation religieuse et parlementaire, le crime avait été commis dans une atmosphère passionnelle qui influa sur le déroulement de l'instruction et du procès. Selon les convictions de chacun, les parlements, les jansénistes, les jésuites, les Anglais et le dauphin même furent accusés d'avoir armé la main du criminel. L'insoumission parlementaire était la cause la plus évidente. Damiens avait été serviteur dans des familles de robe, les Bèze de Lys, les La Bourdonnaie, où tout ce qu'il avait entendu avait « échauffé » son esprit. L'enquête révéla même qu'il avait été valet

chez Mme de Saint-Rheuze, l'une des maîtresses de Marigny ! Le
Parlement fut d'autant plus inhumain qu'il se sentait coupable et
lui-même accusé. Damiens fut sauvagement écartelé à quatre chevaux en place de Grève, où l'appareil et le cérémonial furent les
mêmes que pour Ravaillac. Il avait été condamné comme bouc
émissaire, il mourut victime expiatoire de tous ceux qui pouvaient
être soupçonnés d'avoir inspiré son acte. L'on évitait de lui trouver
des complices. Ainsi était purifiée la conscience collective. Oublier
les troubles du royaume, isoler le geste sacrilège, désamorcer les
charges explosives était l'option même de Mme de Pompadour, qui
l'avait spontanément adoptée pour calmer l'esprit désemparé du roi.

Le drame qui avait failli anéantir la favorite renouvela sa puissance. Par contrecoup, il précipita la chute des deux ministres qui
lui avaient nui. Ils étaient usés par le pouvoir. Machault, par sa
seule présence, entretenait l'opposition parlementaire. Mme de Pompadour avait perdu toute confiance en lui : « Et c'est là un ami »,
disait-elle en pleurant. Une gêne s'établit dans leurs relations ; ils
s'évitaient ou s'entretenaient en présence d'un tiers.

Argenson, chargé de la police de Paris, n'avait ni tranquillisé la
ville, ni muselé les libellistes, ni vaincu le désordre. Il croyait
opportun de mettre sous les yeux du roi les écrits séditieux, les
placards atroces, les lettres anonymes, ou décachetées au cabinet
noir, qui offensaient sa personne. Sur ce point, il tomba en désaccord avec la marquise, qui ménageait tendrement la fragilité psychi-
que de son royal ami. Comme Argenson jugeait déjà Machault un
adversaire hors de combat, il repoussa la réconciliation que Mme de
Pompadour lui offrait dans l'intérêt commun. Il avait toute l'insolence nécessaire aux grands emplois ; l'amour propre entretenait
ses illusions sur la confiance et l'estime que le roi lui conservait.
Au cours d'un entretien que Mme de Pompadour avait sollicité, il
lui témoigna hauteur et mépris ; il ne considérait sa tentative que
comme le dernier effort de quelqu'un qui se noie.

Les mobiles politiques de Louis XV rejoignaient les motivations
sentimentales de la marquise : le renvoi des deux ministres fut
décidé dans son boudoir. Le premier février 1757 à huit heures du
matin, deux lettres furent portées à travers la Cour de marbre.
L'une congédiait presque affectueusement Machault, qui se retira
dans sa propriété d'Arnouville. L'autre renvoyait sèchement Argenson à sa terre des Ormes, où Mme d'Estrades l'accompagna ;

ce fut le même oculiste, Pierre Demours, qui soigna Argenson aux Ormes et Mme de Pompadour à Versailles. Louis XV se privait de deux grands serviteurs qui furent longtemps sans être remplacés. Aux Finances, les contrôleurs généraux se succèdèrent aussi rapidement, a-t-on dit, que les images d'une lanterne magique : Moreau de Séchelles, Peyrenc de Moras, Boullongne, Silhouette, Bertin, L'Averdy..., tandis que le puissant Montmartel continuait de se tenir à l'écart.

Mme de Pompadour était entourée d'une considération générale. Quiconque était important sur l'échiquier politique de l'Europe recherchait son appui. Il ne convenait plus à la Cour de parler d'elle avec indiscrétion. Certains témoignages étrangers prennent d'autant plus d'intérêt. L'ambassadeur d'Auguste III de Saxe, M. de Vitzthum écrivit à son maître dans sa dépêche du 19 avril 1757 : « Le crédit de la favorite est à présent plus décidé que jamais ; le roi ne la voyait plus que sur le pied d'amie ; mais depuis l'assassinat, ils ont recouché ; il est pourtant craintif et il jeûne comme un anachorète. Voilà les Pâques passées comme les autres, on n'y comprend rien. » Elle était plus coquette que jamais. « Envoyez-moi vite la robe, puisque vous la trouvez belle, écrivit-elle à son amie alsacienne, j'ai des projets de broderie à y ajouter ; envoyez-la à Janel par le premier courrier » (29 mai 1757).

Le choc provoqué par l'attentat de Damiens ne fut pas sans incidences sur les affaires personnelles de Mme de Pompadour. Elle vendit Crécy au duc de Penthièvre et Bellevue au roi. Pour ces transactions, bien qu'épouse séparée, elle sollicita de Le Normant des autorisations maritales. Le 1er juillet 1757, elle prit en location du duc de La Vallière le château de Champs-en-Brie et en acheta l'important mobilier pour la somme considérable de 141 861 livres. Le 15 novembre, elle rédigea son testament. Selon la coutume, elle prenait des dispositions généreuses en faveur de sa nombreuse domesticité. Au roi, elle léguait l'Elysée avec le souhait qu'il en fît bénéficier le comte de Provence, alors âgé de deux ans, qui devait régner sous le nom de Louis XVIII. Toutes ses pierres gravées, étaient destinées au cabinet personnel de Louis XV. Le marquis de Marigny était institué son légataire universel. A son défaut, la succession reviendrait à Gabriel Poisson de Malvoisin, alors chef de brigade des carabiniers, qui est la souche de ses descendants collatéraux. Enfin, elle nommait exécuteur testamentaire le prince de

Soubise et le priait d'accepter deux de ses bagues, un gros diamant couleur d'aigue marine et une intaille représentant l'*Amitié*.

Deux ans plus tard, Mme de Pompadour acheta de la maison de Gesvres l'usufruit de la seigneurie de Saint-Ouen qu'elle appelait son « écurie ». Les acquisitions qu'elle fit dans l'Orléanais et dans le Val-de-Loire trahissent peut-être son rêve de succéder aux grandes favorites d'autrefois. Dans la chambre de Louis XV à Versailles, le portrait de François Ier par Titien la faisait songer aux magnificences de la cour des Valois. Elle devint dame d'Auvilliers, à mi-chemin d'Orléans, qu'elle acheta d'un chanoine de Chartres, M. de Blengy ; elle acquit de Mmes de Lastic et de Castellane le marquisat et la terre de Ménars, qui domine le cours de la Loire en amont de Blois. A ce moment, elle résilia prématurément le bail de Champs et demanda à La Vallière de reprendre les meubles qu'elle lui avait achetés : nulle n'aura pratiqué avec plus de grâce le chantage à l'amitié.

En principe, Bellevue était vendu au roi tout meublé et elle y revint souvent en invitée. Toutefois, au printemps de 1759, elle en retira, pour les envoyer à Ménars, ses plus beaux tableaux, ses meubles les plus précieux, des bancs de jardins et plusieurs statues, dont celle du roi ; elle en confia le déménagement à l'équipe spécialisée de Lazare Duvaux. C'est sur les bords de la Loire qu'elle avait fixé le lieu de sa retraite, mais elle ne voyait pas approcher le temps du repos : « Dieu veuille que mes châteaux ne soient bientôt plus en Espagne ! » écrivit-elle au duc d'Aiguillon le 28 juin 1760. En juillet, elle prit néanmoins six jours, ce qui était une longue absence, pour visiter Ménars et y ordonner les travaux d'architecture confiés à Gabriel. A cette occasion, les voitures de la marquise passèrent sur le pont d'Orléans, tout nouvellement rebâti par l'ingénieur Hupeau, selon des plans que les gens de l'art avaient jugés téméraires. L'événement inspira ce quatrain anonyme :

> Censeurs, Hupeau est bien vengé ;
> Reconnaissez votre ignorance.
> Son pont hardi a supporté
> Le plus lourd fardeau de la France.

Pour surveiller en son absence les travaux de Ménars, Gabriel disposait des contrôleurs royaux de Blois et de Chambord. La façade sur la Loire fut régularisée et prolongée de deux ailes plus basses que le corps central. Du côté de l'arrivée furent édifiés deux bâtiments de communs. Le reste des embellissements fut confié un peu plus tard par Marigny à Soufflot, qui substitua des toits d'ardoise aux terrasses de la marquise.

A Ménars, Mme de Pompadour organisa sa vie de châtelaine et meubla somptueusement la maison. Elle y fit placer des porcelaines, une bibliothèque. Chaque appartement était décoré par les soins du tapissier Godefroy avec un souci de parfaite harmonie : à la moire bleue répondait une soierie des Indes à fond jaune. La moire chinée rayée de rouge était assortie aux rideaux de pékin cramoisi. La chambre de Jeanne-Antoinette était meublée de perse blanche ; dans son cabinet de toilette, les sièges étaient recouverts d'une tapisserie d'Aubusson représentant les fables de La Fontaine ; son boudoir, tendu d'une tapisserie de point à l'aiguille, avec un dessin de treillage sur fond blanc, avait des rideaux de gourgouran vert ; le blanc dominait aussi dans le grand cabinet, avec le *meuble* de gourgouran brodé et les rideaux galonnés de soie nuée. Avec l'aide de son ami, le ministre Bertin, elle fit acheminer par le port de Lorient vingt-quatre tapis persans. Pour fixer l'image de sa nouvelle demeure, elle invita Nicolas Pérignon à venir en peindre des gouaches.

Elle était désormais « dame de Pompadour, Brette, Saint-Cyr-la-Roche et La Rivière en Limousin ; Auvilliers, Nozieux, Ménars-la-Ville, Ménars-le-Château, Cour-sur-Loire, Saint-Claude, Villerbon, Villexanton, Mulsans, Aulnay, Beigneaux, Montcourtois, La Motte, Pont-aux-Thioins, Herbilly, Villerogneux, Voves, Suèvres et Maves ; Saint-Ouen et autres lieux ».

La *maison* de Mme de Pompadour groupait un personnel considérable d'*officiers* et de serviteurs. Au prince d'Hénin avait succédé l'écuyer Sauvant. Pour les propriétés lointaines, Collin était suppléé par MM. Lefèvre et Lamoureux de Chaumont, régisseurs à Pompadour et à Ménars. Chaque résidence avait son *concierge*, c'est-à-dire son intendant, et son personnel permanent : les époux Adam à l'hôtel d'Evreux, les Gourbillon à l'hôtel des Réservoirs, Roucelot à celui de Compiègne, les Labaty à Saint-Ouen, Jacques François Aubert à Auvilliers, Charles Cornilliolle, dit Tréhon, à Ménars.

Mme de Pompadour avait les capacités d'une femme d'affaires.

La fabrique de bouteilles qu'elle avait transférée de Sèvres au Bas-Meudon pour faire place à la manufacture de porcelaine, était une entreprise prospère qui a vécu jusqu'en 1935, date à laquelle l'extension des usines Renault l'a fait disparaître avec ses archives. Il semble que la marquise ait stocké du vin, dans des celliers qu'elle possédait au vieux Sèvres, en plus de sa consommation personnelle et des présents qu'elle pouvait faire. Sa cave parisienne de l'hôtel d'Evreux conservait du Chambertin, du Nuits d'un millésime estimé, du Chablis, du champagne d'Ay, du vin de Mulsans « de la récolte de Madame », du Lunel, du muscat, du Madère, du Rivesaltes, du Xeres, du vin d'Alicante, du vin de Chypre, du Malaga, du vin de Las Palmas, du Tokai du roi, divers ratafias de fruits rouges et autres spiritueux. Son sommelier général était Jean-Baptiste Mobert, domicilié à Paris, rue Saint-Thomas-du-Louvre.

Elle employait habituellement les mêmes entrepreneurs dans toutes ses résidences de la région parisienne, Thévenin pour la maçonnerie, Girardin pour la charpente, Brochois pour la serrurerie, ce qui lui permit d'offrir à bon compte des réparations importantes aux sœurs de l'Assomption et à celles de Poissy, dont sa tante, Sœur de Sainte Perpétue était devenue la supérieure. Elle faisait fructifier sa fortune immobilière, qui groupait divers bâtiments à Paris, Passy, Bellevue, Auteuil et Sèvres. Elle mettait en valeur ses terres, ses vignes, ses élevages.

La moins meublée de ses résidences, Auvilliers, lui servait de gîte et d'étape quand elle allait à Ménars, comme Malicorne à Mme de Sévigné allant aux Rochers. Elle revendit cette maison à l'intendant d'Orléans, M. de Cypierre, mais s'en réserva la disposition pour la durée de sa vie. Au château de Pompadour, dans une région vouée à l'élevage des chevaux, la marquise avait un haras, des forêts et quatre garde-chasse. Elle y recueillit des étalons qui avaient appartenu au maréchal de Saxe à Chambord. Elle revendit Pompadour au banquier Jean-Jacques de La Borde en 1761. Le château n'a jamais cessé de contenir un haras ; c'est aujourd'hui la jumenterie nationale.

En ces temps troublés, Mme de Pompadour ne fit à la campagne que des séjours de courte durée. L'évasion resta un rêve. Elle subissait les retombées politiques de l'attentat de Damiens, au moment où le pouvoir se raidissait contre l'esprit d'irrévérence qui soufflait par toute l'Europe. Des mesures frappèrent toute propagande qui pouvait déstabiliser l'ordre monarchique et religieux. Une déclaration royale menaça de mort les auteurs de publications subversives ; des arrêts furent publiés contre les imprimeries clandestines. L'*Encyclopédie*, qui se soutenait depuis 1752 grâce à l'énergie de Diderot et à une autorisation tacite, faillit sombrer. Mais le scandale qui alarma surtout Versailles et Paris fut provoqué par l'ouvrage *De l'esprit*. Son auteur, le fermier général Helvetius, était le fils du médecin de la reine, et lui-même son maître d'hôtel. Des exemplaires en circulaient au mois de juin 1758. Le privilège royal avait été donné le 12 mai, mais l'audace de l'œuvre attira sur l'écrivain les foudres de l'épiscopat et de la Sorbonne. Le 10 février suivant, le livre fut lacéré et brûlé au pied du grand escalier du Palais. Helvetius dut se démettre de ses fonctions à la Cour et se retirer sur sa terre de Voré. Sa correspondance avec Collin prouve qu'il reçut l'appui occulte de Mme de Pompadour, qui s'efforçait de faire tomber les préventions du roi. « Je n'ai nulle envie d'aller à Versailles, écrivit Helvetius à Collin. Il me semble voir toutes les femmes de chambre de la reine et la plupart de nos duchesses attentives à me regarder pour voir si je n'ai pas des cornes sur la tête et une queue au cul. »

L'inévitable renvoi de Machault d'Arnouville et du comte d'Argenson fut attribué à l'influence néfaste de la favorite. Il enhardit les ennemis de la France à exploiter la faiblesse de son gouvernement docile aux caprices d'une jolie femme. Quand l'entente nouée par Mme de Pompadour avec l'impératrice Marie-Thérèse eut rallié la tsarine Elisabeth, Frédéric de Prusse put ironiser sur le règne des « cotillons ». Les revers subis par la France pendant la guerre de Sept Ans (1756-1763) furent reprochés de son vivant à Mme de Pompadour ; ils ont inspiré la sévérité de l'histoire envers elle et justifié la réprobation dont le vertueux XIXe siècle a chargé sa mémoire. Il est sûr que la seule présence de la favorite à Versailles troublait les états-majors des armées au combat. Le marquis de Valfons rapporte que le maréchal d'Estrées obéit à un ordre imprudent du prince de Soubise pour ne pas déplaire à Mme de Pompadour. Le prince de Conti était poursuivi par l'inimitié de la marquise : évincé du commandement, il quitta l'intimité royale et se retira pour toujours dans sa seigneurie de l'Isle-Adam, laissant au commis Tercier et au comte de Broglie le rôle de confidents du *Secret du roi*.

Depuis longtemps, Louis XV et Frédéric s'observaient de loin et
se connaissaient mal. Le roi de Prusse, qui dédaignait la chasse, ne
pouvait croire aux splendeurs de la vénerie française. Louis XV
ne soupçonnait pas avec quelle passion et quelle efficacité Frédéric
exerçait ses troupes. Au début de la guerre, les premiers succès
d'Estrées et de Richelieu entretinrent Mme de Pompadour et son
entourage dans l'illusion de la supériorité française. La prise de
Port-Mahon, le 27 juin 1756, qui enlevait aux Anglais l'île de
Minorque, fut célébrée officiellement par un feu d'artifice en place
de Grève, et chez la marquise à Compiègne : dans ses jardins illu-
minés elle attachait des nœuds aux épées des gentilshommes, suivant le rite chevaleresque illustré par un tableau de Jean-François
de Troy.

Le bruit courait alors qu'elle allait se fixer à Neuchâtel et y
mettre à l'abri ses « immenses richesses ». Elle apparaissait à bien
des observateurs étrangers comme un enjeu diplomatique. Frédéric II espéra peut-être se la concilier en lui offrant cette petite
souveraineté suisse, qui était échue par hasard à la couronne de
Prusse : le comté de Neuchâtel, augmenté de celui de Valengin, se
présentait comme l'un des rares endroits « où cette femme insatiable
pût établir un chez-soi avec dignité ». Frédéric laissa quelques
agents officieux s'entremettre entre les Neuchâtelois et le maréchal
de Belle-Isle. C'étaient David Barbut de Maussac, Jean-Chrétien
Fischer, Balby dit Van der Hayn et le comte souverain Alexandre
de Wied-Neuwied. Un ami de la marquise, La Live de Jully, aurait
fait à ce moment de mystérieux voyages en Suisse ; mais quand les
espions de Kaunitz eurent intercepté quelques messages compro-
mettants, Bernis jetta Barbut de Maussac à la Bastille et le silence
retomba pour toujours sur ce curieux épisode.

Mme de Pompadour fit venir de Strasbourg quatre tirages d'une
grande carte d'Allemagne pour y suivre le déroulement des opérations. Le maréchal d'Estrées reçut d'elle un plan de campagne
esquissé sur son beau papier à lettre satiné à bordure turquoise, où
les positions qu'elle lui conseillait étaient indiquées par des mouches de taffetas collées de sa main. La marquise engageait dans le
conflit sa frêle personne, perdait le sommeil, était saisie de fièvre à
l'annonce des insuccès. « Mon esprit et mon cœur sont continuellement occupés des affaires du roi ; mais sans l'attachement inexprimable que j'ai pour sa gloire et sa personne, je serais souvent

rebutée des obstacles continuels qui se rencontrent à faire le bien. »
Chaque revers·lui valait en effet une vague d'insultes et un regain
d'impopularité. Elle était considérée comme la cause unique de
tous les malheurs. Les cafés et les promenades publiques retentissaient des propos les plus indécents, que l'on ne prenait plus la
peine de chuchoter à l'oreille.

Louis XV n'avait pas surmonté la crise de dépression qui suivit
l'attentat de Damiens. Les troubles intérieurs de la France et la
fermentation des esprits entretenaient son tourment. Mme de Pompadour, qui avait l'empire des âmes fortes sur les âmes faibles, sentait la volonté du roi défaillante et croyait lui être utile en s'impro-
visant tacticienne de salon. Elle vivait au rythme de cette guerre,
épiait les nouvelles, diffusait des bulletins ; mais elle ne mesurait
pas la puissance des adversaires de la France, Anglais et Prus-
siens, leur absence de scrupules et leur pragmatisme.

Mme de Pompadour avait, écrit Bernis, une « confiance d'enfant ». Elle s'imaginait qu'une seule campagne aurait tôt fait de
soumettre un si faible adversaire. Elle s'impatientait des lenteurs
du maréchal d'Estrées, sans savoir qu'il ne suffisait pas d'entrer en
Allemagne, mais qu'il fallait aussi prévoir la possibilité d'en sortir.
Sur l'avis de Pâris-Duverney, Richelieu fut désigné pour remplacer
Estrées le jour même où il remporta la victoire d'Hastenbeck. La
situation réelle était ignorée et réservait de sévères déconvenues.

Dans l'armée française, l'indiscipline et la désorganisation exerçaient à tous niveaux leurs effets déplorables. Les officiers généraux
conservaient en campagne les habitudes de luxe et de frivolité
qu'ils avaient contractées pendant la paix. Ils étaient encore péné-
trés des traditions chevaleresques, pratiquaient une stratégie conven-
tionnelle et dépassée. Ils se jalousaient et se contrariaient. Pour
justifier leurs échecs, ils publiaient les uns contre les autres des
écrits polémiques. Après Hastenbeck, le comte de Maillebois s'en
prit au maréchal d'Estrées, mais une lettre de cachet lui infligea
quelque temps de résidence forcée à Doullens ; et quand Broglie et
Contades rejetèrent l'un sur l'autre la consternante défaite de
Minden, Louis XV déchira leurs mémoires injurieux. Les officiers
de Cour obéissaient à contre-cœur à leurs collègues sortis du rang,
comme Chevert que sa naissance roturière empêchait d'accéder au
commandement suprême. D'Alembert en a fait le constat en rédi-
geant cette épitaphe encore lisible à Saint-Eustache : « Ci-gît Fran-

çois de Chevert. Sans aïeux, sans appuis, sans fortune, il entra au service à l'âge de douze ans. Il s'éleva malgré l'envie ; chaque nouveau grade fut le prix d'une action d'éclat. Le seul titre de maréchal de France a manqué non pas à sa gloire, mais à l'exemple de ceux qui le prendront pour modèle. »

L'armée de Louis XV fut surprise par les conditions nouvelles d'une guerre sauvage, qui se déroulait toute l'année dans des contrées froides, arides et mal connues. Une grande partie des soldats, recrutés dans tout le royaume, tombaient malades avant même d'avoir combattu. La viande était mesurée par l'avarice des entrepreneurs chargés des hôpitaux. L'intendance distribuait du pain moisi, du vin médiocre, faisait endosser aux nouvelles recrues les habits des morts. En 1757, vingt cas de peste bubonique se déclarèrent à l'hôpital de Zelle ; mais la température de l'hiver enraya heureusement l'épidémie. L'exemple de l'indiscipline, qui descendait de haut, s'étendait aux sergents et aux soldats ; ils vivaient de rapines et se faisaient détester des populations. Jamais la bravoure ne manqua, mais le soldat, tardivement initié à la technique prussienne du combat, avait oublié l'ancienne méthode avant d'avoir assimilé la nouvelle.

Le 12 novembre 1757, alors que Frédéric de Prusse devait faire face aux troupes françaises, impériales, russes et suédoises, Mme de Pompadour apprit à Versailles la nouvelle du désastre de Rossbach. Son protégé, Soubise, à la tête d'une armée deux fois supérieure en nombre à celle de Frédéric, s'était laissé surprendre par l'ordre oblique des colonnes d'assaut et le camouflage de l'artillerie. Cette journée valut à Mme de Pompadour des nuits d'insomnie. Elle déconsidéra Soubise, au point que ses succès ultérieurs de Sondershausen et de Lutzelberg passèrent presque inaperçus. La marquise s'entêta en faveur de l'infortuné stratège, que son échec retentissant n'empêcha pas d'être nommé maréchal. Elle écrivit à Mme de Lutzelbourg : « Vous connaissez mon amitié pour lui ; jugez de ma douleur des énormes injustices qu'on lui a faites à Paris. » Sa prédilection pour Soubise la rendit partiale à l'égard des autres généraux : la victoire de Berghen, remportée par le maréchal-duc de Broglie sur les Hanovriens le 14 avril 1759, fut attribuée par elle à Soubise, qui « avait choisi un si bon champ de bataille que nous ne pouvions être battus ; mon seul regret, ajoutait-elle, est qu'il n'y ait pas été et que le roi l'ait retenu auprès de sa personne ». Elle poursuivait de son inimitié les frères de Broglie, le duc et le comte. Lors d'un différend militaire qui les opposa au prince de Soubise, elle infléchit la décision du Conseil en faveur du dernier. Les Broglie furent relevés de leurs commandements.

L'humiliation de Rossbach provoqua un sursaut. Le vieux maréchal de Belle-Isle, nommé ministre de la Guerre, prit en main la réorganisation de l'armée. Sur le terrain, le comte de Clermont s'efforça de rétablir la discipline. Mme de Pompadour, qui l'encourageait, lui écrivit : « Vous serez le restaurateur du militaire... Je ne peux plus me consoler de la honte de la nation et de la cruelle situation où vous vous trouvez. » Louis XV invita ses fidèles sujets à porter comme lui leur vaisselle d'argent à la fonte. Mme de Pompadour, Bernis et Choiseul donnèrent l'exemple.

Cette guerre continentale et maritime suscita d'obscurs sacrifices et des actions d'éclats. Castries et Maillebois se distinguèrent en Allemagne. Mme de Pompadour fit complimenter par le duc de Richelieu La Galissonnière pour son succès naval de Minorque. Elle félicita d'Aiguillon, gouverneur de Bretagne, d'avoir repoussé le débarquement anglais à Saint-Cast. Elle partageait les deuils de la Cour. Le maréchal de Belle-Isle perdit son fils unique, le comte de Gisors, qui fut fait prisonnier à Crefeld par le duc de Brunswick et succomba bientôt à ses blessures. La mort de ce jeune officier, qui tout enfant avait accompagné son père en campagne, émut toute l'Europe. « Je pleure sur Gisors et son malheureux père, qui mourra bientôt, malgré son incroyable courage », écrivit Jeanne-Antoinette. Elle dut pousser Louis XV à rendre au maréchal, alité dans son appartement de l'aile des ministres, une visite qui dépassait ses forces.

Pendant cette période malheureuse, Mme de Pompadour fut à l'apogée de son influence politique. Une quarantaine de personnes assistaient à son dîner et tous les ministres venaient lui soumettre le détail des affaires avant qu'il en fût question au Conseil. Elle écrivit au duc d'Aiguillon, qu'elle dissuadait de demander son rappel : « Vous avez les désagréments de votre petit commandement et moi ceux de toutes les administrations, puisqu'il n'y a point de ministre qui ne vienne me conter ses chagrins. » Il ne lui manquait que d'être reine. C'est aussi à d'Aiguillon qu'elle osa écrire : « J'aurais préféré la grande niche et je suis fâchée d'être obligée de me contenter de la petite ; elle ne convient pas du tout à mon humeur. »

Le prince de Ligne, qui la vit à Versailles au printemps de 1759, devait écrire après la fin de la monarchie : « J'ai vu Louis XV avec la majesté de Louis XIV, j'ai vu Madame de Pompadour avec un air de grandeur de Madame de Montespan... »

Elle s'appuyait sur l'abbé de Bernis, qui ne rejoignit jamais son poste d'ambassadeur à Madrid, car il était destiné à des fonctions plus importantes. Du 28 juin 1757 au 14 décembre 1758, il fut secrétaire d'Etat aux Affaires étrangères et chargé de poursuivre les négociations qu'il avait engagées en secret. Pour pallier son incompétence juridique, il s'adjoignit deux hommes de robe, MM. Berryer et Gilbert de Voisins. Il était la créature et l'obligé de la marquise, qui le considérait comme un vieil et digne ami. L'abbé cultivait l'amitié de Madame Infante, de Mesdames, du dauphin et de la dauphine, qui se rapprochèrent de Mme de Pompadour pour l'encourager à soutenir les intérêts de la Saxe. Le pays saxon avait été choisi par le roi de Prusse comme plate-forme stratégique. Son agression brutale avait provoqué la mort de la souveraine, mère de la dauphine, qui s'était personnellement opposée, mais en vain, au viol de ses archives. Un saisissant tableau de Bernardo Bellotto représente Dresde éventrée par l'artillerie prussienne. Dès lors, les courtisans de la famille royale n'hésitèrent plus à flatter la marquise, qui cessa d'être journellement critiquée pour le moindre de ses faits et gestes.

L'abbé de Bernis, grisé par la confiance dont il était l'objet, avait surestimé ses compétences. Il se sentit bientôt débordé par le déchaînement inattendu des forces hostiles à la France et ne songea plus qu'à négocier la paix. Mme de Pompadour, qui voulait la guerre à outrance, comprit alors l'insuffisance et la pusillanimité de son ami. En août 1758, elle plaça auprès de lui le comte de Stainville, qu'elle avait fait rappeler de Vienne et fit créer duc de Choiseul. Bernis continuait à donner des signes de faiblesse. L'excès du travail ébranlait sa santé. Il sentait se refroidir l'amitié de la marquise, au moment où l'Angleterre, galvanisée par le premier Pitt, achevait de s'approprier notre empire colonial. Le chapeau de cardinal fut donné à Bernis par Clément XIII Rezzonico, qui l'avait connu à Venise. Cependant, il sentait approcher sa disgrâce. Le 14 décembre 1758, il était en conférence avec le ministre Stahrenberg quand une lettre du roi lui ordonna de se retirer dans l'une de ses abbayes ; il se rendit à Vic-sur-Aisne près de l'abbaye de Saint-

Médard de Soissons, qu'il avait échangée contre Saint-Arnoul de Metz. Il devait juger en ces termes son amie et protectrice : « La marquise n'avait aucun des grands vices des femmes ambitieuses ; mais elle avait toutes les petites misères des femmes enivrées de leur figure et de la supériorité de leur esprit : elle faisait le mal sans être méchante et du bien par engouement ; son amitié était jalouse comme l'amour, légère, inconstante comme lui, et jamais assurée. »

10

Le temps de se reconnaître

Dans l'esprit de Mme de Pompadour, Bernis était déjà remplacé. Choiseul, ancien militaire devenu diplomate par la grâce de la marquise, s'avançait dans l'estime de Louis XV. Il avait une assurance, une allègre facilité qui séduisaient et inspiraient la confiance ; il vivait dans le faste et savait allier le travail avec les plaisirs. Sa maison était animée par deux femmes remarquables, son épouse, la charmante Louise Honorine Crozat du Châtel, et sa sœur, l'impérieuse duchesse de Gramont. Elles entouraient Mme de Pompadour d'amitiés, de caresses et de prévenances. Rapidement, Choiseul accumula charges et honneurs. A la mort de Belle-Isle, il fut secrétaire d'Etat à la Guerre. En novembre 1761, le roi lui donna la Marine, tandis que les Sceaux allaient à Berryer, autre protégé de Mme de Pompadour. Il contrôla les Affaires étrangères, qui revinrent à son cousin, le comte de Choiseul, bientôt duc de Praslin, seigneur de Vaux-le-Vicomte. Choiseul était encore maître général des Postes. Il reçut du roi d'Espagne la Toison d'Or ; le comte d'Eu lui délaissa la charge de colonel des Suisses et Grisons, que seuls avaient détenue jusque-là des princes du sang. Le public voyait en lui un Premier ministre. Les somptueux embellissements qu'il fit dans son domaine tourangeau de Chanteloup furent le signe évident de sa réussite.

La personnalité de Choiseul contrastait avec celle de Bertin, contrôleur général des Finances, que Mme de Pompadour traitait avec autant d'amitié. C'était un ancien intendant, sage et pondéré, dont les préoccupations d'économiste rejoignaient celles des physiocrates. La marquise le soutint dans sa politique fiscale contre l'opposition systématique des parlements. Le premier président Molé fut invité à Saint-Hubert, comme il l'avait été à Crécy, pour une médiation. Mme de Pompadour, écrivant alors à Bertin, déplorait la conduite de Messieurs de la robe, « indignes citoyens et beaucoup plus ennemis de l'Etat que le roi de Prusse et les Anglais. Si la paix ne se fait pas ou qu'elle soit mauvaise, c'est à eux seuls qu'il faut s'en prendre et je voudrais que tout l'univers fût instruit de cette vérité ».

Bertin partageait avec Choiseul des responsabilités écrasantes. Les ressources financières étaient englouties par les opérations d'Allemagne, les Anglais rôdaient le long de nos côtes, anéantissaient nos flottes et s'emparaient de nos possessions lointaines. Aux Indes, Lally-Tollendal, assiégé dans Pondichéry, capitula faute de renforts. Au Canada, Montcalm avait tenté désespérément de maintenir la présence française et ne survécut pas à son échec (1759). Energiquement, Choiseul entretenait 100 000 hommes en Allemagne, où quelques avantages flatteurs permirent d'envisager la paix. Lorsque Soubise, Estrées, Condé, Stainville et Boisgelin eurent été vainqueurs à Johannisberg, Mme de Pompadour se fit commenter à Choisy le déroulement de la bataille et en rédigea un compte rendu aussi détaillé que satisfait : « Nous avons pris onze pièces de gros canons, deux étendards, douze cents hommes... » A ses yeux, l'honneur était sauf, mais pour le soutenir, il avait fallu prolonger la souffrance des hommes.

Mme de Pompadour mettait en œuvre son entregent financier pour remédier à la détresse du trésor. Elle décida Beaujon à donner à la Marine un million d'extraordinaire ; elle s'indigna de voir Montmartel, habituellement si secourable, revenir sur les promesses qu'il avait faites au roi. Elle-même fut actionnaire dans l'entreprise de l'armateur Béhic ; parmi quelque trente-cinq vaisseaux, corsaires, frégates et brigantins qu'elle contribua à lancer, un bâtiment porta le nom de *Marquis de Marigny*. Sur terre, alors que Frédéric allait être écrasé par les forces coalisées, la mort de la tsarine Elisabeth et l'avènement de Pierre III, admirateur de la Prusse, amenèrent la Russie à poser les armes. Les autres belligérants étaient à bout de forces.

Jeanne-Antoinette traitait la diplomatie avec autant de légèreté que la guerre. Pendant que le duc de Nivernais se débattait à Londres dans des tractations épineuses, elle le pria de lui envoyer des éventails, à coup sûr de provenance asiatique, qui se trouvaient à bon compte dans le commerce londonien. Elle-même essayait de séduire le duc et la duchesse de Bedford pendant leur ambassade à Paris. A l'automne de 1762 ils séjournèrent à Fontainebleau, où *Psyché* fut représentée en leur honneur devant les dames de la Cour brillamment parées.

Un autre agent diplomatique utile à Louis XV était le chevalier d'Eon, célèbre par l'ambiguïté de son sexe. Après avoir contribué à l'alliance russe, il avait servi comme dragon pendant la guerre. Ce fut dans le costume masculin qu'il rendit visite à la marquise, quand il eut rapporté de Londres le projet du traité.

Pendant des années, le péril national avait soutenu les forces de Mme de Pompadour. A l'approche de la paix, elle se laissa défaillir. Les miroirs qui l'environnaient lui renvoyaient l'image de sa fatigue. Elle s'affligeait du malheur de vieillir. L'habitude enchaînait à présent le roi autant qu'autrefois la passion, et elle se demandait parfois si c'était elle ou son petit escalier qu'il aimait. En juin 1761, il lui donna 6 000 livres pour la récompenser de s'être laissée saigner ; cette marque d'intérêt lui fit plus de bien que le remède. Elle souffrait d'une affection cardiaque dont on s'était longtemps demandé si elle était organique ou simplement nerveuse. Elle ne pouvait plus se permettre d'être jalouse et s'efforçait de réprimer toute aigreur. Elle cachait au roi désormais ses inquiétudes et ses chagrins, lors même qu'il en était la cause.

Voltaire et Marmontel, conversant aux Délices, se rappelaient avec reconnaissance les années où Mme de Pompadour avait brillé sur le théâtre de Versailles et leur avait accordé sa protection. A présent, son étoile avait pâli. Ils rêvaient de l'avoir près d'eux aux bords du Léman : « Qu'elle vienne, dit Voltaire avec transport, jouer avec nous la tragédie. Je lui ferai des rôles et des rôles de reine ; elle est belle et doit connaître le jeu des passions — Elle connaît aussi, répondit Marmontel, les profondes douleurs et les larmes amères. »

Bien qu'il eût dix ans de plus qu'elle, Louis XV était loin d'être usé et dépensait sa verdeur en compagnie de jeunes et excitantes beautés. A la Cour, les intrigantes se succédaient : la vicomtesse de Noë, les marquises de Coëtquen, de Cambis-Chimay, de Séran. Mme de Pompadour ne fut jamais si dépitée qu'un soir, au retour

du salon de Marly. Elle jeta son manchon et se plaignit de
Mme de Coislin. Elles étaient toutes deux à une table de jeu.
Mme de Coislin disait *Va-tout* d'un ton insultant et pour finir lui
lança d'un air de triomphe : « J'ai brelan de rois ! » Mais les manœuvres de la jolie marquise furent déjouées par Janel et les
espions de la poste : l'on put mettre sous les yeux du roi la lettre
d'un estimable magistrat qui déplorait l'ambition de cette redoutable personne.

Jeanne-Antoinette eut encore lieu de s'alarmer quand Louis XV
tomba sous l'influence d'une bourgeoise venue du Dauphiné, Anne
Coupier de Romans. Elle avait vingt-trois ans, était grande et belle.
Casanova, qui l'avait rencontrée à Grenoble, décrit sa peau laiteuse,
sa chevelure de jais, sa gorge parfaite, que la mode l'autorisait à
montrer avec autant d'innocence que ses mains potelées. L'enfant
qu'elle donna au roi fut l'un des rares bâtards qu'il ait consenti à
reconnaître. Il fut baptisé à Saint-Pierre de Chaillot, le 4 janvier 1762, sous le nom de Louis Aimé de Bourbon. Sa mère avait
refusé de loger au Parc-aux-Cerfs et s'était fait offrir une maison à
Passy, ce qui lui permettait d'exhiber l'enfant royal sous les ombrages du bois de Boulogne. Elle le transportait dans une corbeille
d'osier et le faisait têter tout couvert de dentelles. A l'occasion
d'une visite à la manufacture de Sèvres, Mme de Pompadour et
Mme du Hausset, promeneuses anonymes, entrèrent en propos avec
la mère et admirèrent l'enfant. L'indiscrétion et la sotte vanité de
Mlle de Romans devaient abréger son aventure avec le roi.

Les angoisses et les amertumes quotidiennes de Mme de Pompadour étaient sans commune mesure avec sa gloire. Voltaire lui
rendit hommage dans la préface de *Tancrède,* sa dernière tragédie :
« Vous avez fait du bien avec discernement parce que vous avez
jugé par vous-même. » Il écrivit à Mme de Lutzelbourg, alors
dans sa maison de l'Ile-Jard, la priant de lui confier un portrait de
Mme de Pompadour pour le faire copier (Ferney, 10 mars 1761).
Le 30 septembre, il la remercia d'avoir accepté et lui confirma que
la marquise s'intéressait à la petite-nièce du grand Corneille, dont
il s'occupait personnellement. Mme de Pompadour eut aussi à
cœur de relever la condition morale des comédiens, encore excom-
muniés par l'Eglise. En mai 1761, dans le théâtre de Choisy rénové,
elle assista avec le roi, quelques dames, MM. de Saint-Florentin et
de Marigny, à une représentation de *Tancrède* où brilla la Clairon.

La fameuse actrice obtint la protection de Choiseul et reçut un logement à Versailles.

Dès le début de 1761, Mme de Pompadour avait investi les Choiseul de la tutelle qu'elle-même renonçait à exercer. Elle se laissait prendre en charge, tout en leur transmettant les secrets de sa longue domination politique. Leur joyeuse amitié vint au secours de sa mélancolie. Leur influence prit le relais de la sienne. Louis XV, douloureusement indécis, s'en remettait au ministre, qui semblait dominer les affaires et les traitait hardiment. L'un des derniers actes de gouvernement auxquels assista Jeanne-Antoinette — et qu'elle approuva en secret — fut l'expulsion des jésuites hors de France ; seuls ceux qui vivaient à la Cour furent exceptés. La Compagnie subit alors le même sort dans presque tous les pays catholiques ; elle avait accumulé contre elle un tel capital d'antipathies que son départ déchargea pour un court moment les tensions politiques du royaume.

En 1763, les fêtes de la paix furent pour Mme de Pompadour l'occasion d'un triomphe personnel. Quand fut inaugurée, sur l'actuelle place de la Concorde, la statue équestre de Louis XV, elle illumina ses jardins de l'hôtel d'Evreux qui s'étendaient jusqu'aux Champs-Elysées. Une loge tendue de damas cramoisi lui avait été réservée dans la tribune officielle. Elle déplora auprès du prévôt des marchands, M. de Pontcarré, la banalité de l'apparat décoratif. Seules les illuminations données par des particuliers, Choiseul sur le Boulevard, le duc de Fleury au faubourg Saint-Germain, avaient été brillantes. Elle dit aussi que les artistes admiraient généralement la statue équestre due à feu Bouchardon et les Vertus de Pigalle, la Force, la Justice, la Prudence et l'Amour de la paix ; le peuple trouvait la figure du roi majestueuse mais raide, et louait le dessin du cheval, qui avait demandé à Bouchardon dix ans d'études.

Jeanne-Antoinette faisait de fréquents séjours à Ménars, où elle aimait à se retirer en compagnie des Choiseul et de quelques amis. A la Cour, elle restait informée des affaires et conservait l'illusion de les mener. Dix-neuf ans de ce terrible « pays » valaient cent ans d'expérience. Seul continuait à lui échapper le *Secret du roi*. Un soir de juin 1763, telle la femme de Barbe-Bleue, elle n'y tint plus : elle déroba sur le roi, qu'elle avait endormi par une boisson narcotique, la clé de son armoire secrète et fouilla parmi les papiers ; ils lui révélèrent les relations diplomatiques du comte de Broglie avec le chevalier d'Eon ; elle en avertit Choiseul et M. de Guerchy, notre ambassadeur à Londres. Dès le lendemain, Louis XV, personnellement si discret, constata cette indélicatesse, que Jeanne-Antoinette eut la bonne grâce de reconnaître.

La marquise continuait à présider de plein droit aux divertissements de la Cour. Le 12 février 1764, de concert avec l'intendant des Menus, Papillon de La Ferté, elle fixa le programme musical du Fontainebleau de l'automne. Le même jour, La Ferté note dans son journal que Mesdames lui ont ordonné de faire remettre « cinquante louis à un enfant qui a joué du clavecin devant elles ». Il s'agit du petit Wolfgang Amadeus Mozart, alors âgé de sept ans : la reine et ses filles se l'étaient réservé.

A ce moment, le retour de Bernis réunissait autour de la marquise de vieux amis. Jeanne-Antoinette invita Mme de La Ferté-Imbault, qui avait décliné l'offre d'être sa dame d'honneur, dix-huit ans plus tôt. Elle vint à Versailles un soir de février. Mme de Pompadour, qui venait d'avoir quarante-trois ans, lui parut toujours belle ; elle avait le léger embonpoint qui plaisait alors, mais cachait sous les artifices de sa toilette le délabrement de sa santé. Elle dormait mal, se plaignait de troubles digestifs et d'étouffements. Elle était en effet un peu bouffie. Les amies évoquèrent le passé, se réjouirent du retour de Bernis, autrefois si gai et que les malheurs du temps avaient assombri. Pour Jeanne-Antoinette, de longues années de faveur s'achevaient sur une déception, une immense lassitude et l'aveu d'un échec : le royaume épuisé, le Parlement plus arrogant que jamais, les jeunes impertinentes qui dans l'appartement d'au-dessus retenaient Louis XV entre leurs bras. Sa lutte avait été vaine. Que n'avait-elle quitté la Cour pour le séjour tranquille de Ménars, qui lui aurait évité les fatigues et les tourments ! Mais le roi n'avait pu la laisser partir ; elle était restée pour l'aider à vivre.

Cette année-là, l'hiver était très rigoureux, avec des alternances de froid glacial et d'humidité, de la neige et du vent. Une fois encore, les intempéries étaient cruelles à Jeanne-Antoinette. A ses incommodités ordinaires s'ajoutait une conjonctivite qui souvent l'empêchait d'écrire. Le 29 février, à Choisy, elle fut prise d'un violent mal de tête et demanda le bras de Champlost pour regagner son appartement. Elle avait une pneumonie, d'autant plus alarmante que les troubles cardiaques dont elle souffrait depuis long-

temps s'étaient aggravés. Avec l'inflammation pulmonaire montait
la température. En compagnie de Louis XV, elle se retira au petit
château, facile à chauffer. Des messagers de la Cour et de la Ville
venaient continuellement aux nouvelles. Mme de Pompadour recevait les visites de M. Cathlin, curé de la Madeleine de la Ville-
l'Evêque, un prêtre qu'elle connaissait au moins depuis le séjour
d'Alexandrine à l'Assomption. Le 8 mars, un mieux se fit sentir ;
elle se confessa. Le 10, elle fut à la mort. Dans la seconde moitié
du mois, certains crurent qu'elle allait se rétablir. Mme du Deffand, qui avait déjà prévenu Voltaire, lui écrivit : « On trouve
Mme de Pompadour beaucoup mieux, mais sa maladie n'est pas
près d'être finie et je n'ose pas prendre beaucoup d'espérance. »
Pensant à la marquise, Voltaire allait écrire à Mme de Lutzelbourg : « Nous ne sommes que des papillons dont les uns vivent
deux heures, les autres deux jours. »

A la fin de mars, Mme de Pompadour trouva la force de revenir
à Versailles. Le duc de Nivernais écrivit le 31 à M. de Guerchy,
qui lui avait succédé à Londres : « Mme de Pompadour retourne
aujourd'hui à Versailles. Elle est guérie de la maladie aiguë, mais
son état n'est pas encore bon. Il y a encore un peu de fièvre, de la
toux, de l'étouffement. Les uns disent que ce n'est que de l'asthme.
D'autres craignent un épanchement dans la poitrine, d'autres un
épanchement dans la membrane du cœur. Le temps seul pourra
éclaircir ces variations et ces dissensions médicales. » Les Choiseul
avaient une profonde antipathie pour Quesnay. Ils la mirent entre les
mains du Dr Richard, qui ne connaissait pas sa nature, abusa des
toniques et aggrava son mal.

Le 1er avril, Cochin célébra sa convalescence par une estampe
allégorique destinée à encadrer des vers de Favart : la Médecine,
armée de son caducée et chevauchant un arc-en-ciel, arrête la
Parque aux ailes de papillon qui va trancher le fil de la vie, tandis
que le soleil s'éclipse. La Musique chante la guérison de la marquise en pinçant sa lyre ; la Peinture et la Sculpture rendent grâces.
Guay, de son côté, avait commencé à graver deux intailles, l'une
sur cornaline, l'autre sur cristal de roche, pour fêter le retour à la
santé de sa protectrice. Intailles et estampe restèrent inachevées.

Le 7, Mme de Pompadour eut une forte rechute dont on augura
mal. Le 9, Louis XV écrivit à son gendre, l'infant Don Philippe :
« Mes inquiétudes ne diminuent point et je vous avoue que j'ai très

peu d'espérance d'un parfait rétablissement, et beaucoup de crainte
d'une fin que trop prochaine peut-être. Une connaissance de près
de vingt ans et une amitié sûre ! Enfin Dieu est le maître et il faut
céder à tout ce qu'il veut. M. de Rochechouart aura appris la mort
de sa femme après bien des souffrances. Que je le plains, s'il
l'aimait ! »

Dès lors, l'état de Jeanne-Antoinette s'aggrava rapidement. Elle
fit demander à son mari s'il voulait lui rendre visite, mais lui-même
prétexta sa mauvaise santé pour ne pas venir. La maladie de la
marquise était commentée dans toutes les antichambres de Versailles. Déjà, sa succession était ouverte : entre la duchesse de
Gramont et Mlle de Romans, les chances étaient égales, mais quoi
qu'il en fût, la disparition de Mme de Pompadour ne provoquerait
aucune révolution gouvernementale. En fait, la fonction de maîtresse déclarée allait rester vacante jusqu'à l'avènement de Mme du
Barry, cinq ans plus tard.

Le 11, on la sut perdue. Le roi se retira le soir et s'enferma chez
Mme Victoire avec ses autres filles. Il n'avait plus d'illusions. Le
13, il vit Jeanne-Antoinette un instant et l'invita à demander les
sacrements. Il revint le 14, ce fut leur ultime entretien. Elle suffo-
quait et croyait à tout moment respirer pour la dernière fois ; elle
ne supportait pas d'être couchée et restait à demi assise dans une
bergère, près de son lit. Elle prenait congé de ce monde et se rappela peut-être ce que lui avait dit la seconde sorcière : « Vous aurez
le temps de vous reconnaître. »

L'abbé Cathlin lui apporta l'extrême-onction dans la nuit du
samedi 14 au dimanche 15, qui était le jour des Rameaux. Il
l'exhortait à s'abandonner à la miséricorde divine et à unir ses
souffrances à la Passion de Notre-Seigneur, dont le récit allait être
lu à l'office du matin. Comme Marie-Madeleine, patronne de sa
paroisse, l'illustre pénitente avait beaucoup aimé, il lui serait beaucoup pardonné. Dès le début de sa maladie, elle n'avait montré que
calme et douceur. Son courage était d'autant plus méritoire qu'elle
avait toute sa connaissance.

Marigny et Choiseul se tenaient dans le cabinet du fond. De
temps en temps, elle faisait venir son frère et le priait de se retirer
quand elle voulait dormir. Choiseul fit plusieurs allées et venues,
gros d'importance, vêtu d'un inhabituel manteau rouge ; il subti-
lisa le sous-main qui contenait le volumineux courrier personnel de

la marquise et le rapporta vide en le cachant sous son manteau. Abel Poisson de Marigny dut contenir son extrême irritation.

Dans l'après-midi, Mme de Pompadour dit adieu à ceux qui l'entouraient, MM. de Gontaut, de Soubise et de Choiseul. « Cela approche, leur dit-elle, laissez mon âme, mon confesseur et mes femmes. » Tandis qu'ils se retiraient, d'un signe elle rappela Soubise, son exécuteur testamentaire, et lui fit remettre des clés. Ses femmes étaient alors les dames du Hausset, Couraget et Bertrand. A cinq heures et demie, comme elles lui proposaient de la changer, Mme de Pompadour leur dit : « Je sais que vous êtes très adroites, mais je suis si faible que vous ne pourriez vous empêcher de me faire souffrir et ce n'est pas la peine pour le peu de temps qu'il me reste à vivre. » Elle le savait : le sort allait lui donner le privilège unique d'expirer dans le château, où seuls les princes du sang avaient le droit de mourir. Elle fit venir Sauvant et Collin, leur désigna celui de ses carrosses où elle souhaitait être portée rapidement à son hôtel de la rue des Réservoirs. Ponctuelle jusqu'à la fin dans ses propres affaires et dans l'amitié, elle dicta à Collin un dernier codicille :

« Ma volonté est de donner comme marques d'amitié, pour les faire ressouvenir de moi aux personnes suivantes :

A Mme du Roure, le portrait de ma fille en boîte garnie de diamants ; quoique ma fille n'ait pas l'honneur de lui appartenir elle la fera ressouvenir de l'amitié que j'avais pour Mme du Roure.

A Mme la maréchale de Mirepoix, ma montre neuve de diamants.

A Mme de Châteaurenault, une boîte du portrait du roi garnie de diamants qu'on devait me livrer ces jours-ci.

A Mme la duchesse de Choiseul, une boîte d'argent garnie de diamants.

A Mme la duchesse de Gramont, une boîte avec un papillon de diamants.

A M. le duc de Gontaut, une alliance couleur rose et blanche de diamants, enlacée d'un nœud vert ; et une boîte de cornaline qu'il a toujours beaucoup aimée.

A M. le duc de Choiseul, un diamant couleur d'aigue-marine et une boîte noire piquée à pans et globe.

A M. le maréchal de Soubise, une bague de Guay représentant

l'Amitié ; c'est son portrait et le mien depuis vingt ans que je le connais.

A Mme d'Amblimont, ma parure d'émeraudes.

Si j'ai oublié quelqu'un de mes gens dans mon testament, je prie mon frère d'y pourvoir et je confirme mon testament ; j'espère qu'il trouvera bon le codicille que l'amitié me dicte et que j'ai fait écrire par M. Collin, n'ayant que la force de le signer. »

Collin était étreint par l'émotion. Mme de Pompadour l'invita à se ressaisir et à veiller, avec l'exactitude qui avait toujours été la sienne, à l'exécution de ses dernières volontés. Relisant le codicille avant de le signer, elle y déplaça quelques virgules pour éviter toute confusion.

Dès lors, elle resta seule avec le prêtre. D'instant en instant, elle désirait la fin de ses souffrances, puis, aussi soumise que tranquille, demandait pardon de ses plaintes. Comme M. Cathlin, la croyant endormie, faisait le mouvement de se retirer : « Encore un moment, monsieur le Curé, nous partirons ensemble. » A sept heures et demie, elle rendit le dernier soupir.

Un grand silence emplit le palais. Louis XV, très affligé, se retira en lui-même et dissimula son chagrin. Il décommanda le *grand couvert* et soupa en particulier avec quelques amis fidèles de la marquise : Ayen, Gontaut, La Vallière ; mais il ne retint pas Choiseul. Il écrivit le lendemain à son gendre : « Toutes mes inquiétudes ne sont plus, de la plus cruelle manière, vous le devinez aisément. » Le dauphin et la dauphine éprouvaient une joie pieuse à l'idée que Mme de Pompadour était morte consciente et pardonnée. Tous lui rendaient hommage ; elle fut aussi généralement regrettée qu'elle avait été haïe et méprisée.

Sans attendre, dans l'appartement du bas, ses femmes l'avaient déshabillée, parfumée et couverte d'un drap. A huit heures, elles ouvrirent la porte de la chambre à deux valets qui la prirent sur un brancard ; ils l'emportèrent par le passage voûté de la chapelle et la Cour royale. La duchesse de Praslin était discrètement postée à sa fenêtre de l'aile des ministres : « J'ai vu, a-t-elle dit dans la soirée à Dufort de Cheverny, passer deux hommes portant une civière. Lorsqu'ils se sont approchés, j'ai vu que c'était le corps d'une femme, couvert seulement d'un drap si succint que les formes de la tête, des seins, du ventre, des cuisses et des jambes se prononçaient très distinctement. J'ai envoyé aux informations ; c'était le corps de cette pauvre femme, qui, selon la loi stricte qu'aucun mort ne peut rester dans le château, venait d'être portée chez elle. »

Marigny se soumit aux volontés du roi, qui ordonna des funérailles ducales. Cette suprême parade allait offrir le faste et la gravité dont l'art baroque savait entourer la mort. Selon l'habitude, les tâches se répartirent entre le personnel paroissial de Notre-Dame de Versailles et le *juré-crieur* Fournier, qui faisait office d'entrepreneur. Mme de Pompadour fut veillée deux jours et deux nuits au rez-de-chaussée de l'hôtel des Réservoirs, dans sa chambre transformée en chapelle ardente. Des vêpres solennelles devaient être célébrées le mardi en fin d'après-midi à Notre-Dame de Versailles et le soir aux Capucines de Paris. Jeanne-Antoinette y avait fait revêtir de marbre la chapelle qu'elle partageait avec la maison de la Trémoïlle. Elle allait reposer dans la crypte entre sa mère et sa fille.

L'abbesse, Sœur Marie de l'Enfant Jésus, aussitôt avertie, convoqua pour la cérémonie cinquante Capucins. Au portail, place Vendôme, et dans la nef de la chapelle monastique, les tentures de velours noir furent rehaussées de huit grands écus et constellées d'armoiries portant les trois tours de Pompadour. Pendant ces préparatifs, le frère Rémi de Reims composait hâtivement une homélie bien embarrassante ; il s'en tira en célébrant les vertus de la reine.

Le convoi devait se dérouler en deux temps : un bref parcours de l'hôtel des Réservoirs à Notre-Dame de Versailles ; puis de là, une longue étape jusqu'aux Capucines de Paris. En tête de la procession allaient marcher à pied quarante-deux domestiques recrutés dans le château et soixante-douze pauvres mobilisés dans la ville et ses environs. Tous devaient porter des flambeaux qu'il faudrait renouveler en cours de route, à Sèvres et à la grille de Chaillot. Fournier réassortit à cette occasion sa réserve de capes, de gants et de chapeaux, que les uns et les autres auraient à restituer après la cérémonie, sous le contrôle du maître d'hôtel Gourbillon. La veuve Martinet fournit cent quatre-vingts aunes de drap noir ; la dame Amey, gantière-parfumeuse, procura les gants de castor des huit porteurs et les gants ordinaires des bedeaux.

Comme les personnes, les animaux étaient en deuil. Le sapajou, le perroquet et l'un des chiens, légués par la marquise au comte de

Buffon, devaient finir leurs jours à Montbard. L'autre chien, destiné à la duchesse de Choiseul, lui parvint sans son collier d'or et d'argent, que Marigny avait eu la précaution de retirer...

Le mardi soir, la cérémonie se déroula par un temps d'ouragan épouvantable. Aucun membre de la famille royale n'y pouvait assister. Dans son appartement intérieur, Louis XV avait auprès de lui MM. de La Borde et de Champlost, qui étaient ses Premiers valets de chambre. Quand les cloches de Notre-Dame annoncèrent la fin des vêpres, ils entrèrent dans le cabinet d'angle, dont La Borde referma la porte. Louis XV et Champlost se mirent au balcon sous la pluie ; ils guettèrent le moment où le cortège, venant de l'église, allait tourner dans l'avenue de Paris. La nuit tombait. Les piétons parurent d'abord, leur flambeau à la main. Derrière eux, dix-huit cavaliers accompagnaient le corbillard, surmonté d'un dais de duchesse. Au-dessus du cercueil, voilé d'un poêle armorié, la couronne reposait sur un carreau de velours. Louis XV vit s'écouler lentement la longue file des voitures de la Cour. Il pleurait silencieusement. Au loin, sur la route de Paris, le cortège disparut à ses yeux. « Voilà les seuls devoirs que j'aie pu lui rendre. Pensez, une amie de vingt ans ! » dit-il à Champlost.

Dans la descente de Viroflay, cochers et postillons modérèrent l'allure des attelages. Le vent qui soufflait par rafales soulevait les draperies et les capes. Les chapeaux des domestiques Raman et Fauvel volèrent au-dessus de la route et tombèrent dans les fossés pleins d'eau.

Sources et orientation bibliographique

Les légendes enlacées de Louis XV et de Mme de Pompadour se sont formées en un temps où n'étaient pas encore publiés les souvenirs de ceux et celles qui les ont le plus intimement connus.

Alors que le roi dédaignait d'attirer à lui les écrivains et que la production littéraire échappait au contrôle du pouvoir, la liaison royale a été considérée par des écrits parfois bienveillants, le plus souvent perfides et venimeux. La personne de Mme de Pompadour y est dépeinte à grands traits, selon l'archétype immémorial de la courtisane princière. Enveloppée dans le déclin de l'institution monarchique, elle fut chargée des erreurs et des malheurs qui précédèrent l'agonie de l'Ancien Régime.

Lettres et mémoires apocryphes, biographies mal informées, chroniques transparentes sous le voile de la fiction orientale ont véhiculé un fatras d'anecdotes scandaleuses. Ces écrits, parmi une foule de libelles et de chansons anonymes, étaient domiciliés chez des éditeurs fictifs à Londres, Liège, Amsterdam, Leipzig, Venise. Mme de Pompadour surveillait cette production ; une section de sa bibliothèque (n°ˢ 1861 à 1895) est intitulée *Romans historiques pour les pays orientaux*. Dans sa vieillesse, Voltaire s'est indigné de ces éditions destinées à tromper la postérité (lettres à d'Argental et au duc de Richelieu, 8 et 13 juillet 1772). Les auteurs de ces écrits apocryphes sont Mlle Fauque, dite Mme de Vaucluse, Crébillon fils, Moufle d'Angerville, Barbé-Marbois.

Après la mort de Mme de Pompadour, les circonstances se sont conjurées pour occulter la vérité. Sa mémoire, reléguée pendant la courte faveur de Mme du Barry, fut condamnée par Louis XVI au mépris du silence. La période révolutionnaire a provoqué dans le cours de l'histoire une accélération vertigineuse qui a laissé aux erreurs légendaires le temps de s'accréditer. Dans les annales scandaleuses de l'ancienne monarchie, l'esprit jacobin a puisé des raisons de se justifier. La légende républicaine de Mme de Pompadour, fixée surtout par Soulavie, s'est imposée à l'hypocrite et vertueux XIXe siècle. Vers 1820, des polygraphes tels que F.-A. Meynadier, René Perrin, Scipion Marin composaient encore de pseudo-mémoires de la marquise. Le manuscrit Caix de Saint-Aymour, qui relève du persiflage le plus médiocre, a été publié après la Première Guerre mondiale. De nos jours, alors qu'il s'agit moins de juger que de comprendre, des auteurs innocents prennent encore à leur compte une partie de ces fables mensongères.

Il faut attendre la fin du règne de Louis-Philippe et l'apogée du second Empire pour voir une attention impartiale et nostalgique s'attacher aux fastes oubliés du règne de Louis XV. A cette époque, érudits et gentilshommes lettrés ont extrait des bibliothèques familiales les manuscrits des témoins véridiques et les ont édités.

Les *Mémoires du duc de Luynes sur la Cour de Louis XV (1735-1758),* publiés par L. Dussieux et E. Soulié, Paris, 1860-1865, 17 vol., commencent avant l'arrivée de Mme de Pompadour à la Cour et s'achèvent avec la mort du rédacteur. Fidèle au marquis de Dangeau, son grand-père maternel, Luynes a constitué des annales irremplaçables, conformément à son principe : « Il faut écrire dans un journal tout ce que l'on voit et ne faire ni pronostic ni porter de jugements. » Il n'affirme que ce dont il a été témoin ou directement informé ; aussi est-il rare qu'il ait à se dédire ; lorsqu'il revient sur un fait, c'est pour y ajouter de nouveaux détails. De 1747 à 1750, et de 1754 à 1758, il a doublé son journal d'un complément appelé *Extraordinaire,* où il s'abandonne à des confidences plus personnelles. « Il était, a dit le président Hénault, l'homme le plus estimable du monde. » Attaché aux traditions et aux anciens usages de la Cour, il en notait au jour le jour la continuité avec complaisance, avec regret les transformations. Par là duchesse, née Marie Brûlart, dame d'honneur de Marie Lesczinska, il était informé de tout ce qui concernait le cercle de la reine. Plus d'un lien unissait sa famille à Mme de Pompadour. Les armes de l'ancienne maison féodale de Pompadour avaient été portées en dernier lieu par un de ses cousins ; sa tante, Mme de Saissac, voisine et amie des La Motte, avait connu Jeanne-Antoinette dès son enfance. Sa belle-fille, la duchesse de Chevreuse, née Pignatelli, était une amie de Mme d'Etiolles. Bienveillant, attentif et disponible, Luynes a exprimé une admiration sans réserve pour les talents déployés sur le théâtre des Petits cabinets. Homme pieux, il a observé le parcours spirituel de la marquise, dont la conversion l'a intrigué.

Le *Journal inédit du duc de Croy* a été publié par le vicomte de Grouchy et Paul Cottin, 4 vol., Paris, 1906-1907. Homme droit, esprit curieux et ouvert, Emmanuel de Croy était le moins versaillais des courtisans. Il ne séjournait au château que pour avancer ce qu'il appelait ses « affaires », les gardes, fonctions et honneurs qu'il estimait lui être dus pour sa naissance et ses mérites. A ses yeux, Mme de Pompadour était la dispensatrice principale de toutes ces faveurs. Il lui faisait une cour assidue. Admis dans l'intimité des petits appartements, il est pour nous l'observateur le plus précieux des années les plus brillantes.

Les *Mémoires de Jean-Nicolas Dufort, comte de Cheverny*, donnés à la Bibliothèque de Blois, ont été publiés par R. de Crèvecœur en 1886. Ancien introducteur des ambassadeurs, Dufort rédigea ses souvenirs après la Terreur « pour moi seul, dit-il, et pour mon seul plaisir ». Cette circonstance donne à la narration un recul particulier, car l'auteur dispose d'un ensemble de références nouvelles, qui sont déjà celles du préromantisme. Dufort est un observateur désinvolte et amusé de la Cour et des milieux parisiens. Crèvecœur a parfois édulcoré le réalisme de son expression.

Les *Mémoires et journal du marquis d'Argenson* ont été édités par E.-J.-B. Rathery pour la *Société de l'Histoire de France*, Paris, 1859-1867, 9 vol. La relation y est conduite jusqu'en janvier 1757. Ministre des Affaires étrangères écarté du pouvoir en 1747, esprit chimérique, original et cru dans son vocabulaire, il distille son aigreur à l'égard de la Cour, dont l'existence même lui paraît condamnable. De sa terre de Segrès, près d'Arpajon, il vient périodiquement à Versailles, se tient informé par son frère, le ministre de la Guerre, son neveu, le marquis de Voyer, son fils le marquis de Paulmy, et son gendre, le comte de Maillebois. Il espère constamment rentrer en grâce et a toujours prête une déclaration gouvernementale. Il juge avec férocité les ministres en place, sans ménager son propre frère. Ses griefs contre Mme de Pompadour sont d'ordre politique. Il ne conteste pas sa nécessité comme favorite, bien que la beauté diaphane de Jeanne-Antoinette ne réponde pas à son idéal féminin : il la voudrait brune, toute en croupe et en seins, et pourtant, malgré sa misogynie, elle lui arrache les traits les plus touchants et il admire la force mystérieuse qui rayonne d'elle. Accordant créance à tous les bruits qui circulent dans les antichambres de Versailles et les salons parisiens, d'Argenson reproche à la favorite ses caprices de sérail, son ambition, son influence néfaste sur les affaires ; il blâme les prodigalités en voyages, en fêtes et en constructions dans lesquelles elle entraîne le roi. Le gouffre financier des Bâtiments est un thème mythique posé par Saint-Simon, repris par Voltaire et recueilli par Napoléon.

Le *Journal* d'Edmond Jean-François Barbier a été édité partiellement par A. de La Villegille en 1847-1849 et intégralement en 1857 et 1866. Il couvre les quarante-cinq années qui vont de la Régence à la fin de la guerre de Sept Ans. Parisien, homme de loi par tradition familiale, pourvu d'assez hautes relations, lié avec le maréchal de Saxe et les frères d'Agenson, Barbier est bien informé, sans passion, respectueux des institutions monarchiques. Trop souvent sous-estimé, il est moins un chroniqueur de la Cour qu'un témoin des événements nationaux et de l'agitation parisienne, janséniste et parlementaire. A partir de 1757, il assure le relais des mémoires de Luynes et d'Argenson.

Un intérêt particulier s'attache aux *Mémoires de Madame du Hausset,* publiés par Quentin Crawfurd en 1809 dans de confidentiels *Mélanges d'histoire et de littérature.* Quelque dédain que les historiens du XIXᵉ siècle aient montré à leur endroit, aucun des bibliographes qui ont démasqué les impostures littéraires n'a mis en doute leur authenticité. Nicole Collesson, qui avait connu Jeanne-Antoinette aux Invalides, était l'une de ses plus anciennes amies. Devenue Mme du Hausset, elle s'attacha à la marquise et ne la quitta plus jusqu'à sa mort. La seule entorse à la vérité porte sur les circonstances dans lesquelles le témoignage nous est parvenu. Crawfurd a prétendu avoir arraché le manuscrit des mains du marquis de Marigny, qui allait le jeter dans sa cheminée. Il est plus probable qu'un essayiste, présumé Sénac de Meilhan, a recueilli les souvenirs de l'ancienne femme de chambre tels qu'ils revenaient à sa mémoire et les a mis en forme. Très justes en ce qui concerne les situations et les caractères, ils brouillent les temps et les lieux. Fils d'un Premier médecin du roi, Sénac était lié aux milieux médicaux qui avaient entouré le souverain. Le ralliement de l'ancienne noblesse à l'Empire suscitait pour la première fois un intérêt rétrospectif pour l'époque de Louis XV. La même année, en 1809, le marquis J.-L.-M. Dugast de Bois-Saint-Just publia des anecdotes piquantes sur divers personnages de la Cour.

Ont été consultés les mémoires et correspondances des hommes politiques familiers de Mme de Pompadour : le cardinal de Bernis, le duc de Choiseul ; ceux des militaires : Richelieu, Valfons, Tressan, Gisors, Montbarrey, Lordat, Besenval, Mopinot de La Chapotte. N'ont pas été négligé les gens du monde : Mme de Villars-Brancas, Mme du Deffand, Mme du Châtelet, Mme de La Ferté-Imbault, le président Hénault, le prince de Ligne, le comte d'Angiviller. Parmi les gens de lettres et les artistes, doivent être cités Voltaire, Marmontel, Rousseau, Diderot, Grimm, Duclos, Buffon, Georges Leroy, Laujon, Lekain, Papillon de La Ferté, les Crébillon, Dupont de Nemours, Collé, Bachaumont, Mme Boucher-Baudouin, Mme Nattier-Tocqué, Casanova. Des informations rétrospectives sont éparses chez les mémorialistes du règne de Louis XVI : Mesdames de Genlis, d'Oberkirch, née Waldner, Campan, de La Tour de Franqueville, Louis-Sébastien Mercier...

Pour compléter l'éclairage, il a été fait appel aux informations recueillies par le lieutenant de police Marville et communiquées au ministre Maurepas, au *Chansonnier historique du XVIIIe siècle* édité par Raunié (tome VII, 1882, t. VIII, 1883), ainsi qu'aux rapports des commissaires de police Meusnier et Marais, publiés par C. Piton, 1905-1916. Les archives diplomatiques, au Quai d'Orsay et dans les chancelleries étrangères, ne sont pas une source moins précieuse.

La source essentielle est la correspondance active de Mme de Pompadour. Elle existe, dispersée, dans des fonds privés et publics, à travers la France et même l'Europe. L'une des collections les plus importantes est celle du chartrier d'Argenson, naguère au château des Ormes, à présent à la Bibliothèque universitaire de Poitiers ; elle a été signalée par le marquis d'Argenson, *Autour d'un ministre de Louis XV, lettres intimes inédites*, Paris, 1923. Un autre recueil de billets, adressés au Contrôleur général Bertin, est conservé au Cabinet des manuscrits de la Bibliothèque nationale (Nouv. Acq.

franç., 6 498, fol. 224-271), dont font état G. Bussières, *Mme de Pompadour et le contrôleur général Bertin, 1759-1763, d'après des documents inédits*, Paris, 1908, et M. Antoine, *Le secrétariat d'Etat de Bertin, 1763-1780*, dans *Positions des thèses de l'Ecole des Chartes*, Paris, 1948. Les lettres au duc d'Aiguillon déposées au British Museum ont été publiées par G. Masson dans la *Correspondance littéraire* du 5 septembre 1857. Deux des seize lettres adressées au comte de Clermont et une au prince de Condé, conservées aux Archives de la Guerre, sont données par Camille Rousset dans son ouvrage sur *Le Comte de Gisors*, Paris, 1868. Des lettres au duc de Nivernais (« Petit époux »), provenant des papiers du marquis de Mortemart, ont été reproduites par Lucien Pérey dans son *Duc de Nivernais*, Paris, 1890. Pierre de Nolhac a eu le premier connaissance des billets aux ducs de Mirepoix et de Richelieu conservés à Londres dans l'ancienne collection Morrisson. La correspondance avec Choiseul (« Petit Singe »), parvenue dans la famille de Marmier, a été éditée par Léonce de Piépape : *Lettres de Mme de Pompadour à Choiseul, ambassadeur à Rome, 1754-1757*, Versailles, 1917.

La collection la plus importante et le plus souvent citée est celle qui figure dans le tome VI des *Mélanges des Bibliophiles* de 1878, par les soins de Poulet-Malassis. Elle comprend quarante-trois lettres de la marquise à son père, François Poisson, et à son frère, alors seigneur de Vandières, cinq à Pâris-Duverney (le « cher Nigaud »), dix-huit au duc d'Aiguillon ; enfin quinze à la comtesse de Lutzelbourg, dont treize avaient déjà été imprimées par les soins du marquis du Roure en 1828. Cette dame (« Grand'femme »), de trente-huit ans plus âgée que Mme de Pompadour et qui lui survécut, s'appelait Marie-Ursule de Klinglin (1683-1765) ; elle était sœur du prêteur royal de Strasbourg et correspondante de Voltaire. Elle fréquenta la cour de Stanislas Lesczinski à Lunéville, fut aussi passionnée de théâtre que sa jeune amie ; sa position frontalière lui permettait de rendre des services auxquels Mme de Pompadour ne manqua pas de recourir. Dix des lettres à Mme de Lutzelbourg appartiennent à la Bibliothèque de Mantes et ont été rééditées par E. Grave dans le *Bulletin de la Commission des Antiquités et Arts de Seine-et-Oise*, 1914. Cet érudit a amélioré certaines lectures, mais a confondu Mme de Lutzelbourg avec sa bru, née Anne-Françoise Borio, morte en 1749.

D'autres lettres de Mme de Pompadour sont conservées aux Archives nationales : dans le carton K149[17], des billets à Pâris-Duverney concernant l'Ecole militaire. Le Chartrier d'Uzès, 265 AP, classé par S. d'Huart, contient vingt et un billets et lettres autographes de la marquise au duc de La Vallière (« M. de Broche, Broche ou Brochet »), ainsi qu'un état des meubles du château de Champs. Le fonds d'Ormesson, 144 AP, recèle une lettre de félicitations. Quelques lettres de Mme de Pompadour à Voltaire figurent dans la correspondance générale de l'écrivain publiée par Th. Besterman.

Beaucoup d'autres lettres sont conservées dans des dépôts publics et des chartriers privés. Leur aire de dispersion est à la mesure de l'entregent international de l'épistolière. D'autres correspondances proviennent des plus proches parents de Mme de Pompadour, Poisson et Marigny. La Bibliothèque historique de la Ville de Paris conserve un fonds Marigny (Nouv. Acq. 89 à 104), hétéroclite et inédit, auquel font écho nos pages sur le voyage d'Italie. On y trouve aussi les pièces qui concernent l'achat de l'usufruit de Saint-Ouen.

Une autre collection familiale, recueillie au château d'Auvilliers, a été offerte par M. de Belenet aux Archives départementales du Loir-et-Cher ; elle avait permis à P. Fromageot la rédaction de deux articles essentiels : *L'enfance de Madame de Pompadour* et *La mort et les obsèques de Madame de Pompadour,* dans la *Revue de l'histoire de Versailles,* tome IV, 1902.

D'autres auteurs, peu nombreux, ont publié sur Mme de Pompadour des travaux documentés de première main. Le bibliothécaire versaillais Joseph Adrien Le Roi a édité en 1853 un *Relevé des dépenses de Madame de Pompadour, depuis la première année de sa faveur jusqu'à sa mort,* dans le tome III des *Mémoires de la Société des Sciences morales, Lettres et Arts de Seine-et-Oise ;* il l'a repris dans ses *Curiosités historiques,* Paris, 1864. Ces comptes sont un état reconstitué des dépenses de la marquise. Il a été dressé dans les années qui ont suivi sa mort et du vivant même de son intendant Collin ; son auteur eut l'illusion de fixer combien Mme de Pompadour avait « coûté à l'Etat ». Mais, avec des précisions authentiques, ces comptes présentent aussi des lacunes considérables, surtout pour les acquisitions immobilières et territoriales de la dernière période. En fait, la comptabilité de la marquise était superbement mêlée à celle des Bâtiments et du Trésor, de sorte qu'aucune expertise ne saurait la reconstituer. Montmartel, Marigny et Collin en ont emporté le secret.

Notre prédécesseur à la Section historique des Archives nationales, Emile Campardon, a livré un ensemble de documents précieux, concernant en particulier les activités théâtrales de la marquise dans *Madame de Pompadour et la Cour de Louis XV au milieu du XVIIIᵉ siècle*, Paris, 1867. Il y publie un manuscrit provenant du duc de La Vallière, reconnu à la Bibliothèque de l'Arsenal par son confrère Jules Cousin, qui lui en donna la copie.

Ces derniers travaux ont permis à Edmond et Jules de Goncourt d'écrire leur fameuse monographie de *Madame de Pompadour*, Paris, 1860 et 1881, réédition, Paris, Olivier Orban, 1982, qui est une œuvre à la fois littéraire et documentaire. Dès 1865, Armand Baschet avait vu et copié à Parme les lettres écrites par Louis XV à son gendre pendant la dernière maladie et le lendemain de la mort de la marquise. Il se réserva d'en publier deux dans le *Cabinet historique* de 1880 avant l'édition définitive des Goncourt. Il y joignit la lettre de Charles Guillaume Le Normant d'Etiolles, en date du 6 février 1756, déposée trois jours après la mort de Mme de Pompadour par son frère chez Maître Dutartre.

Dans le premier tiers de ce siècle, Pierre de Nolhac, l'un des historiens du château de Versailles, a situé la marquise dans le cadre de sa vie quotidienne. Il a longuement précisé cette figure qui lui était chère ; au long de sa carrière, et au hasard de ses rencontres, les documents sont venus à lui. On lui doit notamment *Louis XV et Madame de Pompadour*, Paris, 1902 et *Madame de Pompadour et la politique*, Paris, 1928. La *Revue des Deux-Mondes* avait eu la primeur de ce dernier ouvrage.

Le duc de Caraman en 1901, Gailly de Taurines en 1907 ont les premiers approfondi les origines familiales de Mme de Pompadour, avec d'autant plus de mérite qu'en leur temps les archives notariales n'étaient pas encore centralisées, comme elles le sont depuis 1926. Il faut rappeler que Jal avait vu dans les registres paroissiaux les actes de baptême avant l'incendie de la Commune.

La proche famille de Mme de Pompadour a bénéficié des travaux d'A. Marquiset, *Le marquis de Marigny*, Paris, 1918. Sous le titre, *Madame de Pompadour et la société de son temps*, Paris, Albatros, 1980, Jean Nicolle a mis en œuvre une somme considérable de documents trouvés par lui dans de nombreux dépôts, aux Archives nationales et surtout au Minutier central des notaires. Cette enquête éclaire cependant moins la trajectoire personnelle de Jeanne-Antoinette que le destin de la famille Le Normant au sens le plus large. On y découvre en particulier la forte personnalité de Tournehem et l'étrange survie affective de Le Normand d'Etiolles.

Il n'est pas de notre propos de citer ici les nombreux essais qui ont été consacrés à Mme de Pompadour ; cependant nous n'omettrons pas de saluer, parmi les derniers, ceux de J. Levron et du duc de Castries.

Nous avons recouru directement aux témoignages authentiques et aux sources documentaires évoqués ci-dessus. Un siècle après l'édition définitive des Goncourt, les horizons se sont élargis : les données de la psychologie, l'épanouissement des travaux sur le XVIIIe siècle, l'exploration des mentalités et les apports précis de l'histoire de l'art nous invitaient à tenter une approche nouvelle.

La vie de Mme de Pompadour appartient à l'histoire et à tous les domaines de la civilisation. Parmi d'innombrables contributions, nous signalons ici celles qui sur des points précis nous ont paru le plus utiles ou curieuses.

Pour l'histoire intérieure du royaume : les *Almanachs royaux ; Etat de la France,* de Montandre-Longchamps, *Etat militaire de la France* ; Président de Lévi, *Journal historique ou fastes du règne de Louis le Bien-Aimé, 1716-1764* ; Abbé Proyart, *Vie du Dauphin, père de Louis XVI* ; M. Marion, *Machault d'Arnouville, étude sur l'histoire du contrôle des Finances de 1749 à 1754,* Paris, 1891 ; C. Stryienski, *La mère des trois derniers Bourbons, Marie-Josèphe de Saxe et la Cour de Louis XV ;* et *Le gendre de Louis XV, don Philippe, infant d'Espagne et duc de Parme,* Paris, 1904 ; E. Vaillé, *le Cabinet noir,* Paris, 1950 ; H. Légier-Desgranges, *Madame de Moysan,* préface de Pierre Gaxotte, Paris, 1954 · François Bluche, *Les honneurs de la Cour,* 2 vol., Paris, 1957 ; et *Les magistrats du Parlement de Paris au XVIIIe siècle, 1715-1771,* Besançon, 1960 ; J. Egret, *Louis XV et l'opposition parlementaire,* Paris, 1970 ; M. Antoine, *Le Conseil du roi sous le règne de Louis XV,* Paris, 1970 ; et *Le gouvernement et l'administration sous Louis XV, dictionnaire biographique,* Paris, 1978 ; P. Rétat et ses collaborateurs, *L'attentat de Damiens, discours sur l'événement au XVIIIe siècle,* Lyon, 1979.

Pour l'histoire diplomatique et militaire : A. de Broglie, *Le Secret du roi*, Paris, 1838 ; J. Cousin, *Le comte de Clermont*, Paris, 1867 ; E. Boutaric, *Correspondance secrète inédite de Louis XV*, Paris, 1866 ; Vitzthum d'Eckstaedt, *Maurice, comte de Saxe, et Marie-Josèphe de Saxe*, Leipzig, 1867 ; d'Arneth, *Maria-Theresia*, Vienne, 1870 ; J. Flammermont, *Correspondance des agents diplomatiques étrangers en France avant la Révolution*, Paris, 1896 ; R. Waddington, *La guerre de Sept Ans*, Paris, 5 vol., 1896-1908 ; A. du Pasquier, *La marquise de Pompadour et Neuchâtel*, dans le *Musée neuchâtelois*, 1917 ; W. Haussmann, *Répertoire des représentants diplomatiques de tous les pays depuis la paix de Westphalie*, t. II, 1716-1763, Zurich, 1950 ; M. Antoine et D. Ozanam, *Correspondance secrète du comte de Broglie avec Louis XV*, Paris, 1956. *Lettres* de C.F. Scheffer à C.G. Tessin (1744-1752), éd. J. Heidner, Stockholm, 1982.

Pour l'histoire religieuse : J. Candel, *Les prédicateurs français dans la première moitié du XVIIIe siècle, 1715-1751*, 1904, réédition, Paris, 1970 ; A. Bertout, *Les Ursulines de Paris sous l'Ancien Régime*, Paris, 1936 ; P. et M.-L. Biver, *Abbayes, monastères, couvents de femmes à Paris, des origines à la fin du XVIIIe siècle*, Paris, 1975.

Pour l'histoire des mentalités : M. Jusselin, *Helvetius et Mme de Pompadour, à propos du livre et de l'affaire De l'Esprit*, Le Mans, 1913 ; A. de Luppé, *Les jeunes filles dans l'aristocratie et la bourgeoisie au XVIIIe siècle*, Paris, 1924 ; et *Lettres de Geneviève de Malboissière à Adélaïde Méliand, 1761-1766*, Paris, 1924 ; R. Mauzy, *L'idée du bonheur au XVIIIe siècle*, Paris, 1960 ; G. Acloque, vicomtesse J. de Croy, *Un épisode sur la presse clandestine au temps de Madame de Pompadour*, s.l., 1963 ; Danielle Knorr, *Le chevalier François Salin de Niart, major de la place de Neuf-Brissac par la grâce de Mme de Pompadour*, dans *Annuaire de la Société d'histoire littéraire de Colmar*, 1971 ; P. Fauchery, *La destinée féminine dans le roman européen au XVIIIe siècle*, Paris, 1972 ; P. Hoffmann, *La femme dans la pensée des Lumières*, Paris, 1977 ; E. Badinter, *Préface* à E. et J. de Goncourt, *La femme au*

XVIIIe siècle, Paris, 1982 ; et *Emilie, Emilie, ou l'ambition féminine au XVIIIe siècle*, Paris, 1983.

**Pour l'histoire sociale et le proche entourage de Mme de
Pompadour :** M. de Luchet, *Histoire de Messieurs Pâris*, Lau-
sanne, 1776 ; A. de La Fizelière, *Les femmes artistes, Madame de
Pompadour*, dans la *Gazette des Beaux-Arts*, 1858 ; E. et J. de
Goncourt, *Les maîtresses de Louis XV*, Paris, 1860 ; Ch. Samaran,
Jacques Casanova, vénitien, une vie d'aventurier au XVIIIe siècle,
Paris, 1914 ; Dubois-Corneau, *Pâris de Montmartel*, Paris, 1917 ;
J. Robiquet, *La Collette*, dans *Revue d'Histoire de Versailles*, 1925 ;
G. Saintville, *Une confidente de Madame de Pompadour, Madame du Hausset de Demaines, d'après des documents authentiques*, Paris, 1937 ; J. Hecht, *La vie de François Quesnay*, Paris,
1958 ; Y. Durand, *Les fermiers généraux au XVIIIe siècle*, Paris,
1971 ; et *J.-J. de La Borde, Mémoires*, publiés dans *l'Annuaire-
bulletin de la Société de l'Histoire de France*, 1968-1969, Paris,
1971 ; Fr. Bluche, *La vie quotidienne de la noblesse française*,
Paris, 1973, nouvelle éd. 1980 ; R. Gandilhon, *Un amateur de vin
de Champagne, l'abbé Bignon, bibliothécaire du roi*, dans *Bibliothèque de l'Ecole des Chartes*, Paris, 1983.

Pour l'histoire des lieux habités par Mme de Pompadour :
Plan de Paris à vol d'oiseau par Bretez et Saury, dit *plan de Tur-
got* ; les recueils d'architecture de Chevotet, Prévotel et Blondel,
Paris, Jean Mariette, 1727, et de Jacques-François Blondel, Paris,
Jombert, 1752-1756 ; les guides de Paris et des environs, de G. Brice,
Piganiol de La Force, A.-N. Dézallier d'Argenville, Hurtaut et
Magny ; de La Quintinie, *Instruction pour les jardins fruitiers et
potagers*, Paris, édition de 1756 ; A. Durand et E. Grave, *La chroni-
que de Mantes*, Mantes, 1883 ; J. Maillard, *Le château de Saint-
Hubert*, dans la *Revue d'Histoire de Versailles*, 1901-1902 ;
B. Chamchine, *Le château de Choisy*, Paris, 1910 ; F. Lesueur,
*Ménars, le jardin, le château et les collections de Mme de Pompa-
dour et du marquis de Marigny*, Blois, 1912 ; comte de Franque-
ville, *Le château de La Muette*, 1915 ; R. de Courcel, *La Forêt de
Sénart*, Paris, 1930 ; P. Biver, *Histoire du château de Bellevue*,
Paris, 1934 ; E. Léry, *L'hôtel de la marquise de Pompadour, rue des
Réservoirs*, dans *Revue d'histoire de Versailles*, 1939 ; A. Mauban,

L'Architecture française de J. Mariette, Paris, 1945 ; J. et A. Marie, *Marly*, 1947 ; R.-M. Langlois, *Madame de Pompadour, Crécy et l'ermitage de Versailles*, mémoire inédit de l'Ecole du Louvre, Paris, 1947 ; et *L'ermitage de Madame de Pompadour*, dans *Revue d'histoire de Versailles*, 1947 ; H. Racinais, *Un Versaillais inconnu, les petits appartements des rois Louis XV et Louis XVI*, Paris, 1950 ; G. Poisson, *Un édifice de Gabriel retrouvé : le petit château de Choisy, Bulletin de la Société de l'histoire de l'art français*, 1954 ; Fr. Vidron, *La vénerie royale au XVIIIe siècle*, Paris, s.d. ; P. Verlet, *Versailles*, Paris, 1961 ; Y. Bottineau, *L'art d'Ange-Jacques Gabriel à Fontainebleau*, Paris, 1962 ; Fr. Thiveaud-Le Hénand, *La reconstruction du château de Compiègne au XVIIIe siècle*, dans *Positions des thèses de l'Ecole des Chartes*, Paris, 1970 ; P. Codet, *Germain Brice, Description de la ville de Paris (1752) et table cumulative des neuf éditions*, Paris, Genève, 1971 ; M. Gallet, *Stately Mansions, Eighteenth Century Paris Architecture*, New York, Washington, 1972 ; J.-M. Moulin, *Compiègne, appartements historiques*, Paris, 1974 ; Ch. Baulez, *De quelques portes et cheminées*, dans *Bulletin de la Société de l'histoire de l'art français*, 1974 ; et *L'hôtel de Clermont*, dans *La rue de Varenne*, Paris, 1981 ; H. Beylier, *Le jardin du palais de l'Elysée aux XVIIIe et XIXe siècles*, dans le *Bulletin de la Société de l'histoire de Paris et de l'Ile-de-France*, 1980, Paris, 1981 ; J. Dennerlein, *Die Gartenkunst der Regence und des Rokoko in Frankreich*, Stuttgart, 1981 ; A. et J. Marie, *Versailles au temps de Louis XV*, Paris, 1984.

Pour l'histoire artistique : *Œuvre gravé* de Madame de Pompadour, Bibliothèque nationale, Cabinet des Estampes, Ad 15 Rés. ; *Le Mercure de France ; Annonces, affiches, avis divers*, 1764, 1765 ; *Catalogue des tableaux originaux de différents maîtres, miniatures, dessins et estampes sous verre de feu Madame la marquise de Pompadour*, Paris, chez Pierre Rémy, 1766 ; *Catalogue des livres de la bibliothèque de feu Madame la marquise de Pompadour, dame du palais de la reine*, dressé par Jean-Thomas Hérissant fils en 1765, sur les notices de l'abbé Bridard de La Garde ; édition anastatique, Malezieu, Paris, 1984 ; *Catalogue des différents objets de curiosité dans les sciences et les arts qui composaient le cabinet de feu M. le marquis de Ménars*, par F. Basan et F.-Ch. Joullain, Paris, 1782 ; L. Courajod, *Le Livre-journal de Lazare Duvaux*, Paris,

1873, 2 vol. ; G. Plawlowski, *Madame de Pompadour bibliophile et artiste*, Paris, 1888 ; E. Quentin-Bauchart, *Les femmes bibliophiles* ; E. Bourgeois, *Le biscuit de Sèvres au XVIIIᵉ siècle*, Paris, 1901 ; Ch. Magnier, *Madame de Pompadour et La Tour*, Saint-Quentin, 1906 ; Lechevalier-Chevignard, *Sèvres*, Paris, 1908 ; G. Wildenstein, *Le buste de Madame de Pompadour par Pigalle*, dans *Bulletin de la Société de l'Histoire de l'art français*, 1915 ; S. Rocheblave, *Pigalle*, 1919 ; L. Réau, *Falconet*, 1922 ; S. Rocheblave, *Charles-Nicolas Cochin*, 1927 ; A. Doria, *Tocqué*, 1929 ; G. Brière, *Jean-François de Troy*, 1930 ; G. Huart, *Nattier*, 1930 ; P.H. Harris et C. ver Heyden de Lancey, *The lost Chapter of Cochin's « Voyage d'Italie »*, Cambridge, Mass., 1933 ; J. Cordey, *Inventaire des biens de Madame de Pompadour rédigé après son décès*, Paris, 1939 ; F. Kimball, traduction J. Maric, *Le style Louis XV, origine et évolution du rococo*, Paris, 1949 ; M. Beaulieu, *La fillette aux nattes de Saly*, dans *Bulletin de la Société de l'histoire de l'art français*, 1955 ; H. Sorensen, *Quelques meubles faits pour Madame de Pompadour à Bellevue*, dans *Bulletin de la société de l'Histoire français*, 1963 : Fr.J.B. Watson, *Beckford, Mme de Pompadour, the duc de Bouillon ant the taste for Japonese lacques in eighteenth Century France*, dans *Gazette des Beaux-Arts*, 1963 ; P. Verlet, *La maison du XVIIIᵉ siècle en France, société, décoration, mobilier*, Fribourg, 1966 ; F. Souchal, *Les Slodtz, sculpteurs et décorateurs du roi*, Paris, 1967 ; O. Raggio, *Two great portraits by Lemoyne and Pigalle*, dans *Bulletin of the Metropolitan Museum of Arts*, New York, 1967 ; J.-G. von Hohenzollern, *Die Porträts der Marquise de Baglioni und der Marquise de Pompadour*, dans *Pantheon*, 1972 ; J.-F. Leturcq, *Notice sur Jacques Guay, graveur sur pierres fines du roi Louis XV*, Paris, 1973 ; M. Delpierre, *Le Costume*, et J. Jacquiot, *Les camées et les intailles*, dans *Louis XV, un moment de perfection de l'art français*, Paris, 1974 ; S. Eriksen, *Early Neo-Classicism in France*, Londres, 1974 ; R. Laulan, *La fondation de l'Ecole militaire et Madame de Pompadour*, dans la *Revue d'histoire moderne et contemporaine*, 1974 ; A. Ananoff, *François Boucher*, 1976 ; P. Verlet, *Objets prestigieux retrouvés*, dans *Revue de l'Art*, 1976 ; H. Opperman, *J.-B. Oudry*, Londres, New York, 2 vol., 1977 ; R. Cazelles, *La marquise de Pompadour par Drouais*, dans *Musée Condé*, 1978 ; M. Gallet, D. Ternois et leurs collaborateurs, *Soufflot et son temps*, Paris, 1980 ; F. Souchal, *Les frères Coustou*,

Paris, 1980 ; M. Gallet. Y. Bottineau et leurs collaborateurs, *Les Gabriel,* Paris, 1983. Ont été consultés, *passim,* l'*Intermédiaire des chercheurs et des curieux,* les *Procès-verbaux de la Commission du Vieux Paris* et la *Revue d'histoire de Versailles.*

L'existence de Madame de Pompadour ne s'est inscrite qu'en filigrane dans les papiers des institutions officielles. Aux Archives nationales sont consignés, dans les registres annuels du Secrétariat de la Maison du Roi, dans ceux de la Maison de la Reine, les brevets qui jalonnent l'ascension et les acquisitions territoriales des Le Normant et des Poisson : nomination à des charges, élévation à des honneurs, érection de fiefs.

La marquise se laisse entrevoir surtout dans le fonds de la Direction générale des Bâtiments, qui fut gérée successivement par son oncle et son frère : ordres de travaux, devis et projets pour ses appartements et ses jardins, ses ermitages et ses hôtels, distribution de glace et de fleur d'oranger. Nous renvoyons à notre *Versailles, Catalogue des dessins d'architecture,* Paris, 1983. L'énorme correspondance administrative de Le Normant et de Marigny, en partie publiée, contient des allusions occasionnelles à leur nièce et sœur.

Le souvenir de Madame de Pompadour, maîtresse de maison et organisatrice des fêtes, est aussi présent dans les fonds du Gardemeuble et des Menus Plaisirs. Comme propriétaires privés et comme parties civiles, la marquise et les siens apparaissent incidemment dans les séries judiciaires et les fonds d'enregistrement. Nous avons évoqué ci-dessus les documents importants qui les concernent au Minutier central des notaires et dans les Papiers des Familles.

Chanteduc, 1983.

Annexes

I

Portrait de Mme de Pompadour par Jean-Nicolas Dufort, comte de Cheverny, introducteur des ambassadeurs.

« Mademoiselle Poisson, femme Le Normand d'Etiolles de Pompadour, que tout homme aurait voulu avoir pour maîtresse, était d'une grande taille de femme, sans l'être trop. Très bien faite, elle avait le visage rond, tous les traits réguliers, un teint magnifique, la main et le bras superbes, des yeux plus jolis que grands, mais d'un feu, d'un spirituel, d'un brillant que je n'ai vu à aucune femme. Elle était arrondie dans toutes ses formes, comme dans tous ses mouvements. Elle venait régulièrement toutes les semaines faire sa cour aux dîners de la Reine, de Mesdames, du Dauphin et de la Dauphine, car chacun mangeait à part et en public. Alors, elle effaçait ce qu'il y avait de plus joli... »

Mémoires, édition R. de Crèvecœur, p. 68.

II

Portrait de Mme de Pompadour par Charles-Georges Leroy, lieutenant des chasses du parc de Versailles.

« La marquise de Pompadour était une femme d'une taille au-dessus de l'ordinaire, svelte, aisée, souple, élégante. Son visage était bien assorti à sa taille : un ovale parfait, de beaux cheveux plutôt châtain clair que blonds, des yeux assez grands, ornés de beaux sourcils de la même couleur, le nez parfaitement bien formé, la bouche charmante, les dents très belles et le plus délicieux sourire ; la plus belle peau du monde donnait à tous ses traits le plus grand éclat.

Ses yeux avaient un charme particulier, qu'ils devaient peut-être à l'incertitude de leur couleur ; ils n'avaient point le vif éclat des yeux noirs, la langueur tendre des yeux bleus, la finesse particulière aux yeux gris ; leur couleur indéterminée semblait les rendre propres à tous les genres de séduction, et à exprimer successivement toutes les impressions d'une âme très mobile ; aussi, le jeu de physionomie de la marquise de Pompadour était-il infiniment varié ; mais jamais on n'apercevait de discordance entre les traits de son visage, tous conspiraient au même but, ce qui suppose une âme assez maîtresse d'elle-même. Ses mouvements étaient d'accord avec le reste, et l'ensemble de sa personne semblait faire la nuance entre le dernier degré de l'élégance et le premier de la noblesse. »

*Portraits historiques
de Louis XV et de Madame de Pompadour,* 1802.

III

Contenu de la première des neuf malles de robes, étoffes et dentelles présentées par Nicole du Hausset et Jeanne Perceval lors de l'inventaire dressé après le décès de Madame de Pompadour.

Un habit de Cour et sa jupe de satin fond blanc, broderie des Indes, une jupe de Cour de gaze d'or fond jaune, une robe de chambre et son jupon de satin rayé, une autre robe et son jupon aussi de satin rayé fond lilas rose et blanc, une autre robe et son jupon de satin rayé et brodé fond pourpre et jaune, une autre robe et son jupon aussi de satin fond rose, une autre robe et son jupon aussi de satin rayé rose et blanc broché en chenille, une autre robe et jupon de satin rayé broché en chenille fond blanc, une autre robe et son jupon aussi de satin broché rayé fond blanc, une robe de satin blanc piqué, une autre robe et son jupon de satin blanc à bouquets détachés, une autre robe et son jupon de satin fond souci à guirlandes, une autre robe et son jupon de satin rayé fond blanc à mouches, une autre robe de satin à mouches rayée fond bleu, une autre robe de chambre et son jupon de satin fond jaune rayé, une autre robe et son jupon de satin des Indes fond blanc à bouquets peints, une autre robe et son jupon fond gros de Tours broché et rayé fond petit-jaune, une autre robe et son jupon de soie cannelée fond vert à bouquets détachés, une autre robe et son jupon de damas bleu rayé garni de blonde à bouquets détachés, une autre robe et son jupon couleur de rose rayé et tigré, une autre robe et son jupon de soie cannelée et brochée, une autre robe de taffetas des Indes broché.

Archives nationales, Minutier central des notaires,
Etude LVI, liasse 113.

IV

Pensions et gratifications faites par Madame de Pompadour à des particuliers et des maisons religieuses.

A madame Lebon, pour lui avoir prédit à l'âge de neuf ans qu'elle serait un jour la maîtresse de Louis XV ..	600 L.
A madame Sainte-Perpétue, sa tante du côté maternel ..	3 000
A mademoiselle Clerget, ancienne femme de chambre de sa mère	600
Aux Capucines de Paris	720
Aux filles de l'Ave Maria	240

A madame Becker, religieuse de Saint-Joseph   240
A la dame Plantier, nourrice de sa fille   200
A la dame Pin, son ancienne fille de garde-robe   50
A Dablon, son père nourricier   300
Au fils de sa première femme de chambre   212
Au fils de Douy   300
Au fils de madame du Hausset, seconde femme de
chambre   400
Pour le petit Beaulieu, gentilhomme   150
Pour le petit Capon, gentilhomme   300
Pour la fille Manoyé   380
Pour mademoiselle Guillier   300
Pour mademoiselle de Pontavici   250
Pour madame la baronne de Rhone, âgée de quatre-
vingt-dix ans 3 000
Pour mesdemoiselles de La Forge 2 000
Pour la petite nymphe de Compiègne   400
Pour le petit Jean-Simon   300
Pour la veuve Bourgeois, ancienne remueuse   120
Pour les serviteurs logés dans les greniers de Versailles,
étrennes 1 200
Au petit sans bras   144
A un pauvre boiteux   36
A madame Questier   72
A mademoiselle de Gosmond, pour être religieuse 1 800
A mademoiselle Du Laurens, pour être religieuse 1 800
A mademoiselle Mazagathy, pour être religieuse 1 800
A mademoiselle du Hausset   400
A mademoiselle de Longpré   600
A madame de La Croix   300
A madame Trusson, pour remettre à quelqu'un à Paris   260

*Suit une liste de cinquante et une maisons religieuses réparties
à travers la France, gratifiées à chaque carême de*   600

A tous les curés de ses maisons 1 452
Aux deux curés de Versailles   480
Au curé de Fontainebleau   120

Au curé de Choisy 120
Aux sœurs grises de Choisy 120
Aux sœurs grises de Fontainebleau 120
A tous les curés de Compiègne 600
A toutes les maisons religieuses de Compiègne 1 200
A un pauvre abbé de Compiègne, aux Carmélites 48
A madame de Villars pour ses pauvres 1 200
Aux frères de la Forêt de Sénart 46
A la bouquetière du château de Versailles suivant la Cour   120
La fondation d'une grand'messe aux Carmélites de
Compiègne 600
Le jour de l'an à tous les officiers des petits apparte-
ments du roi et garçons du château, à chacun une très
belle, veste 1 000
A tous les autres domestiques du roi, suisses des appar-
tements grands et petits, valets de pied, frotteurs, cochers,
postillons et palefreniers du roi, et tous les métiers tra-
vaillant au château 1 200
A la naissance de Mgr le duc de Bourgogne, à distribuer
aux pauvres de Versailles 3 000
Aux trois autres naissances 9 000
Aux pauvres de la Trappe, en deux fois 15 000
Pour les mariages de Crécy, dots et habits 21 000

Index des noms de personnes

Montferrat, nièce des Tencin, 21, 28, 157-158.

GUIGNON (Jean-Pierre), maître de violon, 91.

HARCOURT (Claude Henri, duc d'), capitaine des gardes du corps, 64.

HARDION (Jacques), de l'Académie française, chargé de la bibliothèque personnelle de Louis XV à Versailles, 90.

HAVRÉ (Louis Ferdinand Joseph de Croy, duc d'), lieutenant général des armées du roi en 1748, 126.

HELVETIUS (Claude Hadrien), fermier général, maître d'hôtel de la reine, écrivain, 21, 180, 231.

HELVETIUS (Jean Claude Adrien), père du précédent, premier médecin de la reine, 69.

HÉNAULT (Charles Jean François), président aux enquêtes, surintendant de la Maison de la reine, 21, 25, 26, 32, 50, 62, 71, 77, 87, 195, 214, 252, 255.

HÉNAULT DE MONTIGNY, exempt des gardes du corps, 25, 145.

HÉNAUT (Marguerite Catherine, marquise de Montmélas), 155.

HÉNIN (chevalier, prince d'Alsace), écuyer de Mme de Pompadour, 53, 229.

HENRIETTE (Anne Henriette de France, Madame —), sœur jumelle de Louise Elisabeth infante-duchesse de Parme, 32, 46, 89, 105, 106, 150, 168 à 170, 202.

HÉVIN (Louis Prudent Alexandre), 173.

HÉVIN (Prudent), premier chirurgien de la dauphine, gendre du Dr Quesnay, 222, 224.

HOGGUER (Antoine), fournisseur des armées de Louis XIV, 109.

HOUTEVILLE DU TERTRE (d'), 96.

HOZIER (Louis Pierre d'), généalogiste des ordres du roi, 73.

HUBLET (Toussaint), 132.

HUET (Jean-Baptiste), peintre, 203.

HUGUENIN (Marie-Charlotte), 97-98.

HUGUET DE SEMONVILLE (Charles François), président d'honneur au Parlement de Paris, 151.

HUPEAU, Premier ingénieur des Ponts et chaussées, de l'Académie d'architecture en 1757, 228.

INFANTE (Madame), voir : Louise Elisabeth de France.

INNOCENT XIII (Conti), pape de 1721 à 1724, 16.

ISABELLE DE PARME (Marie-Elisabeth Louise Antoinette), fille de Madame Infante et de don Philippe, épouse en 1760 de l'empereur Joseph II, 91.

JACQUIER (François), minime, professeur à la Propagande et au Collège romain, 53, 189.

JANEL (Robert), intendant général des Postes, 98, 227, 242.

JARD (Joseph), écuyer, chirurgien-accoucheur de la dauphine, 165-166.

JELYOTTE (Pierre), ténor, 21, 25, 53, 60, 68, 85, 118, 195.

JOGUES DE MARTAINVILLE (famille de), 176.

JOLLY (Claude François), émigré à La Haye, 97.

JOMARD (l'abbé), curé de Notre-Dame de Versailles, 166, 169.

JOSSET (l'abbé), prédicateur, 83.

JOUBERT (Gilles), ébéniste, 115, 121.

JOUVENET (Jean), peintre, 210.

JUBIN, jardinier, 116, 137.

JUSSIEU (Bernard de), botaniste, 127.

KAUNITZ-RIETBERG (Anton Wenzel, comte de), ambassadeur extraordinaire de l'Empire en France de 1750 à 1752, 183, 220-221.

KNYPHAUSEN (Dodo Henri, baron de), ministre du roi de Prusse en France de 1754 à 1756, 218.

LABATY (Elisabeth Thierry, épouse de François), femme de chambre, 53, 229.

LABATY (François), intendant à Saint-Ouen, 229.

LA BEAUMELLE (Laurent Angliviel de), écrivain, 214.

LA BORDE (Jean-Benjamin de), Pre-

Table des matières

— ACHEVÉ D'IMPRIMER —
LE 12 DECEMBRE 1984
SUR LES PRESSES DE
L'IMPRIMERIE
CARLO DESCAMPS
CONDÉ - SUR - L'ESCAUT
POUR LE COMPTE
DE LA LIBRAIRIE
ARTHÈME FAYARD
75, RUE DES SAINTS-PÈRES
PARIS VIᵉ

35-14-7292-01
ISBN 2-213-01516-3
Dépôt légal : janvier 1985
Nᵒ d'éditeur : 7022
Nᵒ d'imprimeur : 3516
Imrimé en France

35-7292-2